沖縄国際大学公開講座30

ボーダレス・ダイバーシティ社会に向けて

はしがき

今日、私たちは地球規模で支え合う高度なネットワーク社会の中で暮らしている。折しも二〇二〇年の新型コロナによるパンデミックという未曽有の事態に直面した私たちは、医療・経済・文化活動など、あらゆる局面にその影響が及ぶのを目の当たりにし、世界との密接な繋がりを強く意識させられるようになった。私たちの生活に広く張り巡らされたグローバル化の網目が、改めて顕在化したともいえる。

さらに、情報テクノロジーの進化は、ボーダレス（borderless：境界がないこと）に人や物が行き交うという現象に拍車をかけている。インターネットの普及により、物理的な距離や時間が短縮され、居ながらにして世界と繋がることができるようになった。これにより、文化的背景の異なる人々との交流の機会も、劇的に増えた。それはビジネスや公的サービスをはじめ個人の趣味嗜好の共有に至るまで、様々な場面や目的で活用されている。情報のデジタル化は世界と個人を繋ぎ、個人が世界に向けて情報発信できるチャンスをも拡大した。コミュニケーションのあり方自体が大きな変化を遂げている。

これに伴い、ある一つの社会または組織体のなかに多様な人材を積極的に参加させることで、新しい活力源を得ようとする動きが高まっている。つまり、現代の様々な地球規模の課題に対処するには、そこに多様な視点を盛り込んだほうが、より豊かで創造的な発想が生まれるのだという認識が、そこにはある。国籍・人種・性別・障がいの有無など、様々な違いを多様性として受け入れ、それぞれの個性や能力を最大限に活かしながら、対等な立場で協力し合うことのできる「ダイバーシティ（diversity：多様性）社会」、その実現へ向かって私たちは進んでいるのである。

そこで本講座では、「ボーダレス・ダイバーシティ社会へ向けて」というテーマのもと、総合文化学部英米言語文化学科を中心に九人の講師陣が集まり、言語、異文化理解、多文化共生、マイノリティの文化、自文化への理解や継承、などの切り口で、それぞれの専門的視座から、ボーダレス・ダイバーシティ社会の諸相を捉え、考察している。

うまんちゅ定例講座は、本来ならば来場型の講座として開催されるものだが、二〇二〇年度は新型コロナの影響によりオンライン配信という初の試みとなった。本書はその講座内容をまとめたものである。多少の戸惑いもあったが、途切れることなく本講座を継続させることができ喜ばしい限りである。ご協力いただいた関係者各位に深く感謝申し上げる。

二〇二〇年度沖縄国際大学公開講座委員長　西　原　幹　子

２０２０年度沖縄国際大学公開講座（うまんちゅ定例講座）

多言語景観から見るマルチリンガリズムの包括性と排他性	李 イニッド（総合文化学部 英米言語文化学科 教授）
多文化共生社会における持続可能なコミュニティ通訳翻訳サービスに向けて―沖縄の現状と課題―	井上 泉（総合文化学部 英米言語文化学科 准教授）
「世界は舞台」―シェイクスピア作品に描かれる流動化社会の様態―	西原 幹子（総合文化学部 英米言語文化学科 教授）
しまくとぅばがオンラインで学べるために	西岡 敏（総合文化学部 日本文化学科 教授）
〈閉ざされた世界〉を開く―近代西欧と日本における「日本」イメージ	岡野 薫（総合文化学部 英米言語文化学科 講師）
「多文化化する沖縄社会」	崎濱 佳代（総合文化学部 社会文化学科 講師）
手話という言語とろう文化～言語的少数者としてのアイデンティティ～	岩田 直子（総合文化学部 人間福祉学科 教授）
日本語教師の専門性はどこにあるのか―多文化共生の推進に向けて考える―	奥山 貴之（総合文化学部 日本文化学科 講師）
琉球諸語の語学教育―ポリノミックモデルを応用して	ハイス・ファン＝デル＝ルベ（沖縄国際大学 日本学術振興会外国人特別研究員）

今年度は新型コロナウィルス感染拡大防止に伴い、来場型での開講が困難となり、動画配信（You Tube）にて開講することになった。
動画配信期間 2020 年 11 月 25 日～ 2021 年 3 月 31 日

ボーダレス・ダイバーシティ社会に向けて ―― 目次

しまくとぅばがオンラインで学べるために　西岡　敏

西欧と日本における〈日本〉のイメージ
―〈とざされた世界〉をめぐる近代から現代の議論―　岡野　薫

多文化化する沖縄社会　崎濱佳代

ダイバーシティ社会に向けて
～ろう者の手話言語獲得の歩から考える～　岩田直子

日本語教師の専門性はどこにあるのか
―多文化共生の推進に向けて考える―

奥山貴之

琉球諸語の語学教育
—ポリノミックモデルを応用して—

ハイス・ファン＝デル＝ルベ

※役職は講座開催当時、本文は講座開催の順序で編集。

多言語景観から見るマルチリンガリズムの包括性と排他性

李　イニッド

李　イニッド・り　いにっど
所属：総合文化学部　英米言語文化学科
主要学歴：米国ハワイ大学(University of Hawai'i at Mānoa)大学院言語学科博士課程修了、同大学院英語教育学科修士課程修了

主要論文及び主要著書：

2020. Beyond bilinguality: Code-mixing, semantic relatedness and name clustering in Hong Kong racehorse names. In Kelly K. Y. Chan & C. S. G. Lau (Eds). *Chinese Culture in the 21st Century and Its Global Dimensions: Comparative and Interdisciplinary Perspectives* (pp.161-178). Springer.

2020. The dynamic nature of multilingual shop signs in Taipei's commercial districts: A translanguaging perspective 沖縄国際大学南島研究所『台湾調査報告書』地域研究シリーズNo.46 一一一六頁

2017.「香港における言語状況：トライグロシアへの軌跡と課題」『しまくとぅばルネッサンス』沖縄国際大学公開講座委員会発行一四九―一九〇頁

2016. From television to real life: Hai? as an innovative change in Modern Japanese. Global Communication and Beyond: Language, Culture, Pedagogy and Translation, pp. 52-80. National Taipei University of Science and Technology.

2015. What do tongue twisters tell us about L2 receptive competence? *Studies in English Language and Literature 35*:131-144.

2015. Native and non-native interpretations of a co-verbal facial gesture in Japanese conversation: An experimental study.『沖縄国際大学外国語研究』第18巻第2号三一―五〇頁

2014. The use of the interlocutor's L1 fillers in foreigner talk: Evidence from English conversations with Japanese EFL learners.『沖縄国際大学外国語研究』第17巻 第2号四三―五四頁

2012. Linguistic landscape in the discourse of citizen aesthetics: Code-mixing on public and commercial signs.『公民美學與當代社會』洪泉湖（編）(第4章　五七―九〇頁)

2012. Revitalizing the Hakka language in Taiwan: Achievements, problems and prospects. 沖縄国際大学南島研究所『台湾調査報告書』地域研究シリーズNo.39 一一―三八頁

2011. Use and maintenance of heritage language among Chinese immigrant families: Some observations in Okinawa.『語言、社會與藝術』謝登旺（編）(第3章　三三―六二頁)

2010. Defossilization of the Japanese flap for English /r/: An empirical study. *Journal of Applied English 3*: 113-124.

※役職肩書等は講座開催当時

一　はじめに

1　多言語景観

「多言語景観」という言葉は、「多言語」と「言語景観」が組み合わさってできた複合語である。「多言語」とは、文字通り、複数の言語を意味する。二つでも三つでも、それ以上でも構わない。ここで言う「多言語」には、「方言」も含まれる。なぜなら、言語学の観点からみれば、方言も独自の構造を持つ一言語と認められるからである。「多言語」をもっと広く解釈すれば、「点字」、「手話」、「ピクトグラム」（絵文字、シンボルなど）も含まれる。

「言語景観」とは、カナダ人の社会言語学者Rodrigue LandryとRichard Bourhis（一九九七）によって作られた用語linguistic landscapeの和訳で、彼らは「特定の領域あるいは地域の公共的・商業的表示における言語の可視性と顕著性」（二三頁）と定義している。具体的に言えば、「道路標識や、広告看板、地名表示、店名表示、官庁の標識などに含まれる可視的な言語の総体」（二五頁）を指す。大きく分けて、国や地方自治体による公共のものと企業や個人による民間のものの二種類がある。言語景観研究の範囲は次第に広がり、目に見える「視覚景観」（visual landscape）だけではなく、耳に入る「音声景観」（soundscape）や、様々なメディアにおける「メディア景観」（mediascape）、サイバースペースにおける「バーチャル景観」（visual landscape）も含むようになった（Backhaus 二〇一五、Ivković 二〇一二、Jaworski & Thurlow 二〇一〇）。

言語景観の研究は、言語の部分だけを分析対象とするものもあれば、非言語的部分に焦点を当てているものもある。例えば、景観の表記形態に関する要素である文字の書体や、サイズ、配色、空間的配置、方向、ピクトグラムの使用などについての記号論的研究がある。「多言語景観」は実に多種多様で、千差万別である。簡単なものもあれば複雑なものもあり、よく観察すれば様々なことが見えてくる。例えば、ある地域または国の社会的、政治的、文化的背景や、歴史、社会構造、言語政策など、メッセージ性の強いものと薄いもの、印象に残るものとあまり残らないものなどがある。

2　マルチリンガリズム

本章では、多角的な視点から「多言語景観からみるマルチリンガリズムの包括性と排他性」について皆さんと一緒に考えてみたい。そもそも「マルチリンガリズム」とは、どういう意味なのだろうか。マルチリンガリズムは、英語のmultilingualismから来た言葉で、「多言語主義」とも訳されるが、どのような文脈で語られているかによってその定義が異なる。例えば、コミュニケーションの手段として、二つ、あるいはそれ以上の言語を目的や場面に応じて使用すること、または、複数の言語を使用する能力を持つことを指す。さらに、あるコミュニティまたは地域の特性、あるいは政策として、複数の言語が共存すること、または複数言語使用の状況を指すこともある。ここから派生した様々な言葉があり、皆さんもどこかで見たり聞いたりしたことがあるかもしれない。例えば、「多言語性」や、「多言語化」、「多言語使用」、「多言語共存」、「多言語話者」、「多言語使用者」、

「多言語社会」、「多言語国家」、「多言語教育」などである。

せっかくなので、マルチリンガリズムについて、もう少し深く学ぶとしよう。まず、マルチリンガリズムには、個人と社会の2つのレベルがある。前述したように、マルチリンガリズムは、ある種の言語使用現象（phenomenon）であると同時に、言語能力育成の目標（goal）またはイデオロギー（ideology）でもある。また、言語発達の過程（process）として、言語行為の産物（product）として、言語資源（resource）として認識して研究することもできる。

複数の言語が存在する、または使用されることは、言語文化のダイバーシティ（すなわち多様性）が示されることとも言える。これは国際化や、グロバール化と言われる今の時代における自然な流れだろう。というのは、グロバール化が進むにつれ、様々な局面においてボーダーレス化が促進される。言い換えれば、ヒト、モノ、カネ、情報などの資源が国境を越えて自由に往来することによって、誰もが旅行者や、留学生、移民、外国人労働者など、異質な他者、または社会的マイノリティと言われる人たちと出会ったり、共に学んだり、働いたりする機会が増えてくる。

多言語使用の現実と言語文化のダイバーシティが存在することは、どのような社会的意義を持つのだろう。大きく分けて三つある。一つ目は、多様性を受け入れ、互いに認め合い、尊重し合い、助け合う。二つ目は、異質な他者や社会的マイノリティに「言語支援サービス」を提供する。三つ目は、言語的弱者の言語権（すなわち言語的人権）を認める。いずれも現代人の理想である「共生社会」の実現に欠かせないソーシャル・インクルージョン（いわゆる「社会的包摂」、「社会的包容力」）、または言語的弱者のエンパワーメント（すなわち自立心の向上）へ繋げることになると考えられる。

さて、実際はどうなっているのか。包摂的な社会の促進または言語的弱者の権利擁護と地位向上にとって、多言語景観はどのような役割を担っているのだろうか。また、表示された言語の数と多言語表示の数が多ければ多いほど社会的包容力の向上へ繋がりやすくなるのだろうか。国内外の事例をいくつか見ながら、「多言語表示」の包括性と排他性について一緒に探っていきたいと思う。

ここで言う「多言語表示」とは、現地の主要な言語に加えて、または現地語のかわりに少なくとも一つの言語を含む表示を指す。多言語表示の包括性と排他性とは、いったいどういうことなのか、表示の内容（コンテンツ）、対象（ターゲット）、表示戦略（ストラテジー）の三つの面から見てみよう。まずは、内容について、「何言語が採用されているのか」、「どの言語がどのように使われているのか」、「どのような情報メッセージが含まれているか、含まれていないか」。次に、対象について、「誰を対象にした表示なのか」、「発信者の意図は何だろうか」。最後に、表示戦略について、「その表示はどこに設置されているのか」、「発信者の意図はどうのようにして表示されているのか」、などである。

次節以降では、内容、対象、表示戦略の三つの観点から、国内外における多言語景観の事例を通じて、マルチリンガリズムの包括性と排他性について考察してみる。海外の事例はオーストラリア・ブリスベン、スコットランド、香港の3つの地域であり、国内の事例は主に東京都と沖縄県である。

二　国外の事例

1　オーストラリア・ブリスベン（図1～3）

図1～3はオーストラリア・ブリスベンの言語景観である。図3は五つの言語が表示されているが、図1と図2は二言語のみ。図3はブリスベンの都心部に設置されたもので、図1と図2はブリスベンのチャイナタウン（いわゆる中華街）に設置されたものである。

図1は警察署前の看板である。看板に「警察署」と「公衆トイレ」ということが繁体字の中国語と英語の二言語で表示されている。

ここでまずは繁体字を簡単に説明する。中国語には、昔からあった画数が多い「繁体字」と、略字の統一と識字率向上のために改良された画数が少ない「簡体字」の二種類の字体がある。下の表を見れば分かるように、日本語において使用される漢字によく似た字体が繁体字にも簡体字にも確認できる。

中華圏では、政治的な背景と歴史的な要因によって、「繁体字」と「簡体字」の使用地域が異なる。繁体字は主に香港、澳門、台湾において、簡体字は主に中国本土、シンガポール、マレーシアで使

日本語　漢字	中国語　繁体字	中国語　簡体字
体	體	体
鉄	鐵	铁
広	廣	广
華	華	华
麗	麗	丽
間	間	间
国	國	国

図１　ブリスベンのチャイナタウンにおける警察署前の看板
（筆者撮影 2014）

図2　ブリスベンのチャイナタウンにおける街道名案内標示板
（筆者撮影 2014）

図３　ブリスベン都心部における五つの言語で表示される道路案内標識（筆者撮影 2014）

われている。繁体字使用者と簡体字使用者がお互いの字体を簡単に読んだり、書いたりできるかというと、それは、字体の違いの程度と文脈からの手がかりがあるかないかによる。また、個人差もある。さらに、地域によっては、字体の違いだけではなく、語彙、表現、文法が異なる場合もある。

さて、警察署前の看板（図１）に表示される二言語の情報を比較してみると、量的にも、質的にも、対称的ではないことが分かる。中国語の看板には、警察署の名前、つまり管轄区域名までは書かれているが、なぜか英語看板にはその情報はない。一方、英語看板に「Proud to serve you」（＝あなたに仕えることを誇りに思う）というスローガンが記されているが、中国語看板にはない。二言語の文字の大きさと設置場所を比べてみれば、中国語の方が英語よりも大きくて目立つ。

図２は、先程の警察署の所在地域にある交差点

に設置されている街道名案内標示板である。同じく英語と中国語の二言語表記となっている。英語名の標示版一つと中国名の標示板一つで一セットである。英語と中国語の二つの標示板のサイズにも、文字の大きさにも大きな差はなく、配色も一緒だが、英語の方が中国語の上に設置されている。もう一つの違いは、住所番号の表示である。英語標示板には番号が記されているが、中国語標示板には記されていない。それは何を意味するのだろうか。さらに細かく見ると、一番下にある中国語街道名の一部にはシールが貼られている。実はこのようないたずらは町中でちらほら見られる。ごく一部の人による仕業だろうが、このことから、中国語表示に対して拒否反応あるいは排他的な態度を持つ人がいることが窺える。以上三つのポイントは、英語が中国語よりも上位に位置づけられ、英語こそ現地の主要言語であることを意識した表示として認識される。

図3の標識には五つの言語が記されているが、英語が現地の主要な言語であるため、他の四言語よりも目立つように工夫されているのは一目瞭然である。具体的に言うと、英文字は書体も文字列の面積も一番大きく、標示板の外側半分に配置されている。英語文字列の真上または真下の位置には、行先までの距離や、方向を示す矢印、交通機関、階段、エスカレーターなどを表すピクトグラムが記されている。標示板の内側半分には、英語以外の四言語が「中国語、アラビア語、韓国語、日本語」という順番で上から下へ並べられている。この四言語はすべてアジアの言語だが、それはなぜだろう。実はこのような標識は二〇一三年にブリスベン市議会が新たな経済成長戦略の一環として英語のみの標識の代わりに都心部に設置したものである。その背景には、アジア諸国からの外

国人観光客や、留学生、移民の急増とその翌年に開催予定のG20ブリスベン・サミットがある。英語以外の四言語はいずれも現地にいる英語圏以外の外国出身者の中に人口が一番多いマイノリティグループを代表する言語である。標識の設計者によると、この四言語の並び順は、純粋に視覚的観点から、文字列の短い方から長い方へ配置しただけで、それぞれの言語の母語話者数、あるいは彼らの経済力のランキングを表しているわけではないようである（Aust 二〇一四）。

次に、言語景観の機能という観点から考えてみよう。都心部のあちこちに立っている五言語表記は、チャイナタウンの警察署とその近くにある交差点に設置されている英語と中国語の二言語表記と比べて、大きな違いがある。五言語表記が方面、方向、行先までの距離という情報をより多くの人に伝えることを目的としているのに対して、これらの二言語表記は場所を案内するという目的の他に、さらに象徴的機能も持つ。この象徴的機能は、当然表記の設置場所と密接に関係している。前述したように、二言語表記の設置場所はブリスベンのチャイナタウンの中とその周辺に限られ、いわゆる「地域限定」という特徴がある。

ご存知のように、世界中に数多く存在するチャイナタウンは、華僑、華人たちの社交場でありながら、観光客や地元の人の人気スポットでもある。ブリスベンのチャイナタウンも例外ではなく、文化的な要素を売り物とする商業エリアなので、地域内の標識看板に英文字とはまったく異なる中国語文字を含む二言語の表記を使うことは、エキゾチックなイメージを喚起する、つまり、雰囲気づくりという重要な役割を担っていると考えられている。「情報伝達の対象」という観点からみれば、確かに五言語表記の方がマイノリティグループのニーズに配慮して作られたものなので、より多くの人が読めるというメリットがあり、「包括的な表示」と言える。それに比べて、英語と中国語の二言語表記の方が主要言語一つとマイノリティ言語一つしか採用されていないため、相対的に、包括性が低くなるように見えるが、表示の設置場所、発信者の意図、表記の象徴的機能などを総合的に考えれば、必ずしもそうではないことが分かる。

2　スコットランド（図4～5）

図4と図5はスコットランド・ハイランド地方の主要道路に設置された道路標識である。英語とスコットランド・ゲール語が表示されている。このような標識はスコットランド・ゲール語話者が最も集中しているハイランド地方（The Highlands）及び北部諸島から徐々にスコットランド全域に広まった。

図4と図5の標識の背景の色も文字の色も違うが、両方とも英語とスコットランド・ゲール語の二言語表記になっている。文字の字体もサイズも一緒なの

図4　スコットランド・ハイランド地方における主要地点案内標識（Puzey 2007）

で、二言語の区別をしやすくするために、二色が使われている。スコットランド・ゲール語の文字は黄色または緑色であるのに対して、英語の文字は白か黒である。二言語の文字列の配置順から、スコットランド・ゲール語の方が英語よりも上位に位置づけられ、現地の人がこの言語を大切にしているという印象を与える。

しかし、実際のところは、スコットランド・ゲール語は、一五〇〇年以上の歴史を持つ地域言語ではあるが、イギリスの公用語ではなく、スコットランドの主要言語でもない。スコットランド・ゲール語を併記することによって、言語マイノリティであるスコットランド・ゲール語を母語とする話者の言語権が保障されているようにも見えるが、実は、現在、スコットランド・ゲール語を話せるスコットランド人は僅か約一万一〇〇〇人、スコットランドの総人口の一パーセントにも満たず、しかもほとんどが五十才を超えている。二〇〇五年に、スコットランド議会は伝統的な言語であるゲール語を推進するために、「スコットランド・ゲール語法」(Gaelic Language (Scotland) Act 2005) を可決した。それ以来、様々なゲール語復興政策が出されたが、残念なことに、今になってもまだ十分な成果があったとは言い難い状況にある。

図５　スコットランド・ハイランド地方の主要道路における道路標識（Google Map 2020）

最近のある研究によると、現在、スコットランド・ゲール語の母語話者は一人もいなく、若者への継承も進んでいないため、今後十年以内に消滅してしまう可能性が指摘されている（Giollagain & Camshron 二〇二〇）。前述のことから、看板標識にスコットランド・ゲール語が表示されていても、実際に読める人は非常に少ないということである。これらの事実を踏まえて考えると、スコットランド・ゲール語表記の実用性は極めて低い。このような二言語標識の設置目的は、ゲール語しか読めない人への情報提供というよりも、伝統文化保護活動の一環としてゲール語を展示すること、またはブリスベンのチャイナタウンにおける中国語表記のように「観光資源」として使われていると考えるべきだろう。

3　香港（図6〜14）

図6の標識は香港の街道名を示している。いずれも英語と繁体字の中国語の二言語表記である。二言語の字体の大きさには大きな差がなく、色も一緒だが、英語は中国語の上に記されているため、英語が現地社会の上位言語であるという印象を与える。

道路標識の他に、政府機関が作った様々な看板、注意表示にも英語と中国語の二言語が表示され、英語の方が中国語の上に記されていることが多い（図7）。

「英語が上、中国語が下」という配置順は、公立・私立を問わず、様々な学校、民間団体の看板標識にも確認される（図8）。英語が中国語の上に表示されているだけではなく、標示板の面積に

図6　香港における街道名案内標示板　(筆者撮影 2019)

図7　香港の政府機関による「英語が上、中国語が下」の二言語表記　(筆者撮影 2017)

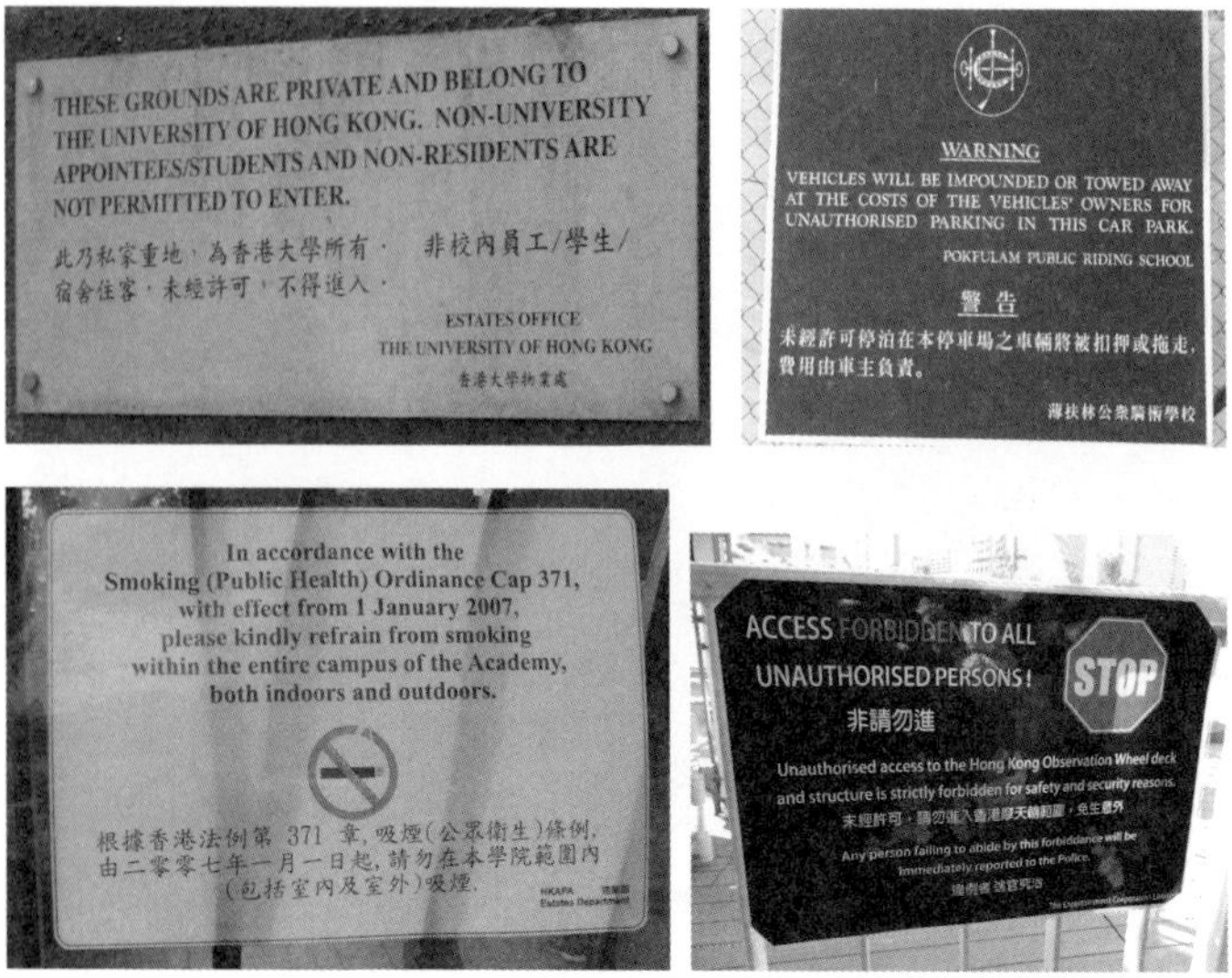

図８　香港の公立大学、民間団体による「英語が上、中国語が下」の二言語表記　（筆者撮影 2017）

占める割合も、英語の方が中国語よりも大きくなってしまうケースが少なくない。その顕著な例として、図9の白い看板のように、中国語表記部分が剥がれてしまって、見えなくなっても修復されることなく、英語のみの表記だけが残り続けるものもある。

しかしその一方で、英語と中国語が逆の順番で表示される看板標識も存在する（図10）。近年、公共の看板標識をはじめ、民間のものにも「中国語が上、英語が下」という配置順で表示されるものが増えてきている。

しかも、標示板の面積に占める中国語表記の割合を見ると、英語表記よりも割合が大きいものも増加して

図９　香港大学敷地内における「英語が上、中国語が下」の二言語表記（筆者撮影 2017）

図10　香港の政府機関による「中国語が上、英語が下」の二言語表記（筆者撮影 上：2017、左下：2016、右下：2019）

図11　香港における「中国語が英語よりも割合が大きい」二言語表記（筆者撮影 上：2017、下：2019）

いる（図11）。英語と中国語の二言語の配置順と文字列の大きさからも分かるように、中国語の方が明らかに目立つ。それはつまり英語よりも中国語の方が現地社会の中で重要な言語であることを示している。

図12に映っている同じ場所にある二つの看板標識のように、「英語が上、中国語が下」とその逆の二パターンが混在していることも珍しくない。簡単に言うと、これがポストコロニアル（いわゆる

図12　香港における「英語が上、中国語が下」と「中国語が上、英語が下」」の二言語表記（筆者撮影 2017）

「ポスト植民地主義期の」）香港の姿である。これを理解するためには、香港の歴史と言語状況についての基礎知識が必要となる。

ご存知の方も多いかと思うが、香港はもともと中国南部の小さい漁村であった。十九世紀の半ばに起きたアヘン戦争で中国は敗北し、イギリスに香港を割譲することとなった。そして、一五〇年以上にわたる植民地期を経て、一九九七年七月香港の主権がイギリスから中国に返還された。それ以来、「一国二制度」が導入され、ポストコロニアルという新しい時代に向けて様々な政策が推進されている。それらの政策の中には、返還前の英語と中国語の二公用語の制度をそのまま維持しながら、「二文三語」（原語は「両文三語」Biliteracy and Trilingualism）という目標を掲げた言語教育政策に力を入れたものがある。「二文三語」とは、書記言語としては、英語と標準中国語を使用し、口頭言語としては、広東語、英語、普通話（プートンホワ）使用することを示す（香港行政長官辦公室　二〇〇一、二〇一六）。

普通話とは、日本語では通称「北京語」とされるもののことで、広東語は中国南部の一方言という位置づけだが、広東語と普通話の違いは発音だけではなく、語彙面でも文法面でも違うところが多いため、まったく異なる言語と言っても過言ではない。香港の総人口の約九割は広東語母語話者である（香港統計處、二〇〇一）。そのほとんどは普通話も簡体字も正式に学んだことはない。香港人の共通語は広東語であるため、中国語を書く場合にも中国語の標準書面語を使わず、広東語をそのまま使ったり、英語が混じったりすることも少なくない。また、前述したように、中国本土では簡体字が使用されるのに対して、香港では中国に返還されて二十三年経過した今も繁体字が使われている。図6～図12の中国語と英語の二重表記を改めて見ると、香港の主権返還後、英語と中国語の二公用語を維持することになったが、政治的な観点から、国家主権を尊重するという意味で、英語よりも中国語の方が上位に位置づけられているため、二言語表記の場合は中国語表記を上に配置すべきだが、「英語が上、中国語が下」とその逆の2つのパターンが混在していることは、香港が脱植民地化という転換期の最中にあることを反映していると言えるだろう。

香港における二言語表記には、もう一つの特徴がある。それは、中国語表記の部分は、繁体字のみを使用することに加えて、広東語の口語表現が多く使われているということである（図13）。前

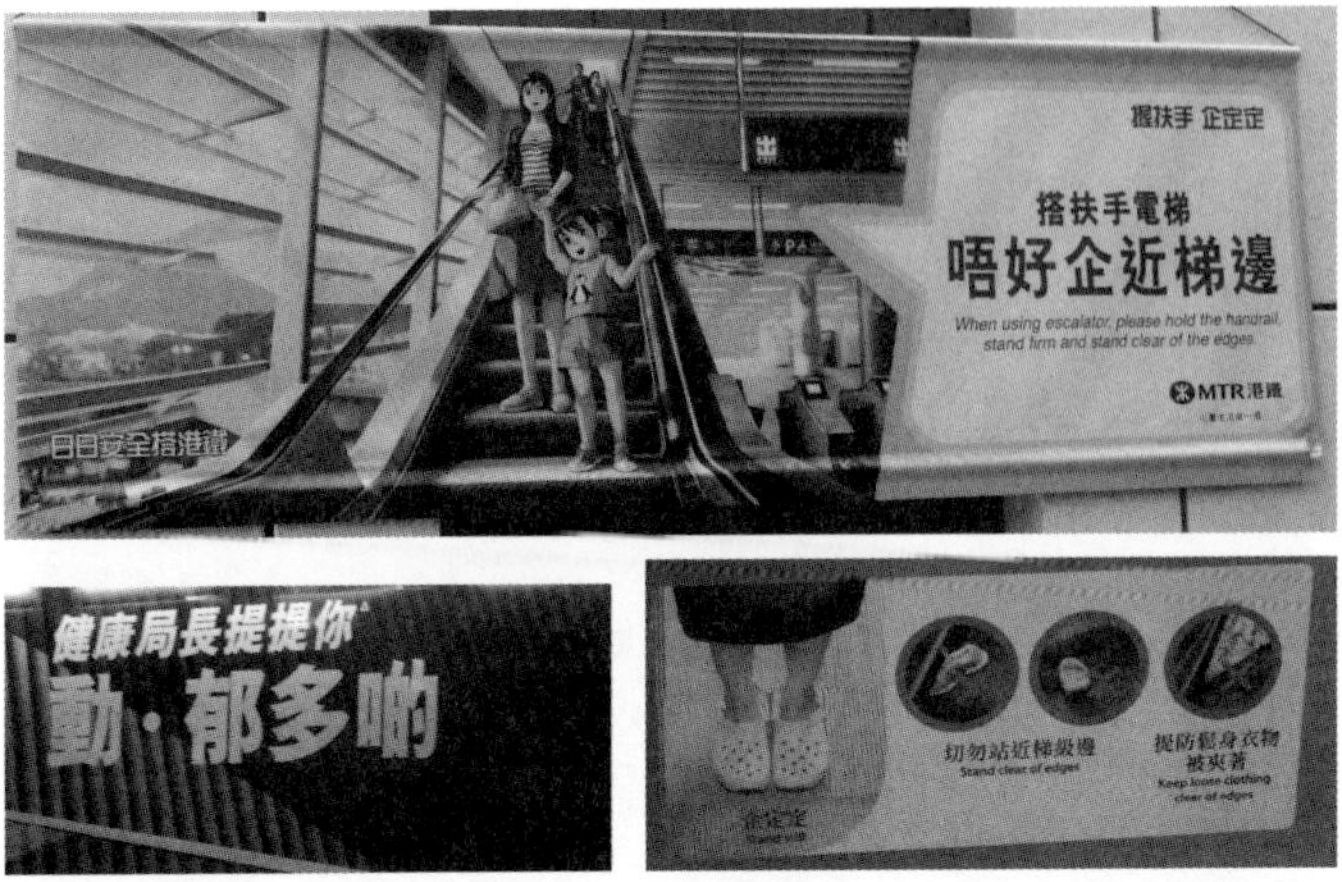

図13　香港における中国語（広東語使用）と英語の二言語表記
（筆者撮影 上：2018、下：2019）

にも述べたように、簡体字使用者は繁体字を読めない人が多く、その逆もまた然りである。さらに、広東語と普通話の違いが大きいため、広東語ができない中国人は広東語で書かれている表記をほとんど理解することができない。ということで、このような看板標識は彼らに対して「不親切」若しくは「排他的」というネガティブな印象を与えかねない。

しかし、営利を目的としての宣伝広告物や、店の看板となると、また別の話である。中国語と英語の他に、日本語もよく使われている。それは香港にいる日本人のためではなく、完全に現地消費者向けである。日本語を読める香港人が多いかというと、そんなことはない。読み手が読めなくても問題はない。なぜなら、これらの日本語表示の目的は情報伝達ではなく、単なる商品や店のイメージ戦略として使

図14　香港における中国語と日本語の二言語表記（筆者撮影 2019）

われているからである。つまり、消費者の購買意欲を高めるために、外国語をアクセサリーのように飾っているのだ。当然のことだが、宣伝したい商品やサービスによって、使われる外国語が異なるので、言語景観の象徴的機能という観点から見れば、決して「排他的」や「不親切」とは言えない。

三　国内の事例（図15～34）

日本国内における多言語景観も考察してみよう。まずはじめは、皆さんおなじみの道路標識から見ていく。図15の例からも分かるように、日本語と英語の二言語表記は全国共通である。いずれも「日本語が上、英語が下」という配置順となっている。標示板に日本語文字例の占める割合が英語より二、三倍も大きい。

日本語と英語の二言語表記の道路標識の中で、一部の情報が日本語でしか記されていないものもある（図16）。海外の事例からも分かるように、多言語で表示されている看板標識は公共のものばかりではなく、民間のものも多

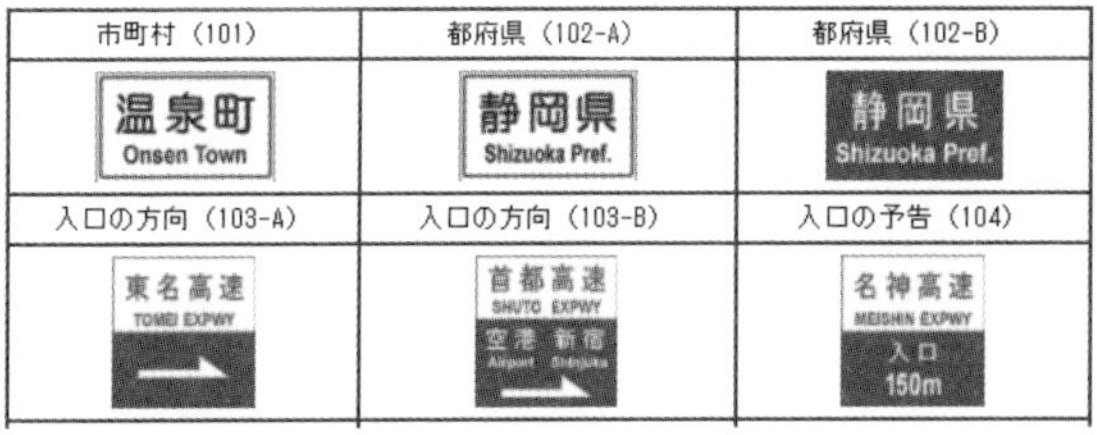

図15　日本における日本語と英語の二重表記の道路案内標識（国土交通省HP　2020）

図16　日本における日本語と英語の二重表記の道路案内標識（国土交通省HP　2020）

い。日本全国には多言語表示がどのくらいあるのか誰にも分からないが、一つだけ確実に言えるのは地域によって多言語表示の数も採用言語も異なるということだろう。

バックハウス（二〇一一）の調査によると、東京都山手線周辺に設置された約一万二〇〇〇の表示のうち、五分の一は多言語表示である。採用言語の数は、日本語の他に十四語もある。その中で圧倒的多いのは英語で、九割以上を占めている。その次に多いのは中国語と韓国語で、全体の僅か二～三パーセントだが、中国または韓国出身の外国人住民が多い地域では、中国語または韓国語の表記が一割から約半分を占めているケースもある。さらに、東京における言語景観の多言語化には三つの段階があると指摘されている（田中他、二〇〇七）。まず、最初に「日本語のみ」から「日本語・英語」の二言語へ、次に、「日本語・英語・中国語・韓国語」の四言語へ、そしてさらに「四言語＋α」へというプロセスで進行しつつある。その背景には、訪日外国人旅行者の急増と様々な多言語化活動と対応策がある。もう少し詳しく言うと、国や地方自治体、業界団体などによる多言語対応のガイドラインのほとんどは訪日外国人旅行者内訳上位国のデータに、基づいて策定されたものである。その結果、「日・英・中・韓」という四言語表記が最も推奨されることになった。その標準化が徐々に進められてきて、全国に広がっている。では、実態がどうなっているのか見ていくとしよう。

図17に示すように、沖縄県内では日本語と英語の二重表記は珍しくない。最近、外国人住民の多い市町村役場にも「日・英」の二重表記が見られるようになった。おもしろい英語で書かれていることもしばしばある（図18）。

図17　沖縄県における日本語と英語の二言語表記（筆者撮影 2020）

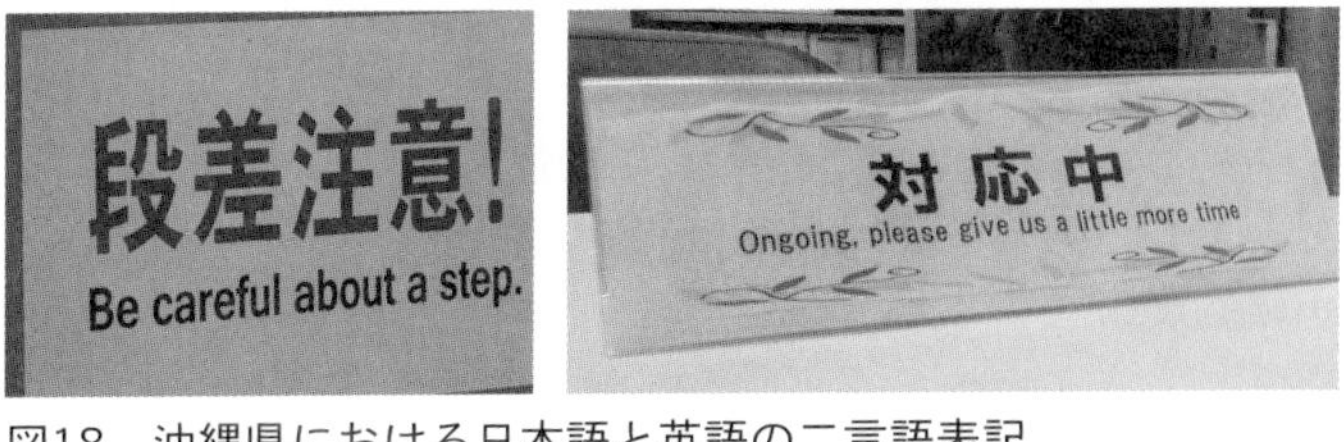

図18　沖縄県における日本語と英語の二言語表記
（筆者撮影 左：2015、右：2020）

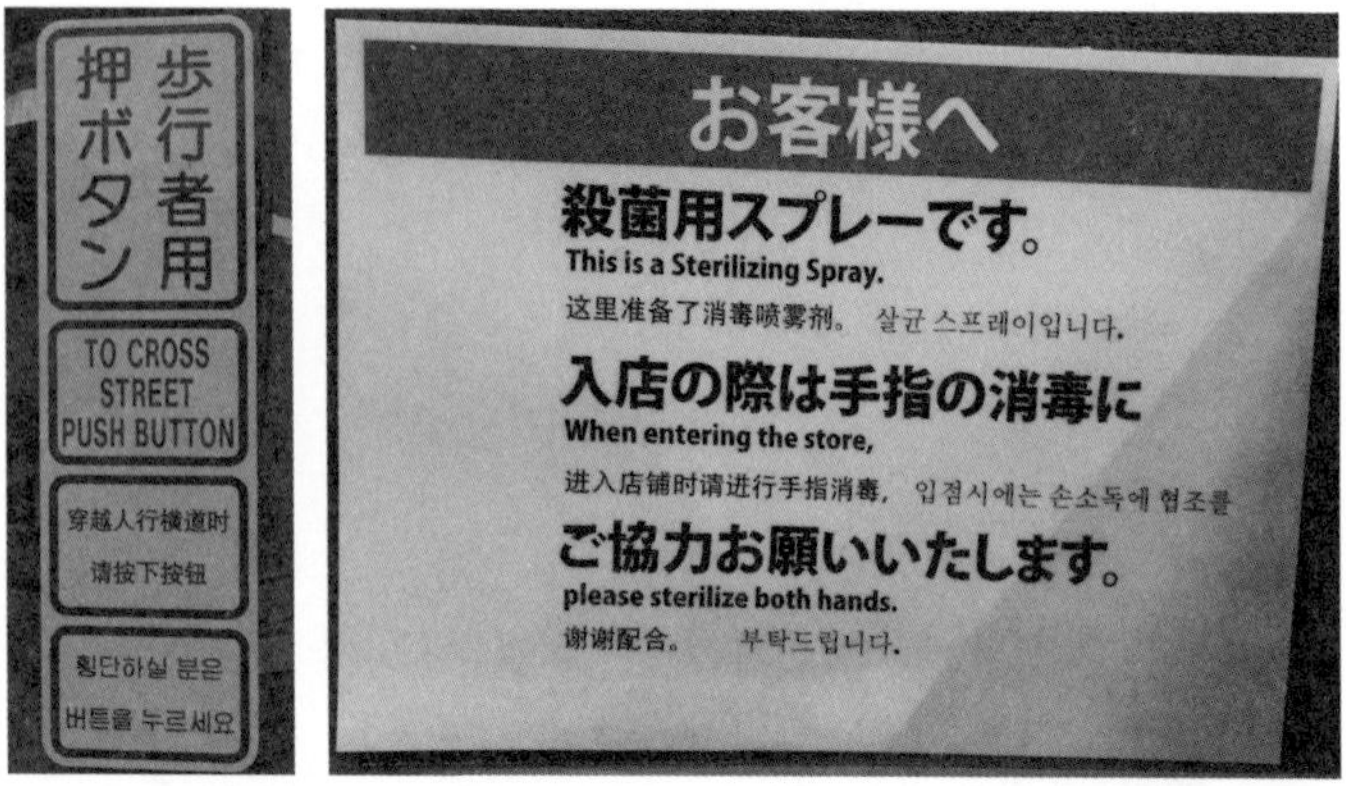

図19　沖縄県における「日・英・中（簡体字）・韓」の四言語表記（筆者撮影 2020）

図20　沖縄県における「日・英・韓・中（繁体字）」の四言語表記（筆者撮影 2020）

新しいスタンダードといわれる「日・英・中・韓」の四言語表記も増えている。中には中国語の簡体字と繁体字の片方だけ書かれているものもあれば（図19、図20）、両方書かれているものもある（図21）。特に多くの外国人旅行者が利用する空港や駅などで見かける（図22）。

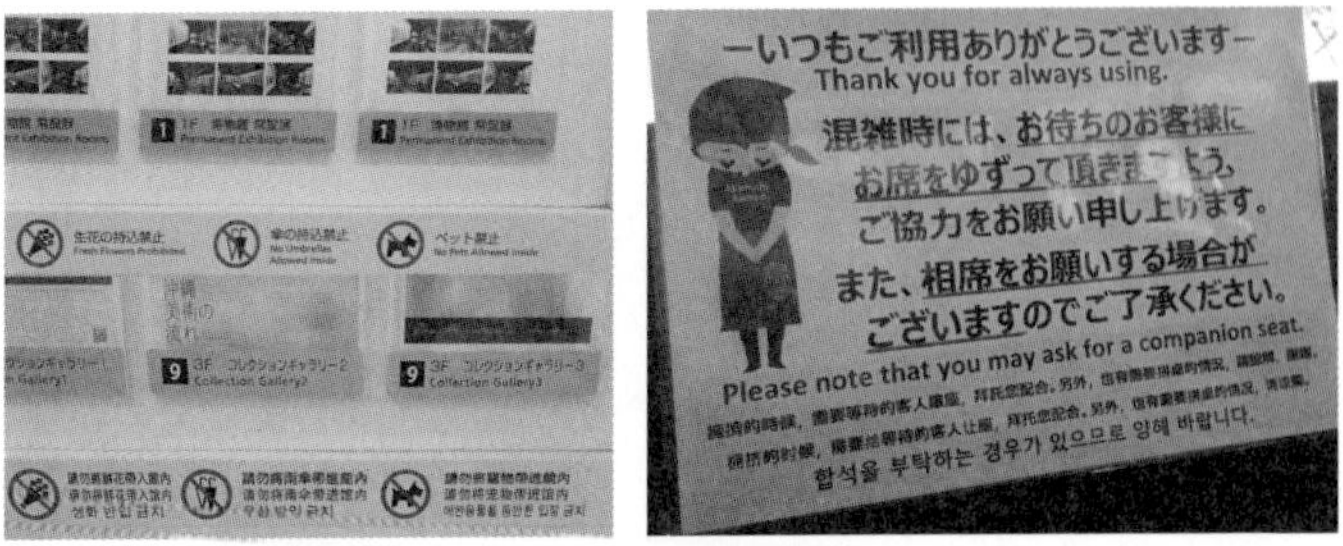

図21　沖縄県における「日・英・中（繁体字・簡体字）・韓」の四言語表記　（筆者撮影 2020）

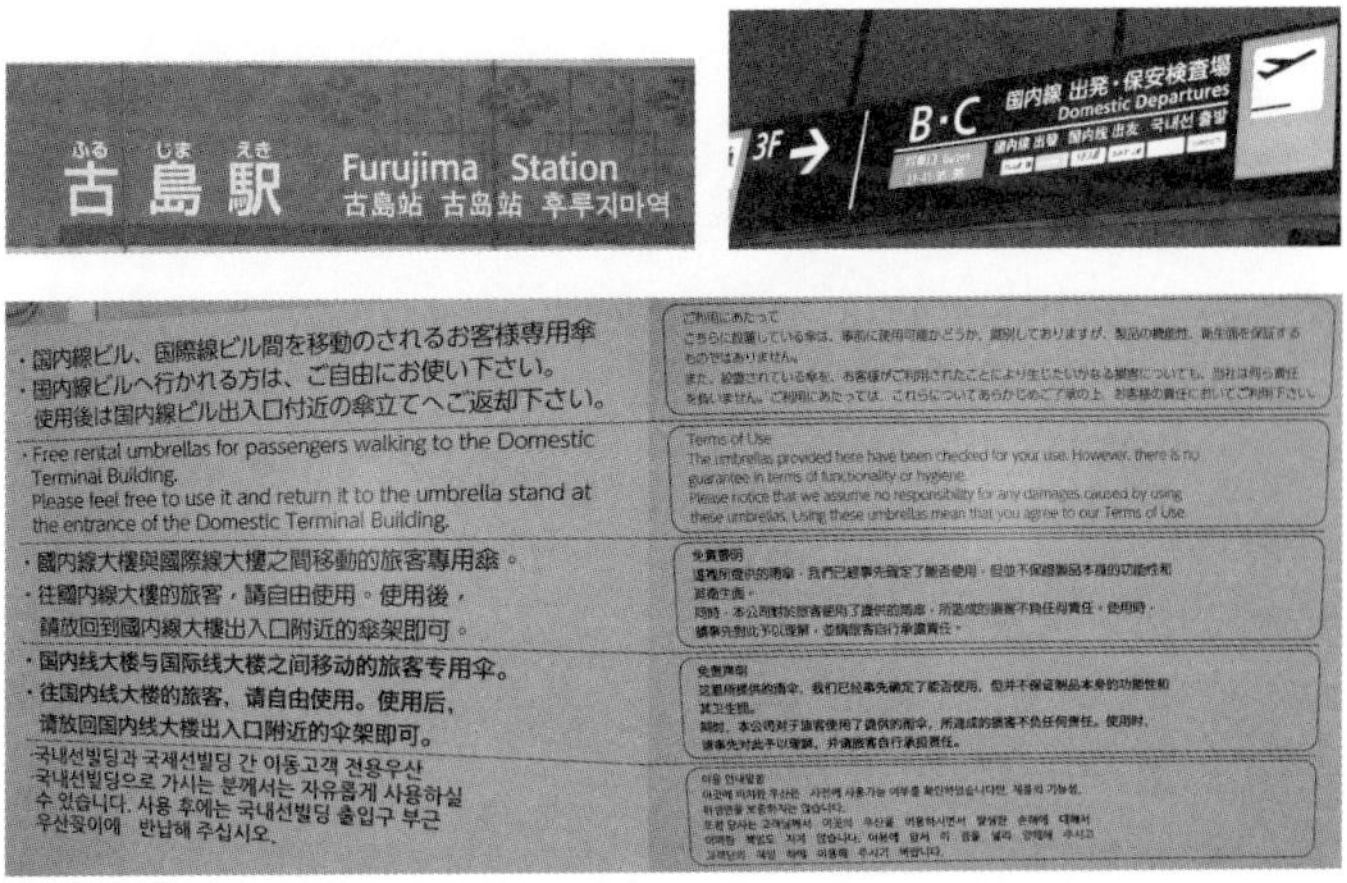

図22　沖縄県における「日・英・中（繁体字・簡体字）・韓」の四言語表記　（筆者撮影 上：2020、下：2016）

上記の「日・英」と「日・英・中・韓」の二タイプの他に、日本語抜きで、「英・中・韓」の三言語プラス「タイ語」の四言語表示（図23）や、スタンダードの四言語プラス「アラビア語」の五言語表示（図24）、韓国語抜きで、日・英・中の三言語だけのもの（図25）などがある。様々な言語が採用されて、言語の組み合わせも多様化になってくるのは日本語を読めない外国人にとってとても良いことだが、中には読

図23　沖縄県における「英・中（簡体字・繁体字）・韓」プラス「タイ語」の四言語表記（筆者撮影 2020）

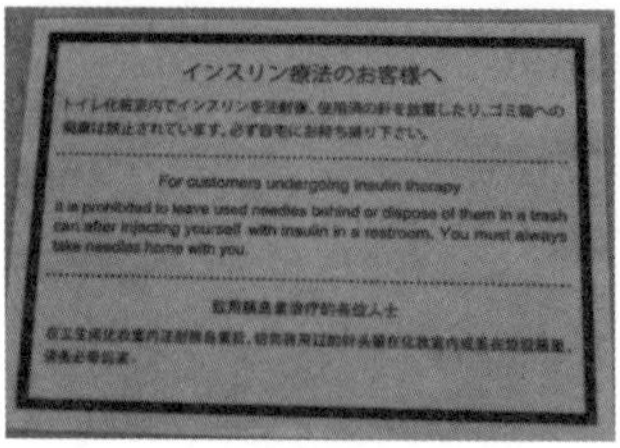

図25　沖縄県における「日・英・中（簡体字）」の三言語表記（筆者撮影 2020）

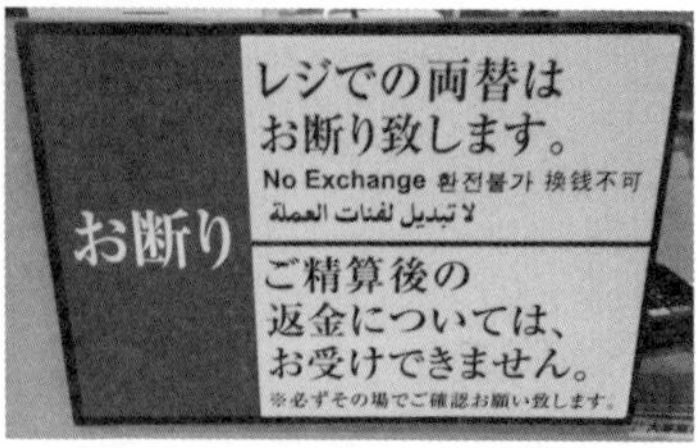

図24　沖縄県における「日・英・韓・中（簡体字）」プラス「アラビア語」の五言語表記（筆者撮影 2020）

み手に不快感を与えて気持ちを害するものや、困惑させるものもある。図26～34の事例を見てみよう。

図26の表示に記されている「日・英・中」三言語の配置順と文字列のサイズの差別化は明らかに通常の「日・英」表記や「日・英・中・韓」の四言語表記と異なることから、中国人がこの注意表示の特定のターゲットになっていることが分かる。しかも、簡体字の中国語のサイズが繁体字よりも大きいことによって、簡体字圏に生活している中国人が繁体字圏に生活している中国人よりも強く注意されるというメッセージが伝達される。似たようなメッセージが図27の日本語と簡体字の中国語の二言語表示ではさらに露骨に示されている。注意喚起の対象も掲示の内容も前に挙げた二例とは異なるが、日本語と英語の二言語表示もある（図28）。これらの表示の採用言語と表示形態には、発信者が特定の対象に対する不満や批判が含意されている。それを読み手に読み取って欲しいというねらいもあるだろうが、ターゲット設定の差別化によって、まるで特定の言語使用者全体が潜在的マナー違反者または交通違反者扱いするという印象を与えかねない。

図26　沖縄県における「中（簡体字・繁体字）・英・日」の三言語表記（筆者撮影 2020）

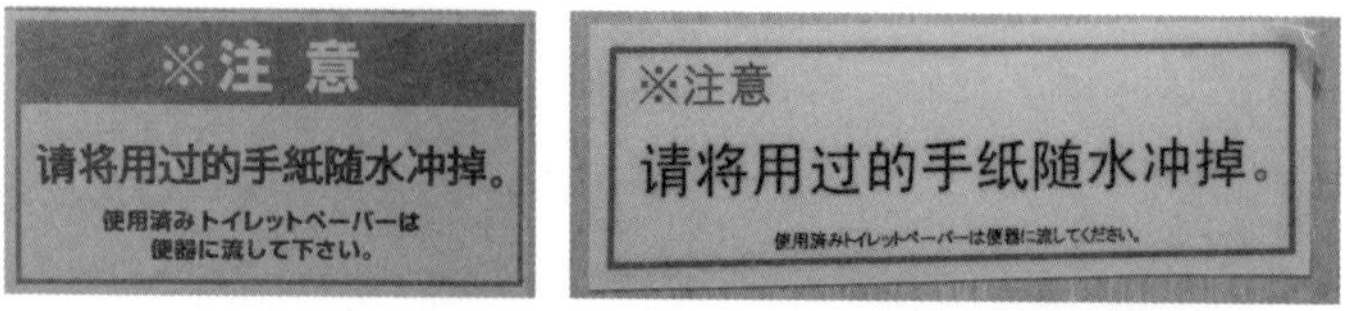

図27　沖縄県における「中（簡体字）・日」の二言語表記
（筆者撮影 2020）

図28　沖縄県における「日・英」の二言語表記
（筆者撮影 2020）

図29は国内のある空港に設置された「案内所」の看板である。何言語で表示されているか、かなり近くまで見ないと分からない設計になっている。「?」マークの下に、「日・英・韓・中（簡体字）」という順で表示されている。日本語と英語と比べて、韓国語と中国語の表示はまったく目立たない。その原因は、文字の位置や大きさ、素材の違いにある。日本語と英語の表示は「?」マークと同様に、太字で立体的に作られているのに対し、韓国語と中国語の表示は細字で印刷され、英語表示の影に隠れているようである。文字のサイズを測ったところ、韓国語と中国語は日本語の約十六分の一しかない。韓国語と中国語は看板制作終了後に付け足されたのかもしれないが、その差別化は何を意味するのだろう。案内所の看板は情報を求める人のために作られたもののはずだが、一部の外国語が装飾にされてしまうことは誠に残念である。

図29　日本の空港における「日・英・韓・中（簡体字）」の四言語表記（筆者撮影 2019）

図30　沖縄における日本語と英語の二言語表記（筆者撮影 2019）

図30は沖縄県内にある観光スポットの危険警告の表示である。「危険＊入るな！」という日本語は赤い色なのに対し、英語は黒である。英文字のサイズは日本語の約三分の一しかない。危険であるため絶対近づいてはいけないが、日本語を読めない方は近づかないと英語表示の部分を読めないため大変危険である。英訳の表示「Danger! Don't be in!」も不自然であるため、読めたとしても笑ってしまうかもしれない。また、この表示に危険の原因について説明がある。漢字のふりがなまでつけられていてとても親切だが、非日本語使用者向けの説明は一切ない。必要がないと思われたのだろうか。

図31はあるホテルレストランで客に渡される多言語の札である。日本語、英語、繁体字の中国語の三言語が表示されている。左は札の表の面で、右は札の裏の面。表の面には、客に「食事が終わった後に札を裏面にするよう」という指示があるが、日本語

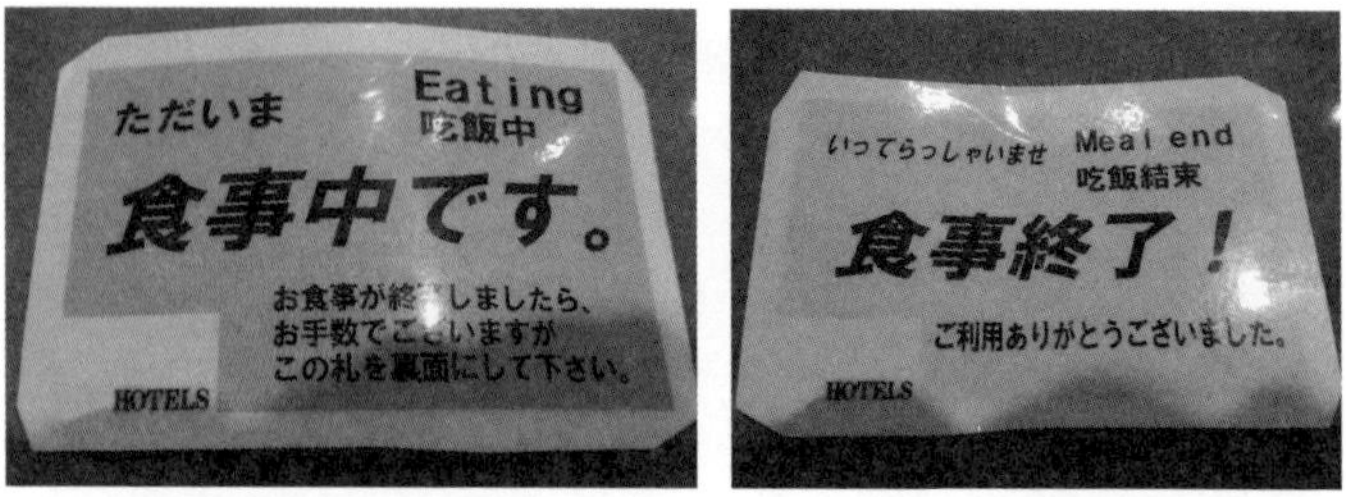

図31　日本のホテルにおける「日本語・英語・中国語（繁体字）」の三言語表記（筆者撮影 2014）

の表示しかない。裏面には、「いってらっしゃいませ」という別れの言葉と、「ご利用ありがとうございました。」という感謝表現が書かれている。日本人の客には、このホテルの親切なおもてなしが印象に残るだろうが、日本語を読めない客にそれが伝わらないのは残念である。

沖縄県内には琉球語で表示されている看板標識は少ない。図32の観光案内所の看板の右側には、ひらがなの「めんそ～れ」と併せて一般人には分からない発音記号が記されているが、看板の他の表示とは全く関連がなく、完全に独立しているものである。図33の看板はスタンダードの「日・英・中（簡体字）・韓」プラス「琉球語」の五言語表記だが、一番目立つのは琉球語の「にふぇーでーびる。またん。めんそーれ」（和訳：ありがとうございます。またのご来園お待ちしております）。さらに琉球語が主要言語である日本語の上に配置されている。この二例とも観光客向けという印象であり、装飾用の表記だと思われる。スコットランドにあるゲール語と英語の二言語表記のように、日本語と琉球語で表示される道路案内標識は沖縄には存在しない。

図32　沖縄県における琉球語を含む多言語表記（筆者撮影 2011）

図33　沖縄県における琉球語を含む五言語表記（筆者撮影 2012）

図34　沖縄県における「日・英・韓・中（繁体字）」の四言語表記
（筆者撮影 2020）

図34は沖縄のある人気観光スポットに設置されたものである。一番上にある矢印と長い看板が一体となっているに見える。全体的にスタンダードの「日・英・中・韓」の四言語表記になっているが、日本語で書かれているメッセージが二つ（「アメリカンビレッジ」、「ようこそ美浜タウンリゾートへ」）、英語で書かれているのも二つ（「American Village」、「Welcome to Chatan Town」）、中国語と韓国語はそれぞれ一つだけ表示があり（「歡迎光臨北谷町」、「자탄 쵸에 오신 것을 환영합니다」）、いずれも「ようこそ北谷町へ」という意味である。文字列の配置にも、方向にも、文字の大きさにも違いがある。四言語で表示される情報の量も質も非対称的であり、看板には書かれている地名が三つもある。さらに、すぐ近くにある標示板にはまた別の地名（「桑江」）が表示されている。その上、訳されている言語もバラバラだが、ここは一体どこなのだろうか。

四　おわりに

本章では、国内外における多言語景観の事例について様々な角度から考察してみた。単純に見える看板標識も調べてみると案外奥深いものであり、多言語景観が個人と社会に与える影響は単なる採用言語の数または多言語表示の量から算出できるものではない。読み手の視点から、多言語景観はコミュニケーションを促進するものなのか、阻害するものなのか、また、包括的な社会へ繋げることができるのか、一概には言えないが、多言語景観のおかげで良い旅ができた旅行者や、便利な暮らしをすることができる移民、留学生、外国人居住者、自国の文化にもっと誇りを持てるようになった人がたくさんいるのは確かである。その一方で、宣伝広告物などを除いて、情報伝達を目的とする看板標識に外国語が単なる装飾として使われる場合は、情報伝達としての実用性は低いため、包括的な社会の形成との関連性は薄いと見られる。さらに、時にはコミュニケーションの対象を差別化をすることによって、一部の人に対する偏見、ステレオタイプ、差別が助長され、読み手に排他的な印象を与えてしまう危険性がある。一見当たり前のようにある多言語景観だが、少し視点を変えるだけで新しい発見や問題提起ができるだろう。

参考文献

Aust, S. (2014). Brisbane multilingual pedestrian wayfinding. *EG Magazine* No.10. https://segd.org/brisbane-multilingual-pedestrian-wayfinding

Backhaus, P. (2015) Attention, Please. A linguistic soundscape/landscape analysis of ELF information provision in public transport in Tokyo. In K. Murata (Ed.), *Exploring ELF in Japanese academic and business contexts* (pp. 194–209). London: Routledge.

Giollagain, C. O. & Camshron, G. (2020). *The Gaelic crisis in the vernacular community 2020: A comprehensive sociolinguistic survey of Scottish Gaelic.* UK: Aberdeen University Press.

Ivković, D. (2012). Virtual linguistic landscape: A perspective on multilingualism in cyberspace. Unpublished doctoral dissertation. Toronto: York University.

Jaworski, A. & Thurlow, C. (Eds.) (2010). *Semiotic landscapes: Language, image, space.* London: Continuum.

Landry, R. & Bourhis, R. Y. (1997). Linguistic landscape and ethnolinguistic vitality: An empirical study. *Journal of Language and Social Psychology 16*(1): 23-49.

Puzey, G. (2007). Planning the linguistic landscape: A comparative study of the use of minority languages in the road signage of Norway, Scotland and Italy. Unpublished thesis. UK: The University of Edinburgh.

香港行政長官辦公室（二〇〇一）2001 Policy Address by Chief Executive of Hong Kong Special Administrative Region. Policy Objectives (Education and Manpower Bureau) 11 Quality Education. 香港行政長官二零零一年施政報告 施政方針（教育統籌局）一一優質教育
http://www.policyaddress.gov.hk/pa01/pdf/edue.pdf（英語）

香港行政長官辦公室（二〇一六）2016 Policy Address by Chief Executive of Hong Kong Special Administrative Region. Policy Agenda Ch. 6 Education, Population and Human Resources.香港行政長官二零一六年施政報告 施政綱領 第六章 教育、人口及人力資源
http://www.policyaddress.gov.hk/2016/eng/pdf/Agenda_Ch6.pdf（英語）中国語版あり

香港統計處（二〇一一）．Hong Kong 2011 Population Census Summary Results, Census and Statistics Department. 香港政府統計處二〇一一年人口普查簡要報告 三九頁 語言・方言Language/dialect.
http://www.census2011.gov.hk/pdf/summary-results.pdf

国土交通省ホームページhttps://www.mlit.go.jp/road/sign/sign/annai/90directions.htm

田中ゆかり・上倉牧子・秋山智美・須藤央（二〇〇七）「東京圏の言語的多様性—東京圏デパート言語景観調査から—」『社会言語科学』一〇—一、五—一七頁

ペート・バックハウス（二〇一一）「言語景観から読み解く日本の多言語化—東京を事例に—」中井精一、ダニエル・ロング編『世界の言語景観 日本の言語景観—形式のなかのことば』一二二—一二八頁、桂書房

多文化共生社会における持続可能なコミュニティ通訳翻訳に向けて

―沖縄の現状と課題―

井上　泉

井上　泉・いのうえ　いずみ
神奈川県鎌倉市生まれ
所属・職名：沖縄国際大学総合文化学部英米言語文化学科准教授
最終学歴・学位：オーストラリアマッコーリー大学大学院言語学部 Doctor of Philosophy課程修了、博士・Ph.D.（応用言語学：Macquarie University）

主要業績：Inoue, I. & Candlin, C.N. (2015) Applying Task-Based Learning to translator education: assisting the development of novice translators' expertise in identifying and addressing translating challenges. *Translation and Interpreting Studies, Vol.10* (1) Translation and Interpreting Studies

井上　泉 (2019) A Discursive Analysis of Novice-Professional Differences in Problem-Solving Approaches to Translation Challenges.『通訳翻訳研究への招待』No.20、日本通訳翻訳学会

井上　泉（二〇二〇）「アクティブ・ラーニングにおける学修者参加型評価の可能性と課題 – 学修者ビリーフの観点から」『アクティブ・ラーニング研究』Vol.1、日本アクティブ・ラーニング学会

学外活動：オーストラリアNAATI認定翻訳者、Australian Institute of Interpreters & Translators, Critical Link International、Translation and Interpreting Studies, 日本教育工学会、日本通訳翻訳学会、日本アクティブ・ラーニング学会などの学会員として研究活動に携わる。

専門は応用言語学、翻訳通訳学、エキスパート論、アクティブ・ラーニング論、問題解決学など。

※役職肩書等は講座開催当時

一　はじめに

地理的にも文化的にも、沖縄は国内でもユニークな特徴を有している。一例を挙げれば、駐留米軍基地・施設の占有率は七〇・三％（二〇一九年）と全国でも最も高いものとなっている。また、日本語を母語としない軍属者ならびに家族も五六、〇〇〇人を超えている（沖縄県、二〇一九）。海外から沖縄を訪れるインバウンド観光客数はめざましい伸びを見せ、年間来沖者数は一〇〇〇万人になろうとしている。これは、リゾート地としての知名度やアジアの近隣諸国からのアクセスのしやすさが主因と考えられる。さらに、二〇一九年六月の法務省統計によると、沖縄に在住する在留外国人数は一九、〇〇〇人を超え、その国籍は一十カ国と民族的・文化的にも多様性が高くなってきている（法務省、二〇二〇）。これは、県人口比の割合としては、二〇一四年比七七％の増加率（法務省、二〇二〇）となっており、全国でもっと高い伸びを示すものである。加えて、二〇一九年四月には改正入管法が施行され、労働力を中心とした外国人受け入れ態勢が強化され、沖縄を含めた国内の在留外国人数は今後より一層増加することが予想される。したがって、今後沖縄においても社会のグローバル化ならびに多文化共生の実現に向けた取り組みが求められるのは、自然な流れと言えよう。

持続可能な多文化共生社会の構築を図るうえで不可欠な要素のひとつに言語支援が存在する。この重要な担い手と期待されるのが、通訳翻訳者、その中でもコミュニティ通訳翻訳者と呼ばれる人々である。本稿の目的は、行政が提供する沖縄県におけるコミュニティ通訳翻訳（Community Interpreting and Translation：以下「ＣＩＴ」）の現状を考察し、その課題を明確化することである。本稿で行政に焦点を当てるのは、多文化共生社会におけるＣＩＴの社会的な重要性を考える場合、その社会全体の公益に資するＣＩＴを実現するうえで、行政が公的サービスの立案・実行において中心的な役割を担うと考えるからである。

二　多文化共生とコミュニティ通訳翻訳

1　多文化共生と言語

「多文化共生」という用語は、在日韓国・朝鮮人が多数在住する神奈川県川崎市の取り組みに由来する（川崎市、二〇一七：ＪＩＣＡ研究所、二〇一七）[1]。同市は一九七〇年代より生活に関わる国籍に基づいた制限の撤廃への取り組みを積極的に進めてきた。その中で、言語・文化の多様性を同市の強みとして、市民が共に取り組む社会を全国に先駆けて象徴する概念として示されたものである。以降、在留外国人数の多い地方自治体を中心に多文化共生への様々な取り組みが広がり、一足遅れる形で政府による多文化共生への取り組みが始まった経緯がある。その第一歩として総務省が下記の定義を示し、現在ではそれが定着を見せてきている。

国籍や民族などの異なる人々が、互いの文化的ちがいを認め合い、対等な関係を築こうとしながら、地域社会の構成員として共に生きていくこと（総務省、二〇〇六：五）[(2)]

上記に「対等な関係」とあるように、地域社会の構成員たる移民（または入管法の観点からは在留外国人）・地元住民双方が多文化共生実現における主体者であること、さらには前者をその地域コミュニティに「同化」させるのではなく、文化の相互理解と尊重が求められることが示されたものと考えられる。我が国においては明治時代のアイヌ同化政策や第二次世界大戦時中の外地における同化（または皇民化）政策が歴史的に存在しており、それらからの転換を上記が示すものと考えられる。国内だけではなく、この文化的同化、換言すれば人種差別的なイデオロギーから脱却し、文化の相互理解と尊重を掲げる多文化主義に移行した事例は海外でも枚挙にいとまがない。その顕著な例がオーストラリアである。同国ではWhite Australia Policy（白豪主義）が一九六〇年代まで国是のひとつとなっており、これは厳格な同化を通した、言わば先住民族であるアボリジニの「絶滅政策」（遠山、二〇〇三：七）及び十九世紀の中国人ひいては有色人種への移住制限・排斥を中心とした人種差別的な政策に反映されたものとなっていた。[(3)]移民受け入れ拡充を通した経済成長の必要性から、一九七三年に白豪主義からの脱却が宣言され、一九七五年に連邦政府のRacial Discrimination Act（人種差別禁止法）が施行されて以降、オーストラリアは多文化主義の道を歩んできている。同国のこのような移民政策の変遷で着目に値するのが、その言語使用についてである。白豪主義からの脱却時にも移民に英語使用を強いる同化政策を採っていたものの、移民からの反発などにより移民の母語使用を尊重することで、オーストラリア社会への定着を図る「統合政策」（遠山、二〇〇三、一三）へと転換したわけである。以上、日豪における多文化共生への歩みを概説したが、いずれも同化から共生への移行の必要性が示されており、その中で文化、特に言語の捉え方が着目に値する。

多文化共生における言語支援への公的な取り組みは、海外では一九七〇年代から行われている。UNESCOはいわゆる「社会権規約」・「自由権規約」を採択しており（日本も批准）、特に後者では少数民族の権利およびその言語の使用権を保証している。また、少数言語の権利に関する一九九二年の欧州憲章では、政府機関とのやりとりを少数言語で行う権利が明文化されている。通称「アクセス権」・「言語権」と呼ばれるこれらの権利は、言語を使用するという行為自体ではなく、たとえあるコミュニティにおいてマイノリティとみなされる言語であっても、その言語を使ってコミュニティで行使できるべき権利を理解し、実際にアクセスできる権利を指すものである（水野・内藤、二〇一五）。従って、移民が移住先でこれらの権利に自らの母語でアクセスするうえで、各言語での情報提供および状況によっては一定の質を担保されたプロによる通訳・翻訳サービスを公的に提供することが必要であり、アメリカやオーストラリアなどの多文化共生のいわば先進国ではこれらが移民の当然の権利として提供されている。国内に目を転じてみると、日本国憲法では「法の下の平等」が保証されているものの、最近まで上記のような言語に関わる具体的な移民の権利に対して目立った取り組みは行われてこなかった。二〇〇〇年代に入り、二〇〇六年の総務省による「第一回多文化共生の推進に関する研究会」が実施されて初めて、ボランティアを中心とした多言語による行政・生活情報の提供の必要性が示唆された。二〇一九年の同会議では、防災・災害対応を目的とした多言語支援センターの設置やＩＣＴ技術を活用した多言語翻訳の必要性などが採り上げられたものの、国として多文化共生にどのように具体的に取り組むのかは、いまだ不透明な状況である。

以上のように、我が国における多文化共生とその中で言語・アクセスに関する権利を保証する取り組みは全体的には道半ばだと言わざるを得ない。次章では言語支援の核となるコミュニティ通訳翻訳の特徴と多文化共生における重要性について論じることとする。

2　コミュニティ通訳翻訳とは

コミュニティ通訳（Community Interpreting、以下「ＣＩ」）・コミュニティ翻訳（Community Translation、以下「ＣＴ」）は、通訳・翻訳学に属する領域である。その根本概念である通訳・翻訳についてここで詳細に論じるのは本稿の趣旨ではないため行わないが、基本的に両者の相違点は、対象とするメッセージが口頭によるものであるのか（通訳）、書面なのか（翻訳）である。反面、両者に共通するのは、Source Text（英語から日本語であれば、英語で話された、または書かれた元のテキスト、以下「ＳＴ」）にあるメッセージをTarget Text（上記の例では日本語に訳されたもの、以下「ＴＴ」）でいかに正確に維持しつつ、後者の聞き手・読み手に適切な形で訳出するかである。

通訳・翻訳学においてＣＩとＣＴはいまだ発展途上の研究分野である。これらの定義も多様ではあるものの、共通しているのは、移民を中心とした外国人のためにコミュニティでの円滑なコミュニケーションおよび適切な参画を促進する目的で、コミュニティにおける情報を言語的にマイノリティである移民らの母語で提供し、必要な権利にアクセスできるようにするという点である。この根底には、前述の言語権・アクセス権への保証があるわけである。ただし、定義の範疇は多様であり、特に争点となっているのはＣＩ・ＣＴの対象となるテキスト（口頭・書面に関わらず）が誰によって提供されたものであるべきかという点である。公的機関により提供される情報に限定する（例Pöchhacker, 1995; Niska, 2002）と狭義な捉え方がある一方、Taibi (2011) やShlesinger (2011) のように言語的マイノリティが移住先のコミュニティでの生活に支障をきたさないために必要なあらゆる情報を対象とする、より広義なものも見受けられる。すなわち後者の例を挙げれば、地方自治体のみならずＮＧＯやＮＰＯなどの非政府組織やより限定した地域におけるコミュニティのリーダーが提供する情報やサービスもその対象となり得るという考え方である。筆者の基本的なスタンスも後者ではあるものの、本稿では行政が提供するコミュニティ通訳翻訳に焦点を当てた考察であるため、前者それに基づき、下記の通りの定義とすることとする。

コミュニティ通訳翻訳とは、あるコミュニティ（国や地域を含む）で公的に用いられる言語を円滑かつ十分に理解できない、公的言語以外を母語とする移民を中心とした人々が、そのコミュニティの一員として公的サービスおよび情報に平等かつ十分にアクセス・参加できることを目的としたコミュニティで提供される通訳翻訳を指す。

つぎに、CIとCTの特徴について考えてみよう。まず両者間の相違は、上述のように前者が基本的には対面（電話・オンライン通訳も含むが）での対話である一方、後者では書面による情報を通したコミュニケーションの橋渡しが行われる点である。したがって、CIの場合は基本的に少なくとも通訳者以外に二名の当事者がその場におり、下記の談話例のようにどちらもSL・TLの話し手と聞き手になるわけである。

1. Good morning. What seems to be the trouble?
〈通訳〉
2. 気分がひどく悪くて、真夜中に起きてしまったんです。息をするのさえ痛くて、嘔吐がはじまってしまいました。これまでこのような症状が両方出たことがなく、まだ気分がすぐれません。ですので、通訳さんにお願いして、できるだけ早くこちらに来ることになったんです。
〈通訳〉
3. I see. I'm going to ask you a series of questions about your lifestyle and your activities over the past 24 hours. This may help us pinpoint what's going on. Firstly、regarding your symptoms、you mention difficulty in breathing and vomiting. Have you also experienced any swelling? Dizziness? Sweating? Anything like a rash?
〈通訳〉
4. そうですね、首が少々腫れていて喉がちょっと締まる感じがします。ですので、息をするときに痛みが少々起こっています。汗というのはどういうことでしょうか？熱はありませんが、前腕がちょっと赤くて、過敏になっているように感じます。
〈通訳〉

CIの談話例
(Lee & Buzo（2009）より抜粋・日本語部分は筆者による翻訳）

上記の例は、ＣＩでよく見られる医師・患者間の会話（もしくは談話）であるが、一つの談話を一名の話し手が行い、その後速やかに通訳が行われる。例えば、上記１・３は英語を母語とする医師によるものであるので、これらの通訳は英語から日本語の方向で行われる。一方、２・４は日本語を母語とする患者であることから、この場合は日本語から英語への通訳が行われるわけである。すなわち、ＣＩでは一名の通訳者が二言語間を往還する形で通訳される。この中で、通訳者は記憶を中心としつつメモを補助にして両言語での理解及び訳出が求められる。またＣＩでは、通訳という行為がすべてのステイクホルダーが一堂に会する場で行われ、業務がその場で完結することである。他方、ＣＴの場合は対面での案件というものはほとんど存在せず、案件を引き受けてから完成したＴＴ、つまり翻訳を依頼元に提出して完結するため、ＣＩに比べると、業務スパンが長い特徴がある。むろん、依頼されたＳＴの長さや難易度によってその期間はまちまちであり、必要な背景・専門知識のリサーチを効率的かつ十分に行って、精度が極めて高いＴＴを作り出すことが求められる。

上記の相違点とは反対に、双方ともコミュニティを対象としたものであるため、共通点は多く存在する。まずＣＩとＣＴが必要な対象者は、いずれも日本においては日本語を母語とせず、海外から日本に来て、日本のあるコミュニティの一員としてそこで生活をする者である。従って、基本的には永住もしくは長期滞在をする移民が中心となるものの、より短期的な就学・就労目的での滞在者も同様にコミュニティに一定期間属して生活をすることから、その対象となり得る。

二点目には、情報提供者との力関係に差が生じやすいことが挙げられる。ここでの情報提供者とは、CIにおいては、政府・医療機関・警察・教育機関などとなり、日本においてはこれらの人々は日本語で情報を移民などに提供するわけである。他方、情報の受益者(すなわち移民など)は患者・被疑者・生徒などであり、上記の情報を日本語とは別の言語の通訳で理解する形となる。Gentileら(1996)、Hale(2007)、水野・内藤(二〇一五)などが指摘しているように、上述の二者には知識・情報量・権力の面で大きなギャップが存在しがちである。例えば医師・患者間のコミュニケーションにおいては、患者がその生命や健康という生活において重要なことがらを医師の知見や判断に委ねるケースも多々ある。また、警察官・被疑者間においては、被疑者に権力公使の直接的影響が及ぶことになるわけである。CTにおいては、そのような対人関係は直接的にはないものの、文字による情報提供において、あるコミュニティ内のマジョリティ言語(公用語を除く)とマイノリティ言語によって、情報提供の量と質に差異が生じ得ることが考えられる。オーストラリアを例にとると、同国でマジョリティ言語とされる中国語に翻訳されたコミュニティ翻訳文書はかなり豊富に提供されているのに比べ、アフリカ諸国からの移民の場合は彼らの母語によるそれが著しく限定されている傾向にある(Taibi & Ozolins, 2016)。すなわち、後者の場合には以前植民地で公用語として用いられていた英語またはフランス語による情報のみが存在しているのである。いずれのケースにおいても、情報提供者の裁量次第で、情報の受け手である移民らが不利益を被る可能性もある。

三点目は、ＣＩ・ＣＴの受益者の言語レベルにおける多様性についてである。同一国出身の移民が複数おり、共通言語が一つあるとしても、メッセージの理解度は三者三様となり得る。これは、各々の社会経済的な相違もあるが、それに加えて地理的な相違がその大きな要因として存在し得る。すなわち、一言語圏の中に地域限定で用いられる方言やスラングが存在するわけである。通訳翻訳学の分野では、ＳＬ（Source Language、元のテキストで使われる言語）とＴＬ（Target Language、通訳・翻訳された対象言語）の間で、あるメッセージの意味が同等であることを「等価」と呼ぶ。上記の地域限定の方言やスラングというＴＬには、必ずしもＳＬに相応した等価が存在しないケースも多々あることが通訳・翻訳者にとって障壁となってしまう可能性もある。

四点目は文化的な要素への配慮である。通訳・翻訳者は二言語のみならず二文化に精通した上で通訳翻訳を行うことが前提条件となる。ただし、ＣＩ・ＣＴは移民などの生活に直結する案件を対象とするため、文化的な相違への配慮が特に重要になる。例を挙げれば、移民の治療過程における医師とのやりとりにおいて、仮にコミュニティ通訳者がＳＴに忠実に訳出した結果、ＴＬの文化、特に宗教的な観点からは適切ではない情報となってしまうリスクも考えられる。

上記二・三・四の共通点は、いずれもコミュニティ通訳・翻訳者にとっては難しい判断を求められる要因となり得、ＣＩ・ＣＴが単にＳＬ・ＴＴ間の字面だけの通訳翻訳では適切に対処できない特質を表していると言えよう。通訳の場合、会議通訳とＣＩを比較するとなおさらＣＩの難しさが顕著になる。会議通訳は国際会議や学会など、ＳＬ・ＴＬ双方とも同等の力関係・言語レベルを有していることが多く、また文化的な相違はむろん存在するものの、それら特有の「コミュニティ」におけるルールはある程度確立していることが多い。それに比べると、ＣＩ・ＣＴの場合は情報の受け手がさまざまであり、なおかつ通訳翻訳を必要とする場面や文脈も多種多様であることから、複雑性が増すものと考えられる。ＣＩ・ＣＴは情報提供・受益者双方にとって正確なメッセージの伝達が必要である一方、その根本的な目的が受益者の基本的人権、特にアクセス・言語権を保証することから、受益者の立場をより尊重したバランス感覚に富んだ対応を求められることが特徴と言える。

以上、多文化共生における言語支援、特にＣＩ・ＣＴの重要性とその特徴について概説したが、次章では沖縄県という地域に焦点を当ててその実状と課題について論じる。

三　沖縄県におけるＣＩ・ＣＴの現状と課題

本章のフォーカスは大別して下記の三点である。

1　多文化共生社会に向けたＣＩ・ＣＴに関する沖縄県による施策は何か？
2　上記施策が現在どのように実施・運用されているのか？
3　実施・運用において問題となり得る点は何か、その要因は何か？

上記1についてであるが、行政側の視点から見たCI・CTの考察が本章の主眼であるため、沖縄県が策定する施策に焦点を当てることとする。また、紙面の関係上2の実施・運用中のCI・CTサービスをすべて網羅するのは不可能であるため、主要な分野を中心に論じることとする。

1　多文化共生社会の実現に向けた沖縄県による指針

我が国の多文化共生推進の基本的な方向性を示した、前出の『多文化共生の推進に関する研究会報告書』(総務省、二〇〇六)では、地方自治体及び国際交流協会の多文化共生推進の役割については、都道府県が「市町村の境界を越えた広域的な課題への対応」を行い、具体的には「指針・計画」を策定することが一例として示されている(四四頁)。この勧告にならう形で沖縄県は、平成二一年に『おきなわ多文化共生推進指針』を策定した。この指針が現在まで同県における行政側による多文化共生推進の基本方針となっており、これに基づき県・市町村が施策を策定・実施する流れとなっている。まずここでは、同指針においてCI・CTに関連性の高いものを中心とし、その特徴についてみてみよう。

まず、同指針の趣旨は下記の通りである。

(前略)国際化に対応し、在住外国人等の共生社会に向けた環境作りの施策を推進する必要があることから、イチャリバチョーデーの心で、在住する外国人を沖縄県民の一員として認識し、外国人も、県民も安心して暮らせる地域を目指した、「おきなわ多文化共生推進指針」を策定することとしました。（二頁）

この趣旨は総務省が定めた我が国における多文化共生の定義・方向性とむろん歩を一にするものであるが、ここでも外国人のコミュニティへの同化ではなく文字通りコミュニティの全構成員が共生する社会を目指すものと解釈できる。ただし、上記の「安心して暮らせる」がどの程度前述のアクセス権・言語権と関係性を有するのかは不明である。

同指針においては、指針策定前に行った在住外国人へのアンケート調査結果の報告も記載されており、この結果が指針決定に一定の影響を与えたものと考えられる。同アンケートでは、在住外国人が沖縄県内での日常生活で不便を感じている点や要望などの把握が目的とされている。ここから浮き彫りになったのが、言語支援の必要性の面であった。たとえば日常生活で不便を感じている点では、言語コミュニケーション(十九％)が最も多く、母国語による情報の少なさ（一四％）、医療に関する対応（一一％）、災害の対応（一〇％）[4]といずれもＣＩ・ＣＴを通した言語支援が必要なものが目立った。さらに行政が提供する分野（医療・防災など）に特化した要望についても質問が行われている。詳細については同指針を参照されたいが、医療・保健、教育・防災など、日常生活で欠かせない領域でいずれも母国語による情報へのアクセス及びコミュニケーションの必要性が示唆されていた。特に医療・保健分野においては、回答者の二七％が医療機関における通訳を介した母国語でのコミュニケーション及び情報アクセスの必要性が示唆されている。

同指針でCI・CTに関わる具体的な施策例を参照すると、つぎのような特徴が浮上してくる。まず、CI・CTに関わる施策の対象が外国人の県内での生活全般を対象としているため、かなり広範なニーズ（生活相談、医療・保健・福祉、防災・災害対応、教育、労働関連、居住、生活安全など）に応えようとしているという点である。換言すれば、在留外国人が日常生活で必要となる母語によるコミュニケーションをできる限りなんとか担保しようという「共生」への姿勢のあらわれと言えるだろう。二点目は、CI・CTを通した言語支援の対象となっているのが、在留外国人の沖縄県における生活、ひいては安全に関わる事項が多いことである。例としては医療・保健・福祉、防災・災害対応、生活安全がそれに当たる。三点目は、その多言語性である。在留する外国人の母語をできる限り網羅したいという県の基本的な姿勢が見受けられる。ただし、在留外国人の母語をどのような状況でどの程度網羅するつもりなのか、ボランティア・プロ通訳翻訳者に関わらずマイノリティ言語にどの程度対応するつもりなのかといった点に具体的な言及は見られていない。四点目はこれも大きな特徴と考えられるが、「ボランティア」通訳への依存である。上記の三分野においてそれが示唆されているが、いずれも前述した外国人の安全・生命に関わる重要な分野において、なぜ「プロ」ではなく「ボランティア」であるのかという疑問が生じる。最後の特徴は、CTの対象となる可能性が高い事業が情報提供を中心に多々見られる中、「誰が」翻訳を行うのかについての言及は見られなかったことである。このような特徴を踏まえて、次節ではこれらの施策が現在どののように、またどの程度実行されているのかについて考察し、課題を明確化していく。

2　多文化共生に関わる施策の実施状況と課題

上記の施策例を踏まえ、現時点でどの程度実際に運用が行われているのかをオンラインを中心に入手し得る情報を収集し、分析を行った。

結果として判明した全体的な傾向としては、書面での多言語での情報提供（すなわちCT）のほとんどが、国や国際交流基金のような団体が作成したものを活用しているということである。例を挙げると、多言語医療問診票、防災ハンドブック、教育制度、労働関連、賃貸情報などは全国共通の情報であった。結果として、必ずしも沖縄の地域に特化した情報ではないため、外国人が沖縄で日常生活を営む上で必要かつ詳細な情報であるとは必ずしも言えないことが課題として考えられる。

上記に加え、課題を大別すると次の三点が挙げられる。すなわち、（一）CI・CTに対する共通認識、（二）CI・CTの質的保証、（三）アクセス権・言語権を中心とした公平性である。なお、上記施策の実施に関わる情報は、関係所管がホームページなどで提供するものを参考としたものであり、施策の実施に至った理由などが課題の考察に必要なことから、必要に応じて関係所管である沖縄県交流推進課及び国際交流・人材育成財団にご協力を仰いだ。従って、後述の考察は施策に関する公的な情報及び関係所管への問い合わせ（以下「問い合わせ」）に基づいたものとなっている。

（二）CI・CTに対する共通認識構築の必要性

本課題は、沖縄県の多文化共生社会の構築に必要となるCI・CTを、県をはじめとする多文化共生において言語支援に関わるすべての人々がどのように理解しているか、そして理解していくべきか、についてである。CI・CTは主にボランティア及び機械翻訳によって行われている傾向がみられる。問い合わせの結果、沖縄県の在留外国人が必要とする情報やコミュニケーションにおいて、CI・CTが補完的な位置づけにあることが判明した。しかし、県在住の外国人にとって彼らの母語での情報は、沖縄での日常生活、すなわち安心・安全に直接関わるものばかりであることは想像に難くない。日本語を母語とする地元住民がアクセスでき得る日本語での情報に比べ、CI・CTが外国人のためのコミュニケーションにおける補完的な役割を果たすだけで、同等の情報へのアクセスが実現できるかについては疑問が残るところである。

加えて、施策におけるCIに関わる事業（医療・災害など）は、ボランティア通訳がその中心的な役割を担う形となっている。問い合わせの中で、通訳におけるプロとボランティアの相違及びプロ通訳・翻訳者をCI・CTに採用した場合の利点についても尋ねたが、明確な回答・説明は得られなかった。ボランティア通訳・翻訳者の活用がコスト面での利点が多いと考える向きもあろうが、それは早計である。水野・内藤（二〇一五）が指摘するように、質の高いプロ通訳・翻訳者を用いるほうがコスト・時間の両面で実は利点が多いことも多々ある。ボランティアや家族・友人など二カ国語を日常生活で「ある程度」使える人物が通訳を行う場合、それは自分がわかる範囲での単語やセンテンス構造を使えるだけであり、それらでは対応できない場合は、誤訳という大きなリスクに直結してしまう可能性が高い。その結果、重大な問題が生じてしまったり、そこまで重大ではなくても、何度もコミュニケーションの往来が必要となり、本来は必要のない時間や手間を要してしまいがちなのである。ここで米国フロリダ州において生じた代表的な実例を紹介する（Price-Wise, 2014）。スペイン語母語話者の若い男性がその母親と彼女と共に来院した。この場面で通訳をかって出たのが、その病院のスペイン語が「わかる」という医療スタッフである。診察でその患者は「intoxicado」という表現を使った。医療スタッフは同語を「薬物乱用」と訳したため、治療もそれに従って行われた。ところが治療の結果、脳内出血が発現し、首から下の部位に麻痺による障がいが生じてしまった。その後、この医療過誤疑いは訴訟事案となり、上記で患者が用いた語の真意は麻薬乱用ではなく、食中毒だったことが明らかになった。たった一語の誤訳の結果、病院側に七一〇〇万米ドル（現在の為替換算で約七五四億円）の賠償命令が下される結果となってしまったわけである。同例は同様のケースの一例にすぎないことからも、ＣＩ・ＣＴの質が時間・労力に大きな影響を及ぼし、重大なリスクにつながりかねないことがわかる。

このように、ＣＩ・ＣＴの特性とそれがコミュニティにおける言語支援や多文化共生の実現にどのような役割を果たすのかについて、沖縄県というコミュニティ全体で、共通の理解と認識を構築していくための取り組みが重要だと考える。

(二) CI・CTの質的保証

本課題は、CI・CTを通した言語支援を持続可能なものにするために、いかにその質的保証を担保すべきかについてである。ここでは、県内の管轄所管が提供しているCI・CTに関連する主要な事業を例に挙げながら考察を進めていく。

CIの現状

上記(一)でも既に指摘のとおり、沖縄県ではCIの領域においてまだボランティアへの依存が顕著にみられている。その一例が、沖縄県国際交流・人材育成財団(以下「同財団」)が運営する、医療通訳支援でその中で特に医療通訳ボランティアの養成・登録・紹介事業が挙げられる。現在のところ英語・中国語・スペイン語・韓国語の四カ国語を対象としており、在住外国人のために医療・保健に関する通訳業務を提供するもの、とその実施要領に記載がある。さらに、「病状が重篤な場合や重要な告知の通訳、手術に関することなどの大きな責任が生じる場合、及び感染症に係る通訳業務に関しては活動対象としない」[5]と、活動内容の限界についても示されている。対象外の事例はプロ通訳者による医療通訳が行われるべき、ということであろう。従って、「責任の重さ」がプロ・ボランティアどちらを採用するかの基準となっていると言える。しかし、ボランティアによる医療通訳の対象となる諸事例においても責任が大きくなるケースもあり得る。その好例が(一)で紹介した医療過誤である。

上記の医療・保健分野以外でCＩに関連性の高い言語支援活動として、災害時の支援および法律・生活相談がある。前者の場合には、「災害時外国人サポーター」の養成(6)が行われている。その情報によると、「被災する外国人を支援し、行政や地域住民との橋渡しを担う」とその役割が記されているものの、何カ国語を対象とし、どの程度通訳の業務が入るのかは不明である。また、養成講座自体は、約八時間というタイトな時間的制約のもと行われており、同講座修了者がサポーターとして登録される制度である。生活・法律相談も同財団が提供する事業である。これら事業のユニークな点は、「在留外国人」というカテゴリーにとどまらず、沖縄県に在住している外国人を対象としており、滞在の長短に関わらずこれらの人々の生活上の問題解決に積極的に寄与しようとする姿勢がうかがわれる。ただし、生活相談は実施要綱にも記載の通り(7)、社会制度・生活習慣・日常生活上の悩みなど、その内容が多岐に渡ることが容易に想像できる。これらの多言語支援活動は同財団の職員が対応するとのことであるが、マイノリティ言語の場合はどの程度対応可能なのか疑問が残るところである。また、同要綱では職員による対応ができない場合は外部から通訳者を手配する旨が記載されているが、これらの通訳者がプロであるのか否かは問い合わせも含めて不明であった。後者の法律相談は、沖縄弁護士会との協力体制で提供されているものである。ここでも、同財団職員が対応し、それ以外は外部通訳者を手配するとなっている。従って、対応可能な言語については同様の問題をはらんでいる。また、弁護士費用及び外部通訳者への謝礼金は初回のみ財団が負担するが、二回目以降が必要な場合は相談者の負担となっている。ここでも、財政的な制限が大きな要因となっていると推察できるが、これらの相談が外国人に必要不可欠なものだとした場合、その妥当性については議論の余地が残るものと考えられる。

ＣＴの現状

一方ＣＴについてみてみると、医療保健・防災分野においては多文化共生推進指針の実施例に沿ったＣＴが提供されている。例えば、県内で外国語対応がなされている医療機関の情報(8)が下記抜粋のようにフィリピン語・台湾語を初めとする十カ国語で提供されている。

沖縄県外国語対応医療機関リスト（https://kokusai.oihf.or.jp/medicalinfo/）より抜粋

また、在留外国人が医療機関に来院した際に記入が求められる問診票についても、十八言語での提供が行われている。下記抜粋に見られるように問診票そのもののみならず、外国人が症状によりどの科やクリニックに来院すべきかを決める上で有用な情報も提供されている点が特徴的である。

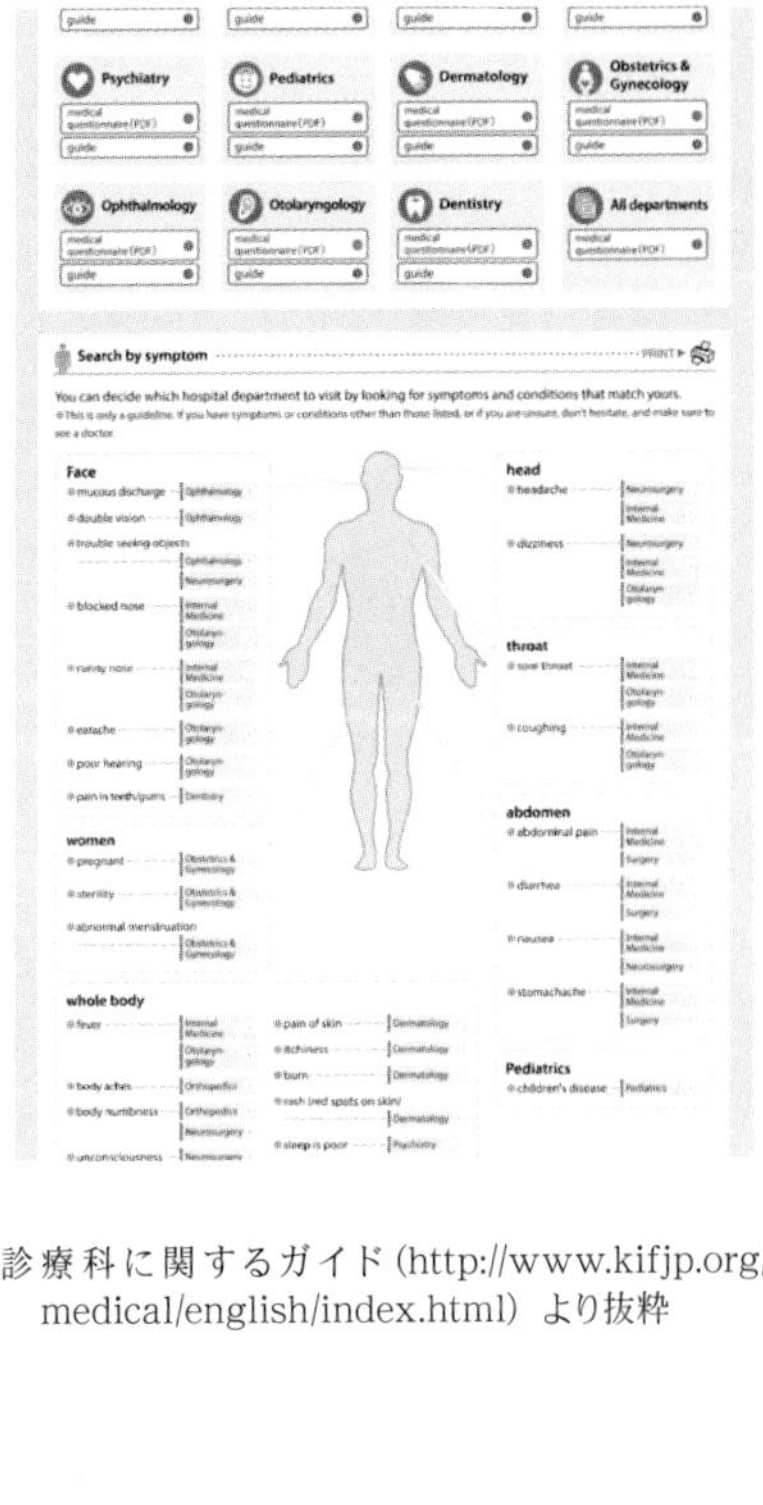

診療科に関するガイド（http://www.kifjp.org/medical/english/index.html）より抜粋

ただし、上記問診票及び診療科ガイドは県独自のものではなく、かながわ国際交流財団がもともと提供しているものを利用しているのが実態である。疾病の種類や医療体制、対応言語も地域的な特性があるため、県のニーズに即した独自の情報提供が待たれる。上記の英語による情報を参照した限りでは、言語的に自然かつ適切に理解できるものとなっていた。

防災・災害の分野では、同財団が日本語のほか英語・中国語・韓国語の『防災ハンドブック』(9)を提供しており、台風など県特有の災害に備える上で有用な情報が提供されている。加えて沖縄県の防災情報ポータル(10)では上記同様日本語を含めた四カ国語で最新の防災関連情報が便利なリンク集と共に提供されており、いずれも英語版を確認した限りでは質的な問題はみられなかった。

一方、県ホームページにおける多言語情報(11)は、そのホームページの冒頭にも記載の通り、外部サイトの無料翻訳サービスを利用したものとなっている。また、翻訳の正確性に瑕疵があった場合の免責という文言も見られる。近年、機械翻訳の質的向上はめざましいものがあるものの、現段階では人的翻訳に比べて質的にはいまだ課題も多い。日本語で作成されたもともとの情報は、機械ではなく日本語の母語話者によるものと言う点を考慮した場合、地元市民と同等のアクセス権・言語権が在留外国人に担保されるか否かについては疑問が残るところである。また、県が提供するこれらの情報が英語・中国語・韓国語・スペイン語の四カ国語のみである点も県在住外国人の母国語を考えた場合、対応が必ずしも十分とは言えない状況にあり、県への問い合わせにおいてもこのような認識が見られていた。また、問い合わせの結果、上記サービスを採用する理由として財政的な問題であることが判明した。しかし、水野・内藤（二〇一五）が紹介しているように、機械翻訳による誤訳のため、自治体がＨＰの外国語版を一時閉鎖せざるを得なかった事例もある。従って、このような事例が生じた場合、かえってコスト・時間・労力がかかってしまうリスクも考慮する必要があろう。

質的保証のための人材育成・認証体制

ボランティア・プロ通訳翻訳者に関わらず、ここでさらに検討すべきなのが人材育成および認証システムを通した質的保証である。既述の通り、通訳翻訳には二言語スキル以外の多様な要素が介在することから、人材育成においてもこれらの要素を包括的に網羅する必要が生じてくる。ここでは、多文化共生における言語支援のいわば先進国と考えられるオーストラリアでの取り組みと県のボランティア医療通訳者養成を比較して考えてみたい。

オーストラリアにおいては、Translating and Interpreting Services（ＴＩＳ）[12]がオーストラリア政府による無料通訳（オンサイト・電話）・翻訳サービスを移民に対して一六二カ国語及び方言[13]で提供している。同サービスは医療分野のみならず、不動産や市町村などの行政、労働など生活に関わる広範な分野を網羅するものである。移民に対するこれらのサービスにかかる費用は政府がすべて負担していることから、共生を目指した国を挙げた積極的な姿勢がうかがえる。これらのＣＩ・ＣＴの質的保証は、政府の関連機関である、National Accreditation Authority for Translators and Interpreters（ＮＡＡＴＩ）によるCertification（認定）によって担保される形となっている。すなわち、ＣＩ・ＣＴを行う通訳者・翻訳者は、ＮＡＡＴＩの国家資格を保有し、ＴＩＳを通して業務を行う必要があるわけである。また、ＮＡＡＴＩでは様々な認定資格が設けられている。ＣＩ・ＣＴに関連する資格例を挙げると、Certified Translator, Certified Provisional Interpreter, Certified Interpreter, Certified Specialist Health Interpreter,

Certified Specialist Legal Interpreterのように細分化された資格制度になっている。[14] ここでは、在留外国人（または移民）に関係性の高いNAATIの認定資格をとりあげ、その認定制度について考えてみよう。

NAATIの中にはCertificationではなく、極めてマイノリティな言語でテスト実施が困難であるものはRecognition（認識）されたものもあるが、それ以外は概ね下図の通りのプロセスを経て、認定に至る。

まず認定取得の前提条件の一つにトレーニングがある。Certified Provisional Interpreter（複雑性・専門性の高くない通訳）の場合は、通訳理論・実習をカバーしたDiploma of Interpreting以上（高等教育機関でおおよそ半年～一年）の修了が必要となる。一段階上のCertified Interpreter（専門性はそれほど高くないが、複雑性の高い通訳）であれば、Advanced Diploma of Interpreting以上（同上期間で約一年）の修了が求められる。次の要件は英語力である。前者ではTOEFL iBTであれば、スピーキン

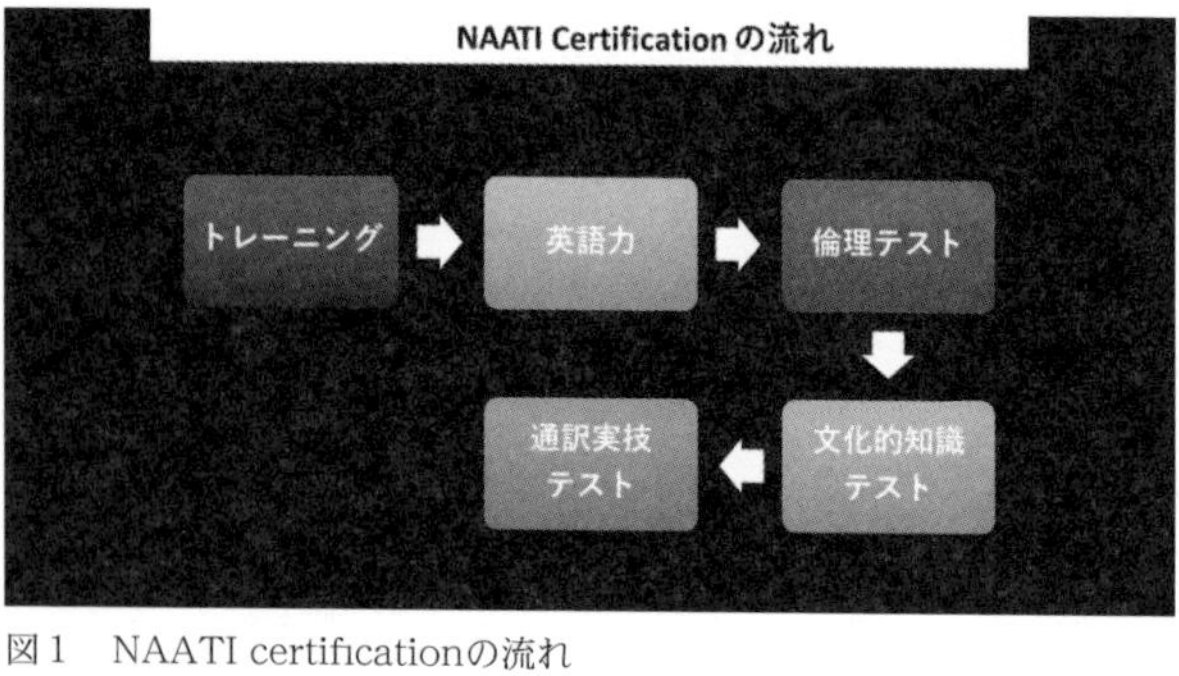

図１　NAATI certificationの流れ

グ・リスニングで一八以上、後者では、同テストの四スキルで二一～二五が必要となる。これらの要件を満たした者は、倫理テスト及び文化的知識テストの合格を経て、通訳実技テストに合格することで、最終的に認定が得られる運びとなる。以上の制度から、オーストラリアで求められるＣＩ通訳者は、言語的なスキルのみならず、倫理・多文化に関する知識と併せて一定レベル以上の通訳に関する理論的知識と実技能力を有することが求められるわけである。プロとボランティアという相違があるとは言え、この質的保証制度をボランティア医療通訳養成制度に照らし合わせてみるとどうだろうか？　沖縄県の同制度では、前提条件としては年齢が二〇歳以上であること、そして二言語が流ちょうであるという二点しかない。後者は特に語学検定などの要件はないことから、登録希望者により言語スキルのばらつきがかなりあり得る。また、それ以外の知識・実技能力については、二四・五時間の養成講座である程度学ぶものとはいえ、ＮＡＡＴＩの要件とは明らかに大きな開きがあろう。残念ながら、養成講座に関する情報は限定的であるが、上記の時間数からは、ごく基礎的な内容にとどまることが想像に難くない。ＣＩ・ＣＴにおいては、前述した力関係や文化的な調整が大きなカギを握るため、通訳者にとってあるべき行動の指針が必要である。すなわち、「倫理規定」と呼ばれるものである。この倫理規定は、通訳翻訳の領域以外にも、社会的に専門職と認識される職業（医師、弁護士など）には必ず存在し、遵守することが求められるものである。通訳・翻訳においても、ＮＡＡＴＩのような国家資格制度がある国では、概ね倫理規定が存在し、資格取得の条件の一つとなっている傾向がある。九カ国一六の倫理規定を対象としたHale（2007）の研究では、以下の四つの側面が倫理概念として共通するものとなっている。すなわち、正確性・中立性・守秘義務・プロ意識である。

正確性は文字通りSTとTTをできる限り忠実にする訳出を指すが、これは必ずしも語句やセンテンスなど字面でのものだけではなく、二言語の言語・文化的な相違を考慮したうえで、いかに聞き手・読み手に自然に受け止められる形で訳出するか、が重要となる。この意味でも正確性は分野や案件の状況によってその範囲が変容してしまう。例えば、法廷通訳では逐語訳に近い、一字一句正確な訳出が求められるのに比べ、CIの医療分野では、メッセージの正確性を保ちつつも文化的な相違を考慮した、メッセージの受け手（例　医師、患者）がわかりやすい訳出が必要となる。

次の中立性は、いかにバイアスなしに中立的に訳出ができるか、利益相反（例えば警察官が法廷で通訳をしてしまう）とならぬよう利害関係を回避すること、そして個人的な助言や意見を排除すること（例えば、患者の通訳をすると共にその患者の生活相談などにも応じる）などが挙げられる。

三つめの守秘義務は、通訳の業務で知り得た情報を漏らさないこと、またその情報を自己利益に利用しないことである。CI・CTにおいては、クライアントである外国人の私生活に関わるものが多くなることから、特に注意を要する。守秘義務が遵守されなかった結果、深刻な人権侵害につながる恐れもあるからである。

最後のプロ意識は、自身の能力の限界に対する知識と継続学習の必要性と換言できるものだ。通訳・翻訳者は通訳・翻訳のプロではあっても、案件の内容については必ずしも背景・専門知識を有しているとは限らない。好例が医療分野である。この分野のプロである医療従事者が有する知識とは比肩できない場合もあるわけである。従って、依頼された案件の要件や内容をまずは精査し、その案件を受けてプロとして一定以上の品質が保証できるのかを判断しなければならない。これが保証できない場合は、案件を受注してはいけないということが倫理規定に明記されているケースが多い。またこのプロ意識に関わるもうひとつ重要とされているのが、professional development、つまり継続学習である。仮にプロの資格を得たとしても、永続的に自らの有する通訳・翻訳に関わる知識や技術が保てる保証はないわけだ。また、テクノロジーの進歩など社会的な変容に則した知識・技術を継続的に習得することが必須となる。従って、NAATIを再度例にとると、以前は永続的な資格という扱いであったのが、近年では更新制になり、三年に一度要件を満たして初めて更新ができる制度に変わっている。

上述のオーストラリアにおける取り組みはほんの一例であり、多文化・多民族国家の中で多文化共生におけるその他の先進国（アメリカ、カナダ、イギリスなど）でも同様の取り組みがみられる。さらに二〇一四年にCIはISO規格（ISO 13611 : 2014）(15)を取得している。その概要の中でもCIがプロによって行われるべきProfession（専門職）であり、家族や友人などによって行われるべきものではないことが明記されている。従って、上記の先進国における動きとも相まって、外国人に地元市民と同じアクセス権・言語権を担保するために、質的な保証を担保することはグローバルな流れと言っても過言ではなかろう。

我が国に目を転じると、上記のような国家資格認定制度は残念ながらいまだに存在せず、なおかつ倫理に関する共通認識も確立していないのが実状である。ただし、独自の認定制度を創出し実施するという動きも見られ始めている。その一例が愛知県における「あいち医療通訳システム」(16)である。同県で在留外国人の多くが用いるポルトガル語をはじめ一四カ国語に対応し、医療機関への通訳者派遣・二四時間対応の電話通訳・翻訳を提供するものである。その認定制度をみると、語学・トレーニング・認定試験といった一定のスクリーニングおよび養成を通して質的保証を行っていることが特徴的である。また、県内医療機関および高等教育機関などとの連携のもと成り立っている点がユニークである。沖縄県においても、持続可能なＣＩ・ＣＴを実現するためには、沖縄県のニーズや現状に鑑みた人材育成および質的保証を担保するこのような取り組みを検討する必要があると考える。

（三）アクセス権・言語権を中心とした公平性

多文化共生におけるアクセス権・言語権の重要性についてはすでに論じたが、ここではその現状と課題について考えてみよう。ここでは大別すると、言語支援事業による対応言語のばらつきと地域による実施状況の格差が課題として挙げられる。

まず、対応言語についてであるが、日本語以外で対応できる言語が通訳翻訳に関わらず言語支援事業によって多種多様なのが現状である。例を挙げると、在留外国人の日常生活に最も関連性が高いと考えられる沖縄県提供の情報は、英語・中国語・韓国語・スペイン語の四カ国語のみでの翻訳（それも機械翻訳）で提供されている一方、医療問診票は前述の通り十八カ国語での提供となっている。通訳分野でも、医療通訳ボランティアは英語・中国語・韓国語・スペイン語の四カ国語のみによるものとなっている。特に上記の四カ国語のみによる情報提供は、県内在留外国人のニーズを満たすものとは言えず、またそれ以外のマイノリティ言語には残念ながら十分に対応ができていないのが現状である。従って、言語に関わらず平等にアクセス権・言語権を担保するための方策（後述）を講じる必要があろう。

二点目の地域における格差は、県内の市町村により、多文化共生およびＣＩ・ＣＴを通した言語支援体制にばらつきがある点についてである。浦添市や沖縄市においては、日常生活に関わる独自の多言語による情報提供などを積極的に推進している一方、これらの取り組みが顕著ではないケースも見られる。例を挙げると、外国人居住者数が五四六二人（二〇二〇年三月時点の統計）と統計的に最も多い那覇市では、二〇二〇年に入ってようやく外国人相談窓口が開設されたばかりである。県への問い合わせでも、こういったばらつきが市町村で存在するという認識が見られた。ある市町村における言語支援体制の充実度は、長い目で見れば在留外国人がどの程度の期間そこに居住し続けるのかにもつながるものであると考えるため、持続可能な多文化共生社会を特定の市町村で実現するうえでは真摯に検討が必要な課題であると言えよう。

四　まとめと展望

以上のように、持続可能な多文化共生社会を実現するうえで必要な根本概念として、「同化」ではなく「共生」がまず存在する。その共生のカギを握るのが、地元市民のみならず新たに沖縄県で生活を営む在留外国人にとっても平等に与えられるべきアクセス権・言語権であり、その具体的な手段として言語支援、すなわちコミュニティ通訳・翻訳が重要な役割を担う必要性があるわけである。そのCI・CTを用いた言語支援においては、上記で論じたCI・CTの特性、特にその特性をコミュニティ全体で共有・理解することが、持続可能な言語支援の第一歩と言えよう。CI・CTはいずれも二言語間の語句の変換というような単純な行為ではなく、正解がひとつではない複雑かつ専門性の高いものであることから、質的な保証をいかに担保すべきかを検討し、沖縄県のニーズに即した基準を設ける必要があろう。もちろん、分野や案件によりその基準は多様であることから、それぞれの要件に則した人間・テクノロジーを含む通訳者・翻訳者の役割分担を整理し、これらの資源の使い分けを考えていくことが肝要だと考える。例えばCTの場合では、単語ベースの翻訳で一定基準以上の質的保証ができ得る証明書類には機械翻訳が中心的な役割を担う、あるいは単語ベースでは完全に対応できないホームページのコンテンツや文化的な特性が強い沖縄独自の生活習慣などでは、機械翻訳が下訳を行い、それをプロ翻訳者がチェッカーとして質の高いものに仕上げることも可能であろう。またCIの場合も、ボランティア・プロ通訳者が行える案件の難易度や複雑性などの観点で基準をある程度明確化できれば、質的保証・持続性の両面でよりよい方向性が見えてくるものと考える。上記からわかるように、いずれのケースでも一定の基準とそれを満たした人的・機械的資源の効率的な活用が重要である。そのためには、各資源の役割分担を明確化したのち、CI・CT認証制度の構築に向けた取り組み（前出のNAATIのような全国的もしくは愛知県のような県独自のもの）が必要となってこよう。そのためには、行政においては案件の種別による管轄の垣根を越えた部署横断的な取り組みのみならず、沖縄県の多文化共生に関わる全てのステイクホルダー（市民、在留外国人、米軍属者およびその家族など、通訳者・翻訳者、通訳翻訳を利用する医療機関や行政機関など）がどのようなニーズと課題があるのかを洗い出し、それらを反映した望ましいCI・CTの基準を明確化することがまずは重要である。それらの基準に基づいて、それぞれの基準を満たすためどのようなCI・CT教育・学修が必要なのかを検討し、教育機関などにおけるノウハウを活かしながら実施していくことも持続可能な人材育成において不可欠な要素である。ただし、ここで障壁となり得るのが財政および人的制約である。特に後者はマイノリティ言語への平等な言語支援をいかに果たすべきかに関わっている。マイノリティ言語を母語とする外国人の在留数は極めて少数であるケースも希ではなく、その通訳・翻訳を行える人材も同様に限られてきてしまう。この障壁を乗り越えるためには、沖縄県内のみならず、より広域的な連携がカギを握ることが考えられる。すなわち、沖縄県で対応が困難な言語の場合は、他県にも協力を要請する、また他県での対応が難しく沖縄県ではそれに当たらない、もしくは県の強い分野などの場合は逆に沖縄県が協力に応えていくという相互補完的な方法である。CTの場合はオンラインで行える場合が多々あるため容易であろうが、CIにおいても愛知県や神奈川県で行っているような電話通訳や、5G（第5世代移動通信システム）の導入・普及に見られるようなICTの進歩に伴い、オンラインでのライブ通訳も不可能ではなくなってくる。これらの課題にコミュニティのステイクホルダーすべてが真摯に検討し、英知をもって解決策を見いだすことが急務であろう。それにより、多文化共生の実現に不可欠な言語支援体制が今後の世代にも持続可能な形で構築していけるものと信じてやまない。

謝辞

本調査における問い合わせにご協力いただいた、沖縄県交流推進課・公益財団法人沖縄県国際交流・人材育成財団国際交流課に御礼申し上げます。

参考文献

遠山嘉博（2003）「白豪主義から多文化主義へ」 追手門経済論集 追手門大学（https://www.i-repository.net/contents/outemon/ir/102/102030905.pdf）

水野真木子・内藤稔（2015）『コミュニティ通訳 - 多文化共生社会のコミュニケーション』みすず書房.

渡辺博顕 JILPT調査シリーズ No.87『地方自治体における外国人の定住・就労支援への取組みに関する調査』独立行政法人労働政策研究・研修機構.

Gentile, A., Ozolins, U. and Vasilikakos, M.（1996）*Liaison interpreting: A handbook*. Melbourne: Melbourne University Press.

Hale, S.（2007）, *Community Interpreting*. Basingstoke/ New York: Palgrave Macmillan.

Lee, J. & Buzo, A.（2009）*Community Language Interpreting*. Federation Press.

Niska, H.（2002）Community Interpreter Training: Past、Present、Future. In G. Garzone and M. Viezzi（eds）, *Interpreting in the 21st Century:Challenges and Opportunities*. Amsterdam and Philadelphia: John Benjamins、133–44.

Pöchhacker, F.(1995）Simultaneous Interpreting: A Functionalist Perspective. Hermes　Journal of Language and Communication Studies、(14)、31-53.

Price-Wise, G.（2014）*An Intoxicating error: Language、culture and medical tragedy*. Florida Center for Cultural Competence.

Taibi, M. (2011)、Public Service Translation. In K. Malmkjaer and K. Windle (eds)、*The Oxford Handbook of Translation Studies*. Oxford: Oxford University Press, 214–27.

Taibi, M. & Ozolins, U. (2016) *Community Translation*. London/ New York、Bloomsbury.

注

(1) https://www.jica.go.jp/jica-ri/IFIC_and_JBICI-Studies/jica-ri/publication/archives/jica/kyakuin/200703_kus.html
http://www.city.kawasaki.jp/250/page/0000040959.html

(2) https://www.soumu.go.jp/kokusai/pdf/sonota_b5.pdf

(3) オーストラリア政府も公式にこの白豪主義時代の政策をassimilationとしている。
https://www.homeaffairs.gov.au/about-us/our-portfolios/multicultural-affairs/about-multicultural-affairs/our-policy-history

(4) 複数回答可

(5) https://kokusai.oihf.or.jp/userfiles/files/Medical_Translation_Service_Guideline_2020.pdf

(6) https://kokusai.oihf.or.jp/project/saigaisapport/

(7) https://kokusai.oihf.or.jp/userfiles/files/Consultation_Guideline_2020_04_01.pdf

(8) https://kokusai.oihf.or.jp/medicalinfo/

(9) https://kokusai.oihf.or.jp/project/saigaisapport/handbook/
(10) http://www.bousai.okinawa.jp/
(11) http://www.kifjp.org/medical/english/index.html
(12) https://www.tisnational.gov.au/en/Agencies/Charges-and-free-services/About-the-Free-Interpreting-Service#:~:text=The% 20Free% 20Interpreting% 20Service% 20aims,behalf% 20of% 20the% 20Australian% 20Government.
(13) 2018年6月2日現在
https://www.tisnational.gov.au/en/Agencies/Help-using-TIS-National-services/Languages-available-through-TIS-National
(14) 詳細は下記サイトを参照
https://www.naati.com.au/become-certified/
(15) https://www.iso.org/standard/54082.html
(16) http://www.aichi-iryou-tsuyaku-system.com/

「世界は舞台」
―シェイクスピア作品に描かれる流動化社会の様態―

西原幹子

西原　幹子・にしはら　みきこ
所属：総合文化学部　英米言語文化学科
主要学歴：筑波大学大学院文芸・言語研究科イギリス文学専攻博士課程単位取得退学
所属学会：沖縄外国文学会、日本英文学会、日本シェイクスピア協会、エリザベス朝研究会
主要論文及び主要著書：

【著書（共著）】

『シェイクスピア時代の演劇世界』、英知明他編著、九州大学出版会、二〇一五年。


【論文】

「*The Merchant of Venice* におけるシャイロックと商業活動の表象について」、沖縄国際大学外国語研究 第16巻第1号、二〇一二年。

「『二つの嘆かわしい悲劇』に見る共同体秩序と「強欲」の危険」、沖縄国際大学外国語研究 第18巻第1号、二〇一四年。

「*A Warning for Fair Women* における黙劇の機能について」、沖縄国際大学外国語研究 第19巻第2号、二〇一六年。

【書評】
Book Review:"Tom Rutter, *Shakespeare and the Admiral's Men*," *Shakespeare Studies* vol.55, The Shakespeare Society of Japan, 2017.

※役職肩書等は講座開催当時

はじめに

『ハムレット』（一六〇〇頃）や『ロミオとジュリエット』（一五九五頃）で知られるウィリアム・シェイクスピア（William Shakespeare, 一五六四―一六一六）は一六〇〇年前後のイギリスのルネッサンス時代に活躍した劇作家であるが、四〇〇年以上の時を経た現代においてもなお、その作品は世界各地で様々な言語によって上演され続けている。たとえば日本の演劇界を代表する演出家といえば、先ごろ亡くなった蜷川幸雄だが、彼によるシェイクスピア上演は海外でも大成功をおさめ、世界中の演劇愛好家たちのあいだで高い評価を得ている。（ちなみに一九八七年にロンドンで上演された『NINAGAWAマクベス』には、沖縄県出身の俳優・津嘉山正種も出演している。）

また、現代では演劇というジャンルにとどまらず、シェイクスピア作品を題材にしたミュージカル、オペラ、映画、テレビドラマ、小説、漫画も無数に存在しており、シェイクスピアをめぐる状況はまさにボーダレス・ダイバーシティの真っただ中といえるだろう。このように時代や文化を超えて読み継がれ、上演され続けるシェイクスピアの魅力とは何か、現代におけるシェイクスピア上演の意義や可能性について探ってみたい。

本稿では、まずはシェイクスピア上演をめぐる現代の状況について概観した後、いかにしてシェイクスピアは時代や文化の境界を超えるのか、またなぜとりわけ「シェイクスピア」がグローバルな広がりを見せているのか、という点について考察していく。

一　現代における多様なシェイクスピア上演の状況

1　日本におけるシェイクスピア

まず、現代の日本におけるシェイクスピア上演の状況から見ていく。[1] 現代の日本でシェイクスピアを扱ったものは、演劇をはじめ映画、小説、漫画と数多く存在するが、舞台の世界で最も精力的にシェイクスピア作品に取り組んだ演出家といえば、先述したように、蜷川幸雄である。蜷川はシェイクスピアの全戯曲の上演を目標に掲げ、作品ごとに人気俳優を起用することで若い世代にも観客層を広げてきた。中でも蜷川の名を一気に広めたのは、海外でも話題になった一九八〇年初演の『NINAGAWAマクベス』である。[2] これは、舞台設定を一一世紀のスコットランドから日本の安土桃山時代に移したもので、巨大な仏壇を舞台セットとして用い、場面全体を通して桜吹雪を降らせ、歌舞伎の様式や所作を取り入れるなど、随所に日本的な美の粋を散りばめた演出が注目された。主演のマクベス役を平幹二郎、マクベス夫人役を栗原小巻が演じ、小田島雄志による日本語訳を用いたにも関わらず、言葉の壁を越えて海外の観客を魅了し、数年後に市村正親主演で再演されるほどの話題をさらった。

また、映画の分野でも、黒澤明監督の『蜘蛛巣城』（一九五七）や『乱』（一九八五）は、それぞれシェイクスピアの『マクベス』や『リア王』を基にした作品として海外でも評価が高い。これらの映画では、日本の戦国時代に舞台が置き換えられているほか、話の筋も多少改変され、登場人物の名前もマクベスが「鷲津武時《わしづたけとき》」、マクベス夫人が「鷲津浅茅《あさじ》」と日本名に変更されている。『乱』のほうは、原作では老齢となったリア王が三人の娘たちに領地を分け与えようというところを、三人の息子たちに変更している。

他にも、井上ひさしの『天保一二年のシェイクスピア』（一九七四）、能や狂言を取り入れた上田邦義の『英語能ハムレット』（一九九一）や高橋康成の『まちがいの狂言』（二〇〇一）、ロック・ミュージカル仕立ての劇団☆新感線による『メタル・マクベス』（二〇〇六）[3]、「もしもロミオとジュリエットが死ななかったら」という設定による野田秀樹の『「Q」:A Night at the Kabuki』（二〇一九）など、枚挙にいとまがない。このように、ジャンルを問わず、シェイクスピアは現代の作家たちの創作意欲を掻き立てる題材となってきたことがうかがえる。

2　世界各国におけるシェイクスピア

さらに世界各国におけるシェイクスピア上演に目を向けると、たとえば西インド諸島出身のノーベル賞作家デレク・ウォルコット（Derek Walcott）による『アントニーとクレオパトラ』を題材にした戯曲『青いナイル川の支流』*A Branch of the Blue Nile*（一九八六）や、『ヴェニスの商人』をもとにニューメキシコにおけるユダヤ人を描いたラ・コンパニア劇団による『サンタフェの商人』*Merchant of Sante Fe*（一九九三）、映画の分野では『マクベス』をもとにインドの裏社会を舞台にした『マクブール』*Maqbul*（二〇〇三）など、他にも多種多様な改作や翻案が存在する。[4]

こうしたグローバル化したシェイクスピア上演の状況を端的に物語る一大イベントとして、二〇一二年にロンドンで開催されたWorld Shakespeare Festival 2012 を挙げることができるだろう。これは、同年のロンドン・オリンピックの開催にちなんだ企画で、世界各地から数多くの劇団が招待され、実に四〇以上の言語でシェイクスピア作品が国際色豊かに上演された。そのごく一部を挙げると、イラクの劇団によるイラクの内戦を舞台にした『バグダッドのロミオとジュリエット』、アフリカの民主化運動を想起させるような全員アフリカ人キャストによる『ジュリアス・シーザー』、グルジアの劇団による劇中劇の形式を用いた『お気に召すまま』、リトアニアの劇団による小道具を象徴的に使った『ハムレット』などがある。(5)

ではここで、現代においてシェイクスピアがどのように読み直されているかの具体例として、先に挙げたイラクのIraqi Theatre Company (Monadhil Daood演出)による上演作品『バグダッドのロミオとジュリエット』(以下、『バグダッド』と表記)をシェイクスピアの原作と比較しながら見ていくことにする。

まず、原作の『ロミオとジュリエット』の概要を確認しておこう。原作では、中世イタリアの町ヴェローナにおいて敵対する二つの旧家、モンタギュー家とキャピュレット家の確執を背景に、それぞれの家の一人息子ロミオと一人娘ジュリエットが互いの素性を知らないまま運命的な恋に落ち、神父や乳母の協力を得て秘かに結婚式を挙げる。ところが、その帰り道で、ジュリエットの従兄ティボルトにロミオの親友マーキューシオが殺され、その報復としてロミオがティボルトを殺害してしまったため、ロミオは追放処分となる。ジュリエットと一晩だけの夜を過ごしたロミオは、再会を祈りつつヴェローナの町を去る。ロミオとの別離を悲しみ泣き暮れているジュリエットに対して、ジュリエットの両親は娘がティボルトの死を悲しんでいるのだと思い込み、娘とパリス伯爵との縁談を急ぐ。その後いくつかの偶然が重なりあって困難な状況を招いてしまい、ついに追い詰められたロミオとジュリエットは自ら死を選ぶ、という筋になっている。

一方、『バグダッド』では、登場人物の名前は原作通りイタリア名のままで、登場人物の顔ぶれもほぼ原作に従っているが、場面は現代のイラクの首都バグダッドに置き換えられ、劇冒頭から爆撃音や銃声が舞台全体を覆い、スンニ派とシーア派の対立が描かれる。

また、原作では敵対するキャピュレット家とモンタギュー家の間に血縁関係はなく、ロミオとジュリエットは舞踏会で出会うまで一切接点を持たない。ジュリエットの屋敷で開かれた舞踏会にロミオが偶然参加し、そこで二人は初対面で一瞬のうちに惹かれ合い、その翌日には結婚式を挙げ、その数日後には死を選ぶため、偶発性とスピード感に力点が置かれている。これに対して『バグダッド』の方では、両家はもともと兄弟の間柄で、祖父の遺産相続（代々受け継がれるボートの所有権）をめぐって対立が深まり戦争へと発展したことになっている。したがってロミオとジュリエットは従妹同士ということになっており、幼少期を共に過ごした親しい関係にあるため、劇冒頭からロミオとジュリエットはすでにお互いをよく知っており、九年間にも及ぶ両家の争いによって隔てられ、会えない辛さを嘆いている。原作では周囲も気付かないうちにロミオとジュリエットの二人が閃光のように時間を駆け抜けていくが、『バグダッド』の構造はそれとは全く逆に、破壊と狂騒に満ちた周囲の状況のなかで、唯一主人公の二人の時間だけは静止したかのように変わらないままである。このような改変によって、人間関係の断絶がより深刻であることが示され、失われた日常や過去の記憶へのノスタルジーが表現されることになる。

他にも大きな変更点を挙げると、原作ではジュリエットの婚約者にパリスという若くて高貴な美青年が登場する。ジュリエットの両親は、劇の最後まで娘とロミオとの関係について全く気付いておらず、良かれと思ってパリス伯爵との結婚話を進めるのだが、それがジュリエットを追い詰める要因となり、親子のあいだにはすれ違いによる認識のずれが描かれている。一方、『バグダッド』に登場するパリスは、サングラスをかけ松葉杖をついた成金風情の年老いた男性で、実はアルカイダの一味である。ジュリエットの母はすでに他界したことになっており、父は娘が幼い頃からロミオに好意を寄せていることを知りつつも、娘とロミオとの関係性が相変わらず続いていることに激怒し、嫌がる娘に無理やりパリスとの結婚を強いる。

『バグダッド』では、ロミオとジュリエットの死の直接的な原因も、このパリスによってもたらされる。原作では、仮死状態になる薬の効果で死んだように眠っているジュリエットのもとへ、それとは知らずにロミオがやってきて、絶望のあまり服毒自殺をし、遅れて目を覚ましたジュリエットも、ロミオを追って短剣で自刃する、という終わり方をするのだが、『バグダッド』では、戦況が激化するなか、絶え間なく続く爆撃で一時的に気を失ったジュリエットをロミオが助け起こし、束の間の二人きりの時間をいとおしんでいると、自らの身体にダイナマイトを縛り付けたパリスが背後から忍び寄り、自爆テロを試みて二人を巻き添えにする。こうした暴力の破壊性が前面に押し出されることにより、逆に原作の文学的に様式化された最期との差異が際立ち、文学の世界に表現の隙も与えないほどの現実の過酷さが突きつけられる。

『バグダッド』のキャピュレットやモンタギューは、それぞれ戦争を続けることに疲れ切っているが、理由のわからない憎しみや復讐の連鎖に縛られて、そこからどうしても抜け出せずにいる。その代償がロミオとジュリエットの死であり、二人の犠牲的な死は、逆説的にイラクの人々が切実に求めているものの存在を強く想起させる。このように、『バグダッド』は強いメッセージ性を帯びた舞台となっており、イラクの現実を表現することに重点が置かれていた。

以上のような舞台の鑑賞は、原作の『ロミオとジュリエット』を知らなくても十分可能だが、ある程度原作についての知識があれば、改変個所を通して、このイラクの劇団が「シェイクスピア」という素材をどのようにアレンジしているのか—換言すると、原作とどのように対話したか—を推察することが可能になる。たとえば音楽の世界でも、同じ一つの楽曲を、様々な演奏家がそれぞれの解釈によって多彩に表現する。私たち観客はそれを聞き比べて楽しむものだ。同じ楽曲を異なる演奏で聞くとき、私たち観客は、解釈の多様性、または新しい解釈との出会いに期待しているだろう。同様に、「シェイクスピア」を共通の題材とすることで、それをめぐって多様な解釈が競い合い、新しい視点が生まれるのだと捉えることができる。

二 「シェイクスピア」はいかにして時代や文化の境界を「超える」のか

原作を改変して作られた作品を「翻案」または「アダプテーション」と呼ぶが、現代におけるシェイクスピア上演（または映画・小説etc.）はこうしたアダプテーションの形を取ることが一般的である。[(6)] 一口に「アダプテーション」といっても、原作をほぼ忠実に再現したものから、大胆に脚色を加えたもの、さらには原作の副筋や物語の続きを新たに展開させたもの、あるいは土着の伝統芸能の様式を混交させたものまで、その範囲は幅広く、表現の方法やスタイルにも違いがある。

ただ、あまりにも原作が断片化され加工されてしまうと、原作が本来表現しようとしている世界は消失してしまわないだろうか。観客の嗜好や演出家の意図が優先されて、原作そのものの理解が表層的なままで終わるということも起こりうる。先ほどの音楽の例でいうと、たとえば原曲に装飾を施しすぎて、原曲の味わいが損なわれてしまうということがある。もしかすると「シェイクスピア」は現代に都合よく利用されているだけで、「シェイクスピア」を題材とする必然性はどこにあるのだろうか、との疑問も生じるかもしれない。こうした課題に対して、たとえば、現代日本でシェイクスピア作品の上演を手掛けてきた演出家の出口典雄は、原作の声に出来る限り耳を傾ける姿勢の重要性を、次のように語っている。

シェイクスピアを現代化するには、シェイクスピア作品そのものにただひたすら帰っていくしかない。(中略) シェイクスピアの作品の固有な特性をただひたすらに追い求め、捉えきることによってのみ、シェイクスピアは現代に蘇生し、再生し、シェイクスピアという鏡によってはじめて私たちの生きる時代の深層が、真の姿が開示されるのだと、私は考えています。[7]

さらに出口によれば、「役者とはもともとあまりに大衆迎合的であり、あまりに体制依存的であり、あまりに時代順応的である存在」であるため、「無意識のうちに時代の波に流される危険性が非常に高い」と自己省察的に述べ、「時代に、時流に乗りながら、なおそれに抗し」ていくことが演劇人の目指すべき姿勢である、と主張している。ここで出口は、いわば徹底的に原作の声に耳を傾けることによって、現代を一定の距離をおいて見つめ直す視点を得ようとしていることがわかる。つまり、古い時代に書かれた原作との対話は、現代の枠組みという「ボーダー」の内と外を往復することを可能にする。現代においてシェイクスピアと向き合うことの意義は、「時流に乗りながら、なおそれに抗し」ていくための、自己批判的な視点を見出していくことにあるだろう。

では、時代や文化のボーダーを「超える」ことは果たして可能なのだろうか。次にこの点について考えてみる。

文学理論家のジェラール・ジュネットは、原作を完璧に再現することは不可能であると考え、そのうえで、アダプテーションを"homodiegetic transpositions"「等質物語的置き換え」と

“heterodiegetic transpositions”「異質物語的置き換え」との二つに分類している。前者は、原作を出来る限り忠実に再現しようとしたもの、たとえば神話や歴史的題材をほぼそのまま反復した古典悲劇のようなものを指す。一方、後者は原作を素材として用いながらも、場面設定・登場人物・筋の順序などに変更を加え、原作の枠組みを逸脱しているものを指す。前者の「等質物語的置き換え」の目的は「原作のテーマに新しい解釈を与えること」にあり、後者の「異質物語的置き換え」の目的は「原作が本来有している観客への効果を現代において生き生きと再現すること」にある、というのである。(8)

ジュネットの考えを筆者なりに敷衍すると、原作を忠実に再現しようとする古典悲劇などの「等質物語的置き換え」タイプは、セリフ・人物設定・場面の順序などはほぼそのまま原作通りに演じるかわりに、セリフの言い方や表情の付け方、舞台セットの使い方や配役の仕方など、演技・演出上の工夫により舞台全体の印象に変化を持たせようとする。たとえば、顔色の悪い痩せたハムレットにするか、体格のいい精悍なハムレットにするかで、観客に与える印象は大きく変わってくるだろう。こうした方法で原作に新たな解釈の可能性を吹き込もうとするのである。

一方、後者の「異質物語的置き換え」は、原作の枠組みから外れながらも、原作のテーマを現代の観客にとってより身近で今日的な問題を孕んでいるものと感じさせ、原作のニュアンスを現代に蘇生させようとする。先ほど紹介した『バグダッドのロミオとジュリエット』はこれに分類される。他にもたとえば、原作の主人公の性別や人種を変えたりすることで原作全体の筋を塗り替え、現代的なテーマを提示する場合もある。

　そもそもシェイクスピア自身、先行するギリシアやローマの古典文学を題材にしながら、観客の属する時代ロンドンの風俗や慣習を織り交ぜ、同時代の人々の感覚を描いている。また、英文学者の喜志哲雄が論じているように、「シェイクスピアの生前には、彼の戯曲は基本的には書かれた通りに上演されたと考えられる」が、「王政復古期［一七世紀半ば］に入ると、別の作家がシェイクスピア劇に自由に手を入れることが少しも珍しくなく」なった。こうしたことは「演劇」が「観客に歓迎されなければ成立し得ないものだという事実」からくるのだと指摘されている。(9) 先ほど引用した演出家の出口典雄も認めていたように、演劇は観客ありきの芸術なのである。この点を踏まえると、観客に舞台を生き生きと感じさせるためには、「現代風のアレンジ」が重要な機能を果たしていることがわかる。私たちは従来、未知のものに出会うとき、既知のもので「置き換えて」理解しているはずだ。はるか昔に書かれた原作の世界を現代に「蘇らせる」ためには、似たような状況を現代のなかから探し出してきて、類似の感覚を再構築するという方法が不可欠なのかもしれない。つまるところ、「シェイクスピア」という不変の実体があるわけではなく、上演される時代や文化ごとにシェイクスピアの書き残した戯曲（テクスト）が繰り返し解釈し直され、新しい意味が重ね書きされるなかで、それぞれの時代を生きる人々にとって新鮮な舞台が創造されるのだといえる。

三　なぜ「シェイクスピア」なのか

ではなぜ、とりわけ「シェイクスピア」がこれほどグローバルに上演され続けているのだろうか。以下、この点について考察してみたい。

英文学者の南隆太が「シェイクスピアと日本」の中で詳述している通り、明治期の日本は西洋文明の象徴として「シェイクスピア」を移入した。したがって日本ではシェイクスピアを「高級で文化的なもの」と見なす傾向があり、「シェイクスピア」という名前の持つイメージが「文化的イコン」「文化資本」として流通し消費されているという現実があることも事実である。(10)

歴史的に見れば、イギリスでは特に一八世紀後半以降、シェイクスピアは国民的英雄として祭り上げられ神格化されてきたため、その影響が現代にも尾を引いていると考えられる。さらに一九世紀になると「シェイクスピア」は「大英帝国」の文化的優越性を誇るうえで重要なアイテムとして政治的に利用され、イギリスの植民地となったインド・南アフリカ・オーストラリア・ニュージーランド・北アメリカ・カナダなどの各地域では教育制度を通して広められてきた。つまり、ある側面から見れば、「シェイクスピア」は植民地時代における支配者側の権威の象徴だったという歴史を持ち、今日にもその影響を及ぼしているといえる。世界中でシェイクスピアが知的財産のひとつとして共有されているのは、第一には文学作品として優れているからだというシンプルな理由によるものだと筆者は考えるが、他方、歴史的・政治的な背景とも無縁ではないのである。その点から考えた場合、現代社会において「シェイクスピア」が繰り返し上演され続けていることにはどのような意味があるのだろうか。

たとえば、二〇世紀後半になってから、英語圏以外の地域、特にラテンアメリカやアフリカの論客たちの間では、『テンペスト』に登場する「キャリバン」(Caliban) は、旧植民地の人々の「異種混交性」(hybridity) の象徴であると見なされはじめる。[11]

ここで『テンペスト』のあらすじを確認しておこう。主人公プロスペローは魔術研究に没頭するあまり、ミラノの統治者としての責務を忘れ、その隙に弟に地位を奪われ追放処分を受け、幼い娘ミランダと共に流刑の身となるが、嵐の末に流れ着いた孤島で暮らし始める。そこには魔女シコラックスを母に持つ怪物のキャリバンや、妖精エアリエルが暮らしていたが、プロスペローは魔法の杖を使って彼らを屈服させ、野蛮で反抗的なキャリバンに言葉を教え込み、奴隷として労役を課す。さらにプロスペローは自分をミラノから追放した弟に復讐を果たすべく、魔法の力で嵐を起こし、弟とその仲間たちを乗せた船を難破させ、島へ漂着した彼らを翻弄して苦しめる。目的を遂げたプロスペローは、弟を許し和解した後、魔法の杖を捨て去り、再びミラノへ戻る、という内容である。この作品において、外部からの侵入者「プロスペロー」と島の先住民「キャリバン」とのあいだに、植民地主義的な支配・被支配の関係を読み取ることができる。二人のあいだで交わされる会話は以下のようなものである。

キャリバン：だいたいこの島はおれのもんだ、おふくろの
シコラクスが残してくれたのに、おめえが横から
奪いやがったんだ。おめえははじめてここにきたとき、
おれをかわいがり、大事にし、木の実の入った
飲み物をくれた、昼間の大きな光はなんと言い、
夜の小さな光はなんと言うかも教えてくれた、だから
おれもおめえが好きになり、島のことはなんでも
教えてやった、清水の湧くとこ、塩水のたまるとこ、
穀物の実るとこ、実らないとことな。ばかな話さ！（中略）
プロスペロー：　この大嘘つきめ、
おまえに必要なのはなさけではない、鞭だ。おまえが
そのように汚らしいやつでも、おれは人間として
思いやりをかけ、おれの岩屋に住まわせてやったのに、
大事な娘を辱めようとしたから追い出したのだ。（中略）
ミランダ：（中略）私もはじめのうちは
かわいそうに思い、ものが言えるよう毎日、毎時間、
あれこれ教えてあげた。（中略）心の思いを

人に伝えることばを教えてやった。(中略)
キャリバン：たしかにことばを教えてくれたな、おかげで
悪口の言い方は覚えたぜ。疫病でくたばりやがれ、
おれにことばを教えた罰だ。

(一幕二場[13])

このように、島の先住民キャリバンは侵入者プロスペローやその娘ミランダによって彼らの言葉を習い覚えさせられ、「心の思いを人に伝える」力―つまりプロスペローやミランダに理解できる言葉―を身に着ける。キャリバンは憎むべき侵入者の言葉でしか自らを語ることができないという屈辱的立場に置かれるが、同時に自らの一部となったその言葉を、抵抗の道具として用いるのである。

キューバの作家ロベルト・フェルナンデス・レタマール (Robert Fernandez Retamar, 一九三〇―二〇一九) は「キャリバン」と題したエッセイのなかで、シェイクスピアの『テンペスト』に登場するキャリバンを「私たちメスティーソ (インディオとスペイン人の混血) のシンボルだ」と述べている。

アメリカは植民地化された歴史を持つ国の中でも特異な国だ。なぜならその人口の大多数が人種的に混血であり、植民地支配者たちによって持ち込まれた言語だけでなく、その他の多くの概念上の道具を使い続けている。彼らの概念的道具は今や私たちの概念的

道具にもなっている。(中略)確かにそれ[キャリバン]は完全に私たちのものではなく、外国人によって入念に作り上げられたものであり、私たちの場合は具体的な現実を生きているのだが、[キャリバンはハイブリディティのありようを最も的確に表す象徴だ]。(中略)キューバで最も尊敬されている言葉'mambi'は、私たちが独立を求めて戦った際に敵が私たちに侮蔑を込めて押し付けた言葉だ。(Retamar, 一九七四:九―一一)[13]

ここでレタマールが批判の対象として想定しているのは、宗主国スペインをはじめとする西欧白人中心主義全体である。引用中の'mambi'の例に示されているように、もとは支配者側から反乱の暴徒たちに押し付けられた侮蔑的言葉が、抵抗する側の目的のために使われることによって、否定的なニュアンスから肯定的なニュアンスへ意味の逆転が起こっている。いわば、ある言葉の意味が抑圧される側の者たちによって塗り変えられているのである。このように、レタマールにとって「混血であること/ハイブリッドであること」'hybridity'は、支配者側の論理を揺り動かすうえで重要な手段となる。つまり、支配者側と同じ「概念上の道具」を共有しながら、その意味や使い方をめぐって競い合うことで、もとの意味を変容あるいは重層化させることができる、というわけだ。こうしたことが『テンペスト』のキャリバンとプロスペローとの関係性に、原初的に描かれており、それが現代の旧植民地の人々にとっての問題を映し出す鏡として機能しているのである。植民地の歴史は、地域や時代によって事情が異なるので、すべてを一般化することは慎重に避けるべきだが、レタマールの発言は、抑圧される側の論理や感情を表現する際にも、「シェイクスピア」が強力な比喩となりうることを示している。

『テンペスト』においてプロスペローの島の場所は特定されないが、「バミューダの島々」(一幕二場、二二七行)への言及が一箇所だけあり、西インド諸島を連想させる。シェイクスピアが活躍した一六世紀末から一七世紀初頭のイギリスは、ちょうど南米の植民地支配を確立していたスペイン・ポルトガルのあとを追って、北米大陸への入植に着手したころだった。そのためシェイクスピアの原作にも植民地主義的な言説を読み込むことができるかもしれない。[14] しかし同時に、『テンペスト』のプロスペローとキャリバンの例に見たように、シェイクスピアはある一つの出来事をめぐって異なる立場の人物を登場させ、想像上の世界ではあるが、それぞれの言い分を語らせている。こうした複数の視点が丁寧に描き込まれていることこそ、現代の読者あるいは観客が新たな解釈へと誘われる大きな理由ではないだろうか。

四　シェイクスピア作品に描かれる「複数の視点」

シェイクスピアの作品に「複数の視点」がどのように書き込まれているのか、さらに具体的に見ていこう。まずはその背景的要因の一つとして、シェイクスピアが活躍していた一六世紀イングランドという時代における劇場の特徴について紹介したい。

シェイクスピアが所属していた劇団が主に本拠地としていた劇場の名前は「グローブ座」（The Globe）つまり「地球」を意味していた。劇場の建物は、円形で吹き抜けのドーナツ型の構造を持ち、正方形の舞台が円の中央に向けて張り出しており、それをぐるりと取り囲むようにして客席が三階席まであった。舞台前方、つまり円形劇場の中央の空間は、平らな地面だけの立見席で、屋根で覆われていないので雨が降ると濡れてしまう一番安い席だった。舞台の頭上には小さな屋根が付いていて、下から見上げると天井には天体が描かれていた。こうした劇場に王侯貴族から庶民に至るまであらゆる階層の人々が集まり、同じ一つの舞台を共有した。したがって、商業演劇の劇作家としてのシェイクスピアは、どの階層の人々にも楽しめるように、一つの作品に様々な視点を盛り込んだのである。

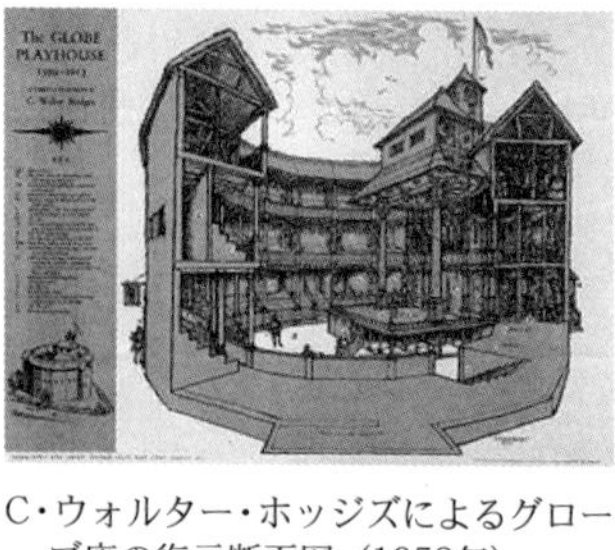

C・ウォルター・ホッジズによるグローブ座の復元断面図（1958年）

また、当時のイギリスはヘンリー八世による宗教改革をきっかけにプロテスタント国としての道を歩みはじめ、それによって一般市民の生活習慣や階層秩序にも変化が生じた。さらに政治・経済の面では、対スペイン戦の勝利を機に海外進出を加速させ、外国との人的物的交流の動きが高まるなど、あらゆる面で急速な変化を遂げ、旧来の価値観や常識では新しい変化の波を捉えきれないという認識が人々の間に浸透した時代だった。そのような変動の時代にあって、劇場は新しい価値観を模索するための実験場でもあったのである。

シェイクスピアの作品には人生を舞台にたとえる表現が頻出する。最も有名な例は、喜劇『お気に召すまま』(*As You Like It*)のなかでジェイクィーズが語る以下のようなセリフである。

この世界はすべてこれ一つの舞台、
人間は男女を問わずすべてこれ役者にすぎぬ、
それぞれ舞台に登場してはまた退場していく、
そしてそのあいだに一人一人がさまざまな役を演じる、
年齢によって七幕に分かれているのだ。

(二幕七場(15))

ジェイクィーズはもともと都会の宮廷で公爵に仕えて暮らしていたが、その公爵が追放処分となったため、自らも公爵のお供をして人里離れた森に住んでいる。引用したセリフは、公爵との会話のなかで語られる長いセリフの一部である。ここでは一人の人間の人生が舞台上の演技にたとえられ、この世に生まれ出ることが「登場」、この世から去ることが「退場」と見なされている。さらに舞台上での演技を七幕に分け、一幕は「赤ん坊」、二幕は「小学生」、三幕は「恋する若者」、四幕は「軍人」、五幕は「太った裁判官」、六幕は「間抜けじじい」、そして最後の七幕は「第二の子供時代」とされ、人生の七段階を比喩的に表現している。このセリフは、宮廷生活を追われ森の生活の厳しさを熟知した者の視点から語られていることから、都会の人間社会を一定の距離を置いて眺め、風刺しているセリフでもある。

人生を演劇に、人間を役者にたとえるこうした比喩表現は、物語の展開のなかに巧みに組み込まれ、シェイクスピア独特の劇的効果を発揮している。以下、ごく一部ではあるが、その代表的な例を取り上げ、それぞれの作品における演劇的比喩に注目し、シェイクスピア作品に孕まれる現代性について見ていく。

1 『ジュリアス・シーザー』に描かれる劇場性

「ブルータスおまえもか」のセリフで知られる『ジュリアス・シーザー』は、古代ローマが共和政から帝政へと移行していく過渡期を舞台にした作品である。ローマではブルータスやキャシアスを中心とした共和政支持者たちが、次第に独裁的権力を増してくるシーザーに対して危機感を募らせ、秘かに暗殺計画を企てる。高潔で人望もあるブルータスは深く悩んだ末、ローマの民衆のためを思い、ついに多くの議員が集まる会議の途中で、シーザーが最も独裁的な言動に及んだ瞬間をとらえて殺害する。議会の多くの出席者たちが見守るなか、手を血に染めた暗殺者たちは次のように語る。

キャシアス：（中略）千載ののちまでも
　われわれのこの壮烈な場面はくり返し演じられるだろう。

いまだ生まれぬ国々において、いまだ知られざる国語によって。
ブルータス：そしてシーザーは繰り返し舞台に血を流すだろう、
いまこのポンペー像の足元で身を横たえ
塵と化した男は。

（三幕一場）(16)

このセリフは登場人物たちの高揚感を表すと同時に、楽屋落ち的なセリフにもなっている。つまり、ここで物語内のキャシアスやブルータスは、古代ローマの時代を生きた人々である。その彼らが「この場面は繰り返し演じられるだろう」と述べるとき、実際に『ジュリアス・シーザー』という劇を見ているシェイクスピアの時代の観客（およびその後現代に至るまでこの劇に立ち会った観客）は、物語内の予言が文字通りの意味で現実のものとなっていることを実感し、舞台上の世界と現実の世界の境界が一瞬揺らぐような不思議な感覚を味わうだろう。さらに言えば、舞台を見ている側が舞台の方から見られているような感覚にもなる。このように、シェイクスピアは人生を舞台とみなす比喩を効果的に用いることによって、舞台と現実とのあいだに鏡像関係を生み出しているのである。

この場面の直後、突然の出来事に騒然とするローマの民衆を前に、ブルータスは演説を行い、民主政治を昔から守り抜いてきたローマ人としての誇りに訴えかける。民衆たちはブルータスの演説に心を動かされ、納得する。ところが続いて演壇に立ったアントニー（シーザーの側近）は、亡きシーザーへの追悼の言葉を情感を込めて語り、一度はブルータスに傾いたはずの民衆の心をブルータスへの敵意に変え、暴動へと駆り立てることに成功する。その後ブルータスとキャシアスはアントニー軍との戦いの末敗れ、戦場で自らの命を絶ち、幕が下りる。

このように『ジュリアス・シーザー』は、シーザー側とそれに抵抗するブルータス側のレトリックをどちらか一方に加担することなく描き、政治に潜む劇場性とそれに踊らされる民衆の愚かさを浮き彫りにしているという点で、極めて現代的なテーマを扱っているといえる。

2　『ハムレット』に描かれる劇中劇

演劇の比喩を様々な形で用いている作品といえば、やはり『ハムレット』である。デンマークの王子ハムレットは、敬愛する父の死後間もなく父の亡霊に会い、実は現在の王クローディアスに毒殺され王位を奪われたのだと打ち明けられ、父の復讐を命じられる。「忘れるなよ」と言って去っていく父の亡霊に向かって、ハムレットは次のようにいう。

ああ、あわれな。忘れるものか、この混乱した頭に
記憶が残っているかぎりは。この身を忘れるなよと？
よし、おれの記憶の手帳からつまらぬ記録は
きれいさっぱり、すべて抹殺するぞ。

（一幕五場）(17)

ここで引用の一行目にある「この混乱した頭」と訳されている部分は、英語では“this distracted globe”となっていて、ここには三つの意味が重ね合わされている。つまり(1)“globe”を“head”の意味でとると、亡霊に出会って「混乱しているハムレット自身の頭」を意味し、(2)“globe”を“world”の意味でとると、「この乱れた世の中」となり、(3)“globe”を「グローブ座」ととると、『ハムレット』が今まさに演じられている「この娯楽のための劇場」(distractには「気晴らしさせる/混乱させる」の両義あり)という意味にもなるのである。[18] この表現によって、ハムレット個人の抱えている悩みは、この世界全体で起こっている混乱との呼応関係でとらえられ、それを記憶に残す場が「グローブ座」という劇場なのだという、劇場関係者側の自負が表出されている。

その後ハムレットは亡霊の言葉の真偽を確かめるべく、現王クローディアスが真犯人であるかどうかを探るため、隠れ蓑として、狂人になったふりをする。狂人を演じるハムレットの言葉は、道化のような言葉遊びに満ち、謎めいた言動で周囲の者を煙に巻き、ときにはチクリと核心を突くような鋭い威力を発揮する。そうすることによって、ハムレットは王子としての社会的役割から抜け出し、現王クローディアスの権力体制をすり抜けると同時に脅かす、掴みどころのない存在へと変身するのである。

さらに、旅役者たちが宮廷を訪れた際、ハムレットは現王クローディアスの前で劇の上演を提案し、亡霊から聞いた殺害場面とそっくりの場面を挿入する。この劇を見て取り乱したクローディアスの様子から、ハムレットは亡霊の言葉が真実であると確信する。このような、『ハムレット』という劇の中でさらに劇が上演されるという玉ねぎのような入れ子構造は「劇中劇」"play-within-a-play"と呼ばれるが、これを見ている観客もまた、入れ子構造の一部へと誘われていくような錯覚を覚える。このように、主人公ハムレットにとって、演劇は自らの属する社会からすり抜け、それを次元の異なる視点から照射するための手段となるのである。

おわりに

本稿では、約四〇〇年前に書かれたシェイクスピア作品が今もなお世界中で上演され続けている現代の状況に注目し、ボーダレス・ダイバーシティ社会におけるシェイクスピア上演の意義や可能性について考察してきた。ここではシェイクスピアをめぐって織りなされる複雑で広大な世界のほんの一部しか紹介できないが、読者のみなさまには、ぜひ原作または数ある優れた翻訳本を手に取ってそれぞれの解釈を試みていただきたい。

交通や通信手段の急速な発達によってボーダレス化が進む現代において、「シェイクスピア」を題材とした文学・芸術活動は、ジャンルを超え、国境を越え、多様化の一途をたどっている。一方でシェイクスピアのイメージを利用した「シェイクスピア産業」[19]とも呼べるような商品化されたものも見受けられ、使用の目的や用途も多岐にわたる。

歴史的にさかのぼれば、植民地時代においてシェイクスピアは西欧白人文化中心主義の象徴として政治的に利用され広められてきた。実際に、原作にも植民地主義的な価値観が反映されていると読むことも可能であるが、同時にそれに抵抗する視点も描き込まれているのである。シェイクスピアはロンドンという都会を拠点にして、そこに生起する様々な問題を取り上げ、当時あらゆる階層からなる観客の期待に答えようと複数の多様な視点を描き込んだ。劇場は人々の娯楽施設の一つとして機能しながら、同時に時代の変化の波にどう適応していくべきかという問題を常に模索し続けたといえる。そのような時代でシェイクスピア作品に描かれる「複数の視点」は、世界劇場の比喩を洗練させていくことでより一層、多様な解釈へと開かれているのである。

シェイクスピアの時代からすでに地方や海外への巡業公演が活発に行われ、国境や言語の壁を越えるたびに、原作はそれぞれの時代や環境に応じて解釈され、その都度新しい意味を帯びてきた。これからも新しい時代感覚を映し出す鏡としてその可能性を発揮していくことだろう。

注

(1) 南隆太「シェイクスピアと日本」、日本シェイクスピア協会編『新編シェイクスピア案内』（研究社、二〇〇七年）第一一章参照。

(2) 加藤裕章「桜とマクベス―『NINAGAWAマクベス』における越境文化性―」（北海道大学大学院教育学研究院紀要 第一一一号、二〇一〇年）参照。
https://eprints.lib.hokudai.ac.jp/dspace/bitstream/2115/44647/1/01Kato.pdf

(3) 『メタル・マクベス』について詳細に論じたものとして Yukari Yoshihara, "Popular Shakespeare in Japan," *Shakespeare Survey* 60 (2007) : 130-40参照。

(4) Sonia Massai ed., *World-Wide Shakespeares: Local Appropriations in Film and Performance* (London and New York: Routledge, 2005) Introduction and Part1参照。

(5) World Shakespeare Festival 2012の概要については以下のサイトを参照。上演はすべて英語字幕付きで各国の言語のままで行われた。なお、筆者は幸運なことにこの演劇祭の上演を実際に観劇する機会を得たため、その体験に基づき解説を加えることにする。
https://www.worldshakespearefestival.org.uk/news.html
https://www.bloggingshakespeare.com/year-of-shakespeare-romeo-and-juliet-in-baghdad

(6) 米谷郁子編著『今を生きるシェイクスピア―アダプテーションと文化理解からの入門』(研究社、二〇一一年)参照。

(7) 出口典雄「ハムレットの喪失感」、青山誠子編著『シリーズ もっと知りたい名作の世界② ハムレット』(ミネルヴァ書房、二〇〇六年)第八章、一〇一―二頁。

(8) Gerard Genette, *Palimpsests: Literature in the Second Degree*, trans. Channa Newman and Claude Doubinsky (Lincoln: University of Nebraska Press, 1997) referred to in Craig Dionne and Parmita Kapadia, eds, *Native Shakespeares* (Ashgate, 2008) pp.4-5. ジェラール・ジュネット『パランプセスト 第二次の文学』和泉涼一訳(水声社、一九九五年)第四〇―七八章。

(9) 喜志哲雄「シェイクスピア劇の上演と映画化」、日本シェイクスピア協会編『新編シェイクスピア案内』(研究社、二〇〇七年) 第一〇章、一七四―六頁。

(10) 南、一八六―七頁。

(11) アルデン・T・ヴォーン&ヴァージニア・メーソン・ヴォーン著『キャリバンの文化史』本橋哲也訳 (青土社、一九九九年) 第六章。

(12) ウィリアム・シェイクスピア『テンペスト』小田島雄志訳 (白水社、一九八三年)、三八―四〇頁。

(13) Roberto Fernandez Retamar, 'Caliban: Notes towards a Discussion of Culture in Our America,' *Massachusetts Review* 15:7-72, Ania Loomba and Martin Orkin, eds., *Post-Colonial Shakespeares*, Introduction.

(14) シェイクスピアがプロスペローとキャリバンの関係性を描く際に何をモデルにしたかについては明確な証拠がなく、初期の観客のあいだで二人の場面が植民地主義的文脈で受け取られたかどうかも定かではないが、当時アメリカ大陸探検家による文献が出版されていたことから、シェイクスピアがそれらをもとにアメリカ先住民をイメージして描いたのではないかと考えられている。(『キャリバンの文化史』第一―二章)

(15) ウィリアム・シェイクスピア『お気に召すまま』小田島雄志訳 (白水社、一九八三年)、七五頁。

(16) ウィリアム・シェイクスピア『ジュリアス・シーザー』小田島雄志訳 (白水社、一九八三年)、九二頁。

(17) ウィリアム・シェイクスピア『ハムレット』小田島雄志訳 (白水社、一九八三年)、五八頁。

(18) William Shakespeare, *The Tragedy of Hamlet, Prince of Denmark*, notes and introduction by

Yasunari Takahashi and Shoichiro Kawai (Taishukan Publishing Company, 2001), p.145.

(19) Massai, p.4.

しまくとぅばがオンラインで学べるために

西岡　敏

西岡　敏・にしおか　さとし
所属：総合文化学部　日本文化学科
主要学歴：東京大学大学院人文社会系研究科博士課程修了（専攻：言語学）、沖縄県立芸術大学大学院芸術文化学研究科博士課程単位取得退学
所属学会：沖縄文化協会・奄美沖縄民間文芸学会・沖縄言語研究センター・日本言語学会・日本語学会・日本方言研究会・琉球大学言語文化研究会・沖縄民俗学会・沖縄伝承話資料センター
主要論文及び主要著書：
（著書）『沖縄語の入門　たのしいウチナーグチ　CD付改訂版』（仲原穣[共著]、伊狩典子・中島由美[協力]）二〇〇六年　白水社
（共同執筆）『沖縄の方言　調べてみよう暮らしのことば』（かりまたしげひさ・仲原穣・中本謙・佐藤髙司[共文]、井上史雄・吉岡泰夫・内間直仁[監修]）二〇〇四年　ゆまに書房「沖縄のわらべうたで学ぶウチナーグチ」『沖縄学入門』（勝方=稲福恵子・前嵩西一馬[編]）二〇一〇年　昭和堂
（論文等）「宮古方言における敬語法の記述―旧上野村野原方言の敬語動詞を中心に―」『日本語研究の12章』（上野善道[監修]）二〇一〇年　明治書院、「竹富方言による民話テキストの一例―『遺老説伝』「造船の始」より―」『沖縄国際大学日本語日本文化研究』27　二〇一一年　沖縄国際大学日本語日本文学会
（項目執筆）『西原町史』第8巻資料編7―西原の言語―（二〇一〇年、西原町教育委員会）

※役職肩書等は講座開催当時

はじめに

今年度（二〇二〇年度）のぅまんちゅ定例講座のキーワードは、「ボーダレス」と「ダイバーシティ」である。この順序を入れ替えて、まず「ダイバーシティ」から本講座との関連で説明したい。

「ダイバーシティ diversity」は日本語に訳すると「多様性」ということになるが、「しまくとぅば」という観点に引きつけて説明すると、多様な琉球の言語世界ということになろう。琉球列島にはたくさんの島々があり、その島々において独自の言語文化が育まれている。これはまさに「ダイバーシティ」（多様性）の世界ということになる。

次に、「ボーダレス」という言葉について本講座との関連で説明したい。「ボーダレス」とは、「ボーダー border」（境界）が「レス-less」（無い）ということであるが、この言葉からは、昨今のコロナ禍の影響で、大学においても（それこそ地球の裏側とつながるような）オンライン教育が叫ばれていることが思い起こされる。「いつでもどこでも」のオンライン教育はまさに「ボーダレス」の世の到来であるということができるが、私の場合、沖縄の伝統的な「しまくとぅば」をオンライン教育で「教える」あるいは「学ぶ」ことができるかという問題に思い至る。

こうしたことから、今回の講座では、多様性（ダイバーシティ）を体現する琉球列島の言葉の「学び」について、境界の無い（ボーダレスの）形で、すなわち、「オンライン」で行うには、どういったことが課題になってくるのか、考えていきたい。

一　しまくとぅばのダイバーシティ

先ほど、多様な琉球の言語世界について言及したが、「琉球語」のことを指す場合、唯一の言語と考えるのは無理がある。英語などでは、Ryukyuan languages あるいは Ryukyan dialects のように複数形で呼ぶのが一般的であろう。「琉球諸語」とも言うが、最近では「しまくとぅば」と言う言い方で呼んでいる。「しま」は日本語の「しま（島）」と同根であり、「くとぅば」は日本語の「ことば」と同根である。前部要素の「しま」は、琉球語では海で囲まれた部分だけではなく、「むら」「集落」「共同体」の意味を持つ。さらに深めると、日本古代の「しま」というのは、後者の意味を濃密に抱えていると言えるであろう。

「しまくとぅば」は、琉球列島にある八〇〇以上の集落（しま）で伝統的に話されてきた言葉ということができる。その集落間の方言差は、「飲む水が違えば、言葉が違う」と琉歌でも表現され、「しまくとぅば」のダイバーシティ（多様性）を端的に表してきた。次の琉歌（８８８６の音数律）が奄美諸島の喜界島に伝わっている。

しまや　じゃぬ　しまむ　かわる　ぎや　ねらん　みどぅに　ひかさりてぃ　くとぅば　かわる

（集落はどこの集落も変わらない人情であるが、水に線引きさせられて言葉が変わるのである）

「みどぅに　ひかさりてぃ　くとぅば　かわる」というのは、「飲む井戸の水が違えば、方言が異なる」ということを示している。それほどまでに集落間の方言差は甚だしく、そのことを「しま」に生きる人もよく知っていて、「うた（琉歌）」として残したのである。

しかし、こうしたダイバーシティ（多様性）を体現してきた「しまくとぅば」も、近年は消滅の危機に瀕している言語と言われている。すなわち、「消滅の危機に瀕している言語」＝「危機言語」と呼ばれているのである。二〇〇九年二月、ユネスコ（国連教育科学文化機関）は日本国内に八つの「危機言語」があると指定した。そのうち、六つが琉球列島内の言語である。日本国内の八つの「危機言語」とは、北海道の「アイヌ語」（極めて深刻）、東京都に属する八丈島の「八丈語」（危険）、琉球列島には、北から「奄美語」（危険）、「国頭語」（危険）、「沖縄語」（危険）、「宮古語」（危険）、「八重山語」（重大な危機）、「与那国語」（重大な危機）の六つがある。「しまくとぅば」の分類では、前の三つ（奄美語・国頭語・沖縄語）を北琉球語、後の三つ（宮古語・八重山語・与那国語）を南琉球語と呼んでいる（図1）。

北琉球語と南琉球語は互いに通じ合わない。北琉球と南琉球の間には、約三〇〇キロメートル弱の海の隔たりがあり、この地理的な隔絶が互いの言語を通じ合わないものにした。これら島々の伝統的な言葉（しまくとぅば）は、近代に入ると、衰退の道を歩むようになる。人々が活発に移動するようになって、都市化が進んでいく。近代教育の中で学校が登場し、学校の中で標準語（普通語・共通語・日本語）の励行が行われる。標準語が浸透してゆき、村々の言葉から標準語へと取って代わられるような場面も出て来る。学校での言葉が、標準語が都市部においては日常生活の中にも入り込んでいく。

「標準語励行運動」は、近代沖縄における様々な問題をはらんだ言語教育として知られている。一八七九年（明治一二年）の「琉球処分」により、琉球は日本の国内に組み込まれる。その直後の翌年である一八八〇年（明治一三年）には、『沖縄対話』（沖縄県学務課）と呼ばれる本が発刊される。この本は、沖縄人（うちなーんちゅ）が標準語（日本語）を習得するための対訳式教科書であった。この本には、大きく標準語（日本語）で例文が書かれた左

図１　琉球列島の６つの危機言語

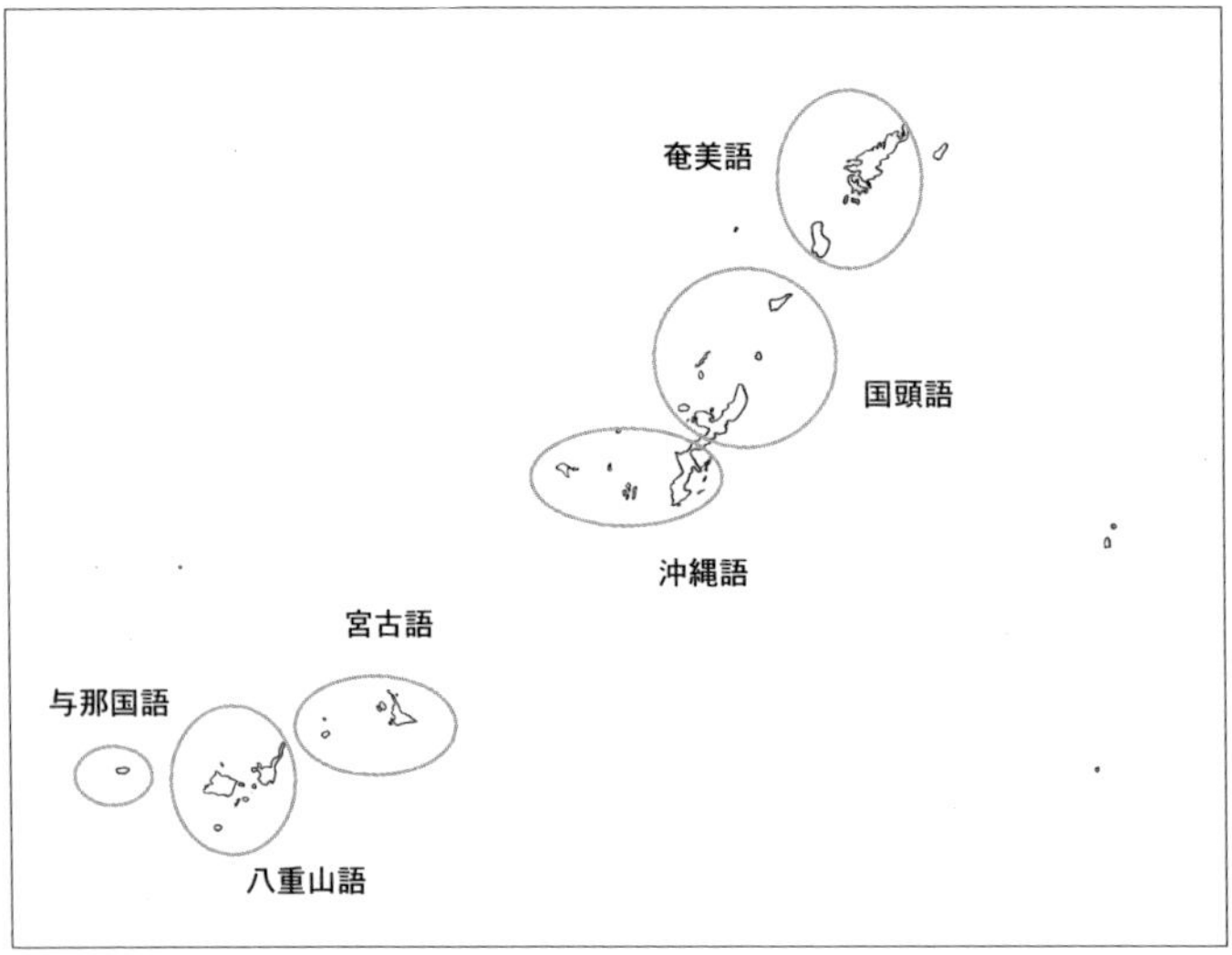

横に、小さく沖縄語で対訳が書かれるスタイルとなっている。「琉球処分」の僅か一年後に『沖縄対話』が発刊されたことをふまえ、この発刊年（一八八〇年）を仲程昌徳氏（元琉球大学教授）は「標準語教育元年」と呼んでいる。これ以降、「沖縄県」は、「しまくとぅば」の抑圧、標準語の奨励という方針の時代（大和世《やまとぅゆー》）を迎えるのである。「しまくとぅば」の抑圧の象徴的な産物が「方言札」である。この札によって、「方言」（沖縄固有の言語）をしゃべる者が罰せられるということが起こった。

一八八〇年からの百年は「しまくとぅば」にとっては「冬の時代」であった。近代的教育の一元化の中で、「しまくとぅば」のような多様なものが排斥されることが続いていた。その一つが悪名高い「方言札」であったわけである。しかし、そのような「抑圧」の時代を経て、日本復帰（祖国復帰）以降、「しまくとぅば」は「復権」の時代を迎える。以前のように画一性を徐々に強要されなくなり、世界中の多様な文化への理解・関心（多文化理解）が深まるとともに、「うちなーんちゅ」とは何かという「うちなーんちゅアイデンティティー」の模索も盛んになった。こうした時代の流れにも後押しを受けて、「しまくとぅば」は「抑圧」から「復権」へと状況を変えてきているのである。

ここで、「しまくとぅば」の多様な実態について少しばかり紹介しておきたい。琉球列島の言語（方言）には、発音だけをとってみても多様なものが存在している。とても日本語の「仮名」の「五十音図」で書けたものではない。

Ⅰ．北琉球語における特徴的な音声例

①喉頭化音（沖縄・首里方言など）　ʔwa:（豚）　ʔja:（お前）

②中舌母音（奄美北部・名瀬方言など）　mï（目）　më（前）

③閉音節（奄美南部・古仁屋方言など）　haˑk（箱）　kuˑp（首）

Ⅱ．南琉球語における特徴的な音声例

①唇歯摩擦音（宮古・平良方言など）　ffa（子）　vva（お前）

②鼻母音（八重山・竹富方言など）　ʃũ:（肝）　hã:ʤi（髪）

③無声化（八重山・波照間方言など）　p̥ḁna（花）　p̥i̥ra（ヘラ）

喉を緊張させて引っ掛けるように発音する「喉頭化音」は北琉球語でよく見られる音声である。[ʔ]の記号で示す。中舌母音[ï][ë]は、奄美語地域で見られる。これらの母音を持つ地域は、「五母音体系」ではなく、「七母音体系」の地域ということになる。「閉音節」とは、子音で終わる音節のことである。日本語には少ないが、英語などではごく普通にある。奄美南部の言葉には、この閉音節の語が数多くあり、英語のように最後の子音閉鎖が外に破裂してくれないので（内破）、聞き取りが難しい。

下唇を上の歯で軽く噛んで発音する「唇歯摩擦音」は、英語などでも[f]や[v]として見られるが、南琉球の宮古語でも特徴的に見られる発音である。鼻にかかった母音である「鼻母音」は、ヨーロッパの言語ではフランス語などでも見られるが、南琉球・八重山の竹富方言でも現れる音である。「無声化」とは、もともと声帯を震わせて出す音が、震わせずに出るようになることである。南琉球・八重山の波照間方言や白保方言では、母音[a]や[n][r]といった音でも声帯を震わせずに音を出すという「無声化」の現象が見られる（該当の音の下に白丸を付けて表す）。

これらのように採り上げた発音は、全体のごく一部にすぎない。しまくとぅばの発音を見るだけで、そこにダイバーシティ（多様性）の世界があることを確認することができる。

このダイバーシティ（多様性）の世界は、同時に「しまくとぅばの表記をどうするか」という問題をもたらす。多様な発音は、日本の仮名文字によって書き表すことに困難さを生じさせる。このことは「オンラインでしまくとぅばを学ぶ」というときにも、「どういう表記を採用して教えるか」という問題と密接につながっていく。文字に即して考えれば、次の三つの表記が考えられるであろう。

1. ローマ字で工夫して書く。
2. 仮名文字を工夫して書く。
3. 漢字仮名交じりを工夫して書く。

この「しまくとぅば」と文字の選択との関係については、後ほど「三　しまくとぅばの表記を考える」で述べる。

二　しまくとぅばのボーダレス――オンラインでも学べるために――

ここでは「しまくとぅば」が「ボーダレスで学べる」ということを中心に述べていきたい。「ボーダレスで学べる」とは「いつでも」「どこでも」学べるという意味でとらえられる。

私たちはこれまで「語学」というものを体験してきている。「教育」という言葉で述べるならば、「外国語教育」のことになるが、特に日本では「英語教育」のことがすぐさま念頭に置かれるであろう。私たちは、英語などの外国語を「聞く」「話す」「読む」「書く」の四つの力を養う（養ってもらう）ことを目指してきている。

これが「しまくとぅば」の場合、どういった意味付けで「語学」として捉えればよいか難しいところがある。「しまくとぅば」は、かつては各々のしま（集落）で自然に身に付いた言葉、すなわち、「母語」として存在していた。ところが、現在、こうした「母語」としての「しまくとぅば」を聞いたり話したりすることができる人は、上の世代、すなわち、老年層に限られてきている。そうすると、下の世代、すなわち、若年層にとっては、こうした「しまくとぅば」をあたかも外国語のように聞いたり話したりすることができなければならなくなる。若い世代は、すでに「母語」が日本語（標準語）に近いものとなっているけれども、そういった世代が「しまくとぅば」を「第二言語」として習得する（学ぶ）ということを考えていく必要がある。

一般に「語学」と言えば、数多くの話者がいて存続が安泰である安定言語の「語学」を思い浮かべるであろう。本学（沖縄国際大学）に講座があるものでは、ヨーロッパの言語ならば、英語、フランス語、スペイン語、ドイツ語などといった言語であり、アジアの言語ならば、中国語、韓国語などといった言語である。これとは異なり、現在話されていない、いわば古くに「死語」となっている言語で、歴史的には「古典」的な地位を占めるということで「語学」として学ばれる言語がある。こうした古典語の「語学」としては、ヨーロッパでは、古典ギリシャ語、ラテン語があり、アジアでは、サンスクリット語を学ぶことが挙げられる。日本でも、古文や漢文（古代中国語）を学ぶことが、これに相当する古典語の「語学」ということができるのかもしれない。

このように、安定言語の「語学」、古典語の「語学」が学校では学ばれているわけであるが、ここでもう一つ、危機言語の「語学」というものを考える必要がある。危機言語は、他の言語に抑圧され、その過程で、多くの場合、話者が差別を被った経験のある言語でもある。そのような危機言語の「語学」として、どういった学びが相応しいかを考えなければならない。こうした危機言語の「語学」の例としては、ハワイ語（アメリカ・ハワイ州）、マオリ語（ニュージーランド）、ゲール語（アイルランド、スコットランド、マン島）などを挙げることができる（これら言語はいずれも英語から の抑圧を受けた）。そして、これら言語における前例に学びつつ、しまくとぅば（琉球）も、「語学」としての可能性について探らなくてはならない。

危機言語の「語学」は、危機言語の言語復興運動ともつながっている。危機言語と固有文化喪失の問題は、琉球・沖縄に限ったことではない。世界的な規模で起こっている現象でもある。この問題と真摯に向き合い、世界中のさまざまな地域で危機言語の復興（言語再活性化）の取り組みが行われている。こうした取り組みをふまえた上で、「しまくとぅば」の「語学」としての在り方、さらには、言語復興運動としての在り方を考えていかなくてはならない。

琉球列島の六つの危機言語のうちの一つ、「沖縄語」の「語学」を目指す試みとして、私たちは、その教科書作りを二〇年前に行ったことがある。先生方から教えていただき、『沖縄語の入門―たのしいウチナーグチ』（二〇〇〇年、二〇〇六年CD付改訂版、白水社）（以下、『沖縄語の入門』）という沖縄語の入門書を出版したのである（西岡敏・仲原穣［著］、伊狩典子・中島由美［協力］）。この「語学」の教科書は、前半の第1課～12課が、会話文と基本的な文法説明（段階別）

表1　しまくとぅば語学教材

- ウクムニーペーハナレー（奥方言スピードラーニング、2016年、琉大琉球語学研究室）
  當山奈那「第12章「ウクムニー」習得のための音声教材試作版の作成」『シークヮーサーの知恵』（大西正幸・宮城邦昌編著）に詳細あり。
- スマムニピャーピャーナレー（宮古語スピートラーニング、琉大琉球語学研究室）
- 沖縄語リアルフレーズBOOK（比嘉バイロン、研究社、2016年）
- 使って遊ぼうシマクトゥバ―ちかてぃあしばなシマクトゥバ（那覇市、2013年）
- 高校生のための「郷土のことば」～沖縄県（琉球）の方言～（CD別沖縄県、2014年）
- しまくとぅば読本小学生編・中学生編（EPUB 沖縄県、2015年）
- 書いて残そう島々の言葉（CD付、沖縄県対米請求権事業協会、2012年）
- しまくとぅばラジオ体操（CD 沖縄・宮古・石垣・与那国・奄美ほか）
- 宮古方言スピードラーニング初級編・中級編・上級編（CD さぼ）
- うちな～ぐちラーニング初級編・中級編・上級編（CD 八木政男）
- お笑いうちなーぐちラーニングじゅん選手バージョン編（CD じゅん選手）

となっていて、第13課以降が、沖縄の「食文化」「昔ばなし」「瓦版（新聞）」「琉歌、民謡、歌劇、組踊、オモロ」（芸能・文学の作品）といった沖縄文化を意識した応用編となっている。『沖縄語の入門』以外にも、ここ最近では（表1）に見られるように、さらに様々な「語学」教材の開発が進んでいる。

私は、沖縄国際大学総合文化学部日本文化学科で琉球文化コースを担当し、特に、琉球の言語関係の講義を受け持っている。その中で、『沖縄語の入門』で学ぶ事柄をオンライン化して学生に提供する仕組みを整えようとしている。沖縄国際大学にも、CALL教室（CALL=Computer-Assisted Language Learning）があり、ＰＣ（パソコン）やヘッドセット等を介して受講者とのインターラクティブなやりとりができる。CALL教室は、主に外国語などの「語学」用に使用されているけれども、「沖縄語」のような「しまくとぅば（琉球語）」でもＰＣ対応が可能ではないか、と考えたのである。

その中で、私は、Moodle（ムードゥル）というオープンソースで提供されているLMS（LMS=Learnig Management System、学習管理システム）を活用して、『沖縄語の入門』に書かれてある内容をオンラインでやりとりできるように、講義プログラムを作成している（言うならば、「Moodleによる沖縄語講座」を開設している）。Moodleというこのを使うことにより、テキストやサブテキストを画像ファイル（.JPG）やＰＤＦファイル（.PDF）でオンライン提示したり、沖縄語の練習問題をオンラインで解いてもらったりすることができるようになっている。練習問題は、Hot Potatoes（ホットポテト）というクイズ作成ソフトを主に活用して、作成にあたっている。

ここでは、Moodle（ムードル）という学習管理システム（LMS）と、その中に組み込むクイズ作成ソフトHot Potatoes（ホットポテト）を使って、「しまくとぅば」の授業をオンラインでやりとりしている実例を紹介したい。「沖縄国際大学　ムードルオンライン学習システム」（図2）にアクセスすると、学部学科ごとに分かれた「コースカテゴリ」があり、その中で総合文化学部の日本文化学科のリンクをクリックすると、ムードルを活用している講義一覧と担当者名が表示される。私の場合は、「二〇二〇　琉球語学入門　木2-西岡敏」、「二〇一九　琉球語会話Ⅰ・Ⅱ　木1-西岡敏」が現在表示されており、学生にその科目を受講するための「登録キー」を入力してもらって登録してもらえれば、その授業をオンラインで受講することが可能になる。また、学生の登録後は、教員側でも出席管理を容易に行うことができる。

図2　沖国大ムードル

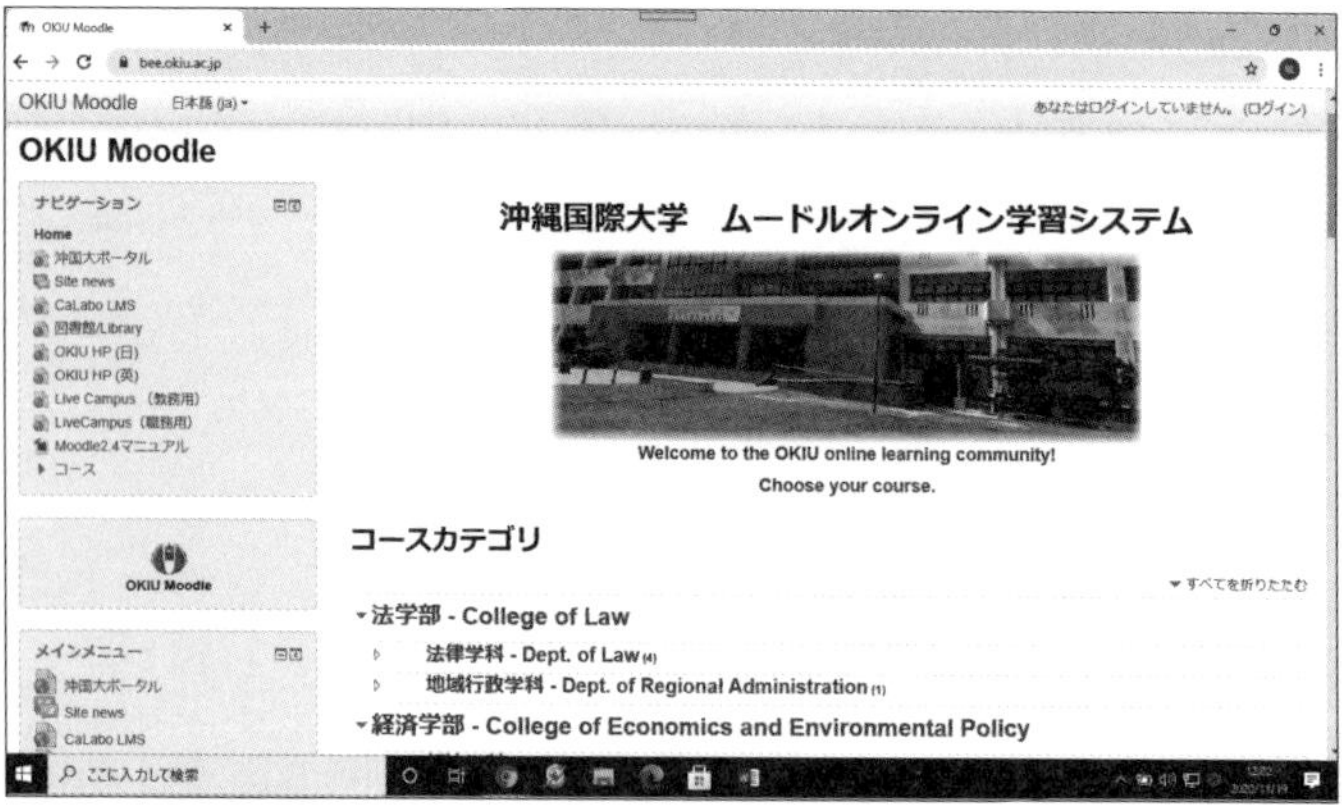

まずは、昨年度に私が担当していた後者「二〇一九 琉球語会話Ⅰ・Ⅱ 木1-西岡敏」の中身を少しばかり紹介する。ムードル上でその科目をクリックして開くと、「トピック」が講義回数に合わせて、1～15回（トピック1～トピック15）、ないしは、1～30回（トピック1～トピック30）まで表示される。仮に、トピック1に「第1課」を置くとすると、例えば、『沖縄語の入門』の「第1課」のスキットを画像ファイル（.JPG）あるいはPDFファイル（.PDF）で埋め込むことによって、学生に対してオンライン提示することができる（図3）。もちろん、自分で作ったオリジナルのサブテキストもムー

図3 『沖縄語の入門』第1課：ムードルによる提示

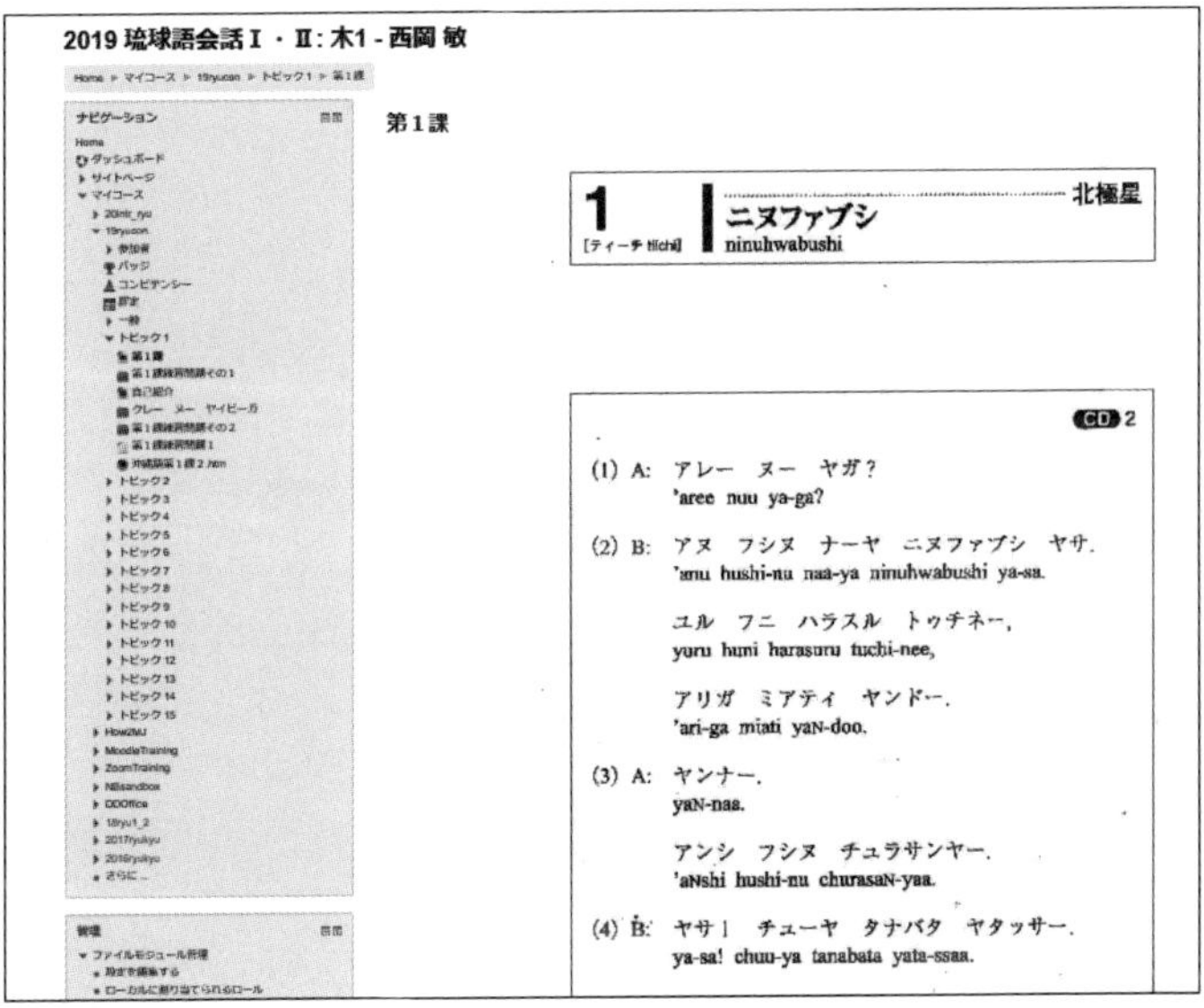

ドル上に埋め込むことができる。

また、PC上で解答できる「練習問題」を作成してムードル上に埋め込むこともできる。私が主に使用しているのは、Hot Potatoes（ホットポテト）と呼ばれるクイズ作成ソフトである。例えば、「穴埋め問題」を作成して学生に提示し、学生が「穴（空欄）」に入る答えをタイプして解答ボタンを押すと、正解ならば括弧が消えて解答の文字が太字になり、正解であることを視覚的に示すが、不正解ならば括弧は消えず、解答の文字が入力のまま変わらないことで、不正解であることが示される（図4）。このHot Potatoes（ホットポテト）と呼ばれるソフト（アプリ）は、ヴィクトリア大学（カナダ）が提供しているもので、許可を得れば無償で使用することができる。なお、「練習問題」の作成ソフトは、ムードル自体でも提供されており、今年度の「二〇二〇 琉球語学入門 木2-西岡敏」では、Hot Potatoes（ホットポテト）ではなく、ムー

図4　ホットポテトによる練習問題（空所補充）

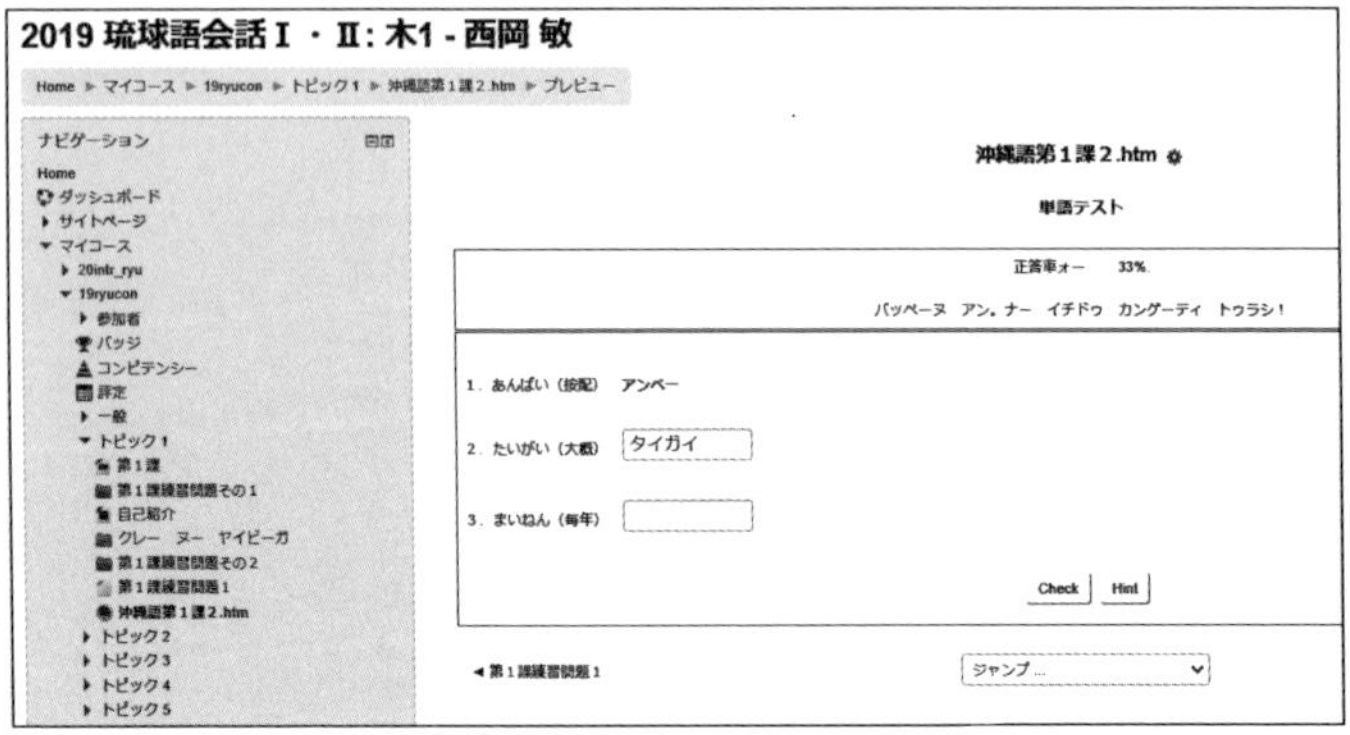

ドルが提供している練習問題作成ソフトを利用している。オープンソースで提供されているムードルは、利用者の様々な要望に応えられるよう発展してきており、外部のソフトを利用してそれをコースの中に埋め込んだりすることもできるが、ムードル自体が提供するソフトをそのまま利用したりすることもできる。練習問題の中に画像（写真・地図など）を埋め込んだり、音声（しまくとぅばの発音）を埋め込んだりすることもできる。例えば、「しまくとぅば」の言語地図を提示してそれに対する練習問題を解いてもらったり（図5）、あるいは、「しまくとぅば」の単語や文の発音をボタンで再生してもらって、その書き取りをしてもらったりすることもできる（図6）。このように、「しまくとぅば」の授業でも、学

図5　言語地図を活用した練習問題

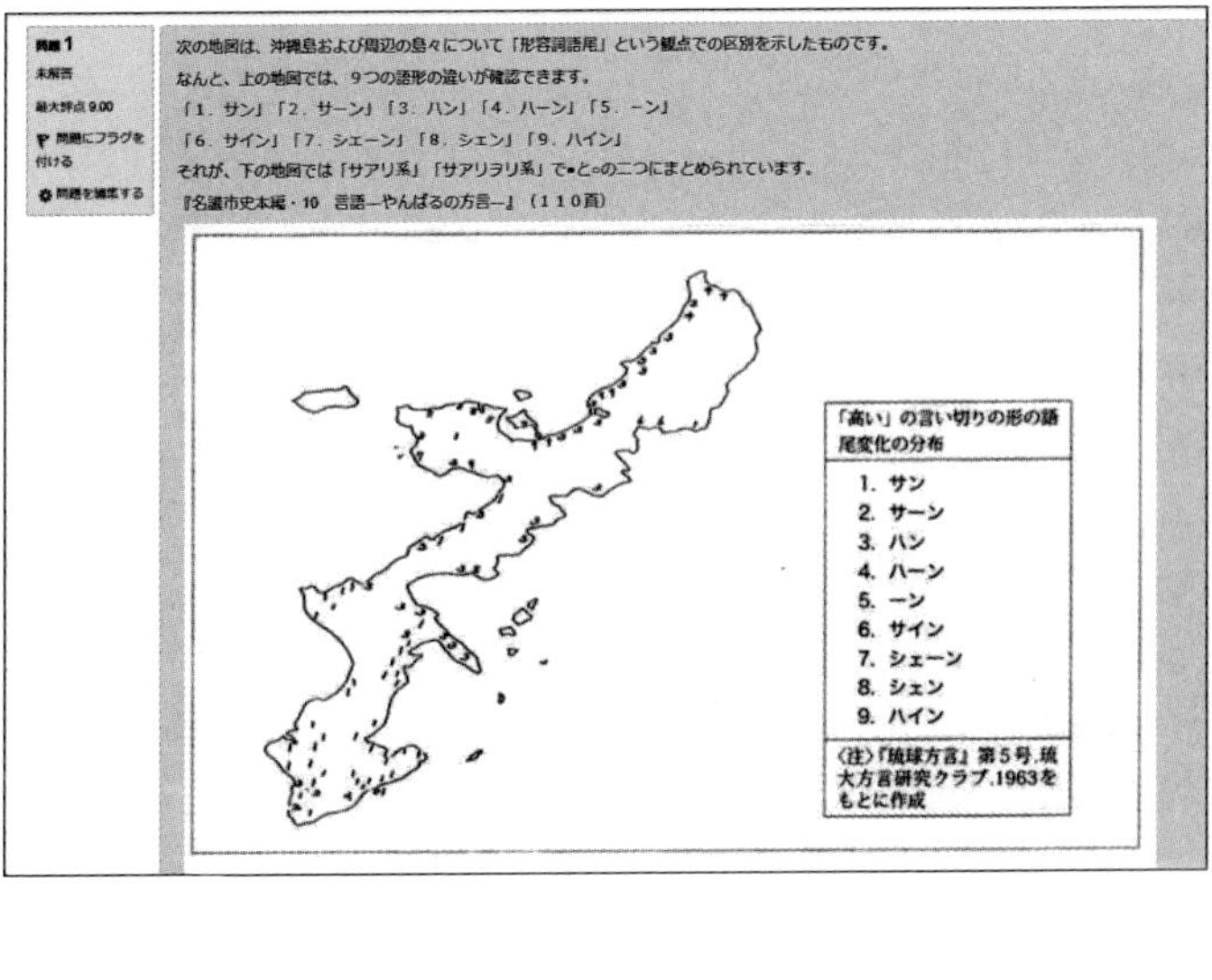

図6　音声聴解の練習問題（▶を押すと音声が流れる）

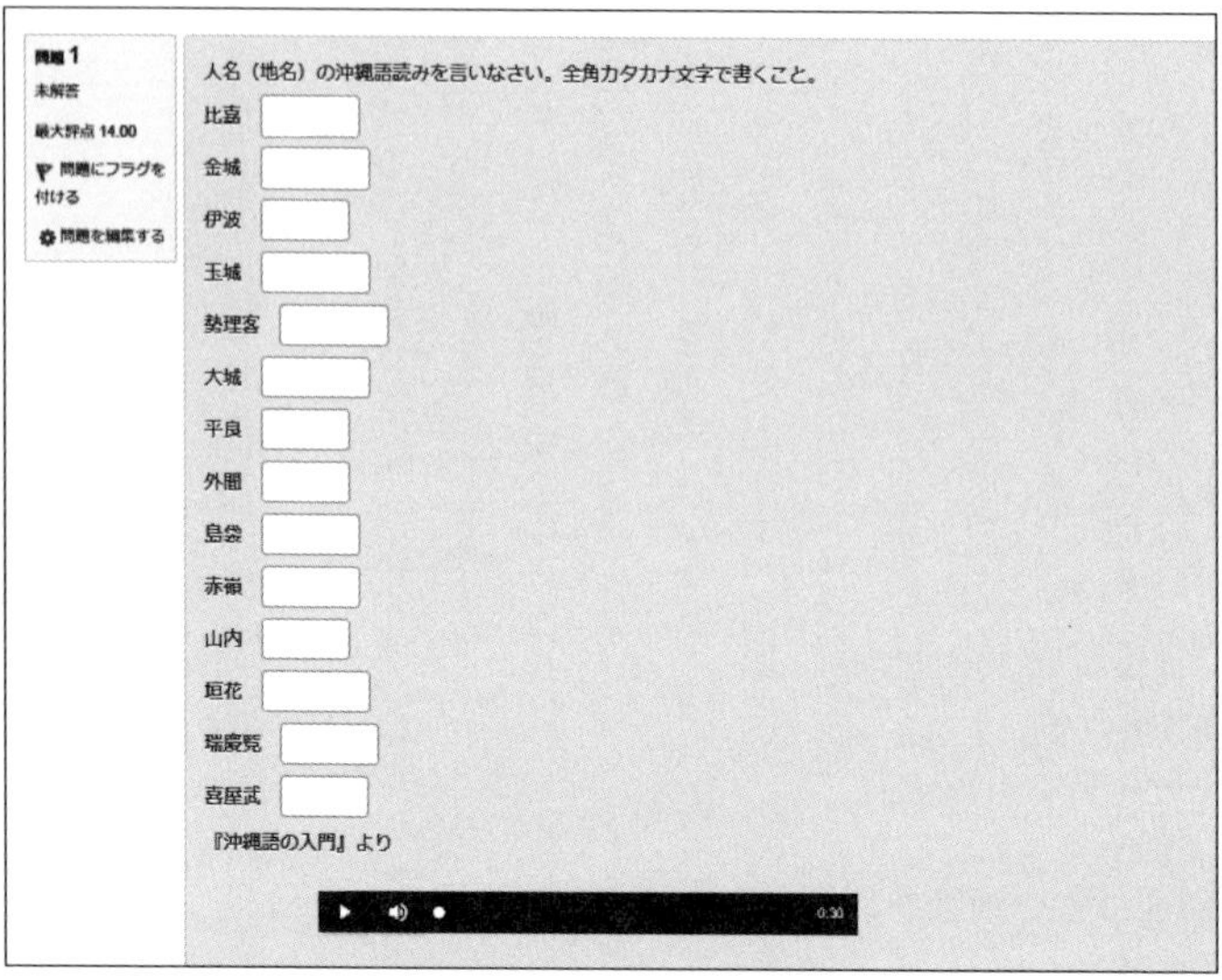

習管理システム（LMS）の助けを借り、テキストを提示したり、練習問題を解いてもらったりして、相互にオンラインでやりとりしながら、学びを深めることができる。

「語学」としての「しまくとぅば」授業も、オンライン化、すなわち、ボーダレス化できる道筋があることを一応は示したわけであるが、ここで最初に提示した「しまくとぅば」のダイバーシティ（多様性）の問題に立ち返ることになる。「しまくとぅば」のダイバーシティ（多様性）を保ちつつ、「しまくとぅば」を学ぶためのボーダレス化ができるか、という問いである。次に、このことと関わる「しまくとぅば」の「表記」の問題について採り上げてみたい。

三　しまくとぅばの表記を考える―ダイバーシティとボーダレスの観点から―

「一　しまくとぅばのダイバーシティ」のところでは、多様な「しまくとぅば」の発音について紹介した。「喉頭化音」「中舌母音」「閉音節」「唇歯摩擦音」「鼻母音」「無声化」といった、「しまくとぅば」に見られる多様な発音上の特徴である。専門学問の分野では音声記号（ローマ字ベースの記号）で表記するけれども、これら発音について果たして「仮名文字」で「表記」できるか（書けるか）、といったことが考えられる。

こういった標準語（日本語）には無い音に対して、「沖縄語」限定ではあるが、船津好明氏が独自の創作文字を提示している。「沖縄文字」と命名され、日本語（標準語）とは異なる「沖縄語」の発音に対して、ひらがなの合字によって表わされている。船津好明（一九八八）『美しい沖縄の方言①』、あるいは、その復刊である、船津好明（二〇一〇）『沖縄口さびら』（琉球新報社）にそれぞれの「沖縄文字」の書き方が説明されている。例えば、沖縄語で特徴的に見られる「喉頭化音」について言うと、ʔwa:（豚）の語頭は、「う」と「わ」の合字である「ゎ」で表され、ʔja:（お前）の語頭は、「い」と「や」の合字である「ゃ」で表される。

しかし、こうした創作文字は、「しまくとぅば」のオンライン化、ボーダレス化の観点で言うと、障壁となってしまう可能性が大である。「しまくとぅば」の表記の問題について精力的に発言している仲原穣氏は、「琉球語の表記について―『沖縄語』の表記を中心に―」（二〇一七年、『しまくとぅばルネサンス』所収）において、「沖縄文字」の問題点について次のように述べている。

新たな文字を創作した試みは斬新で注目に値するのであるが、問題なのが他者へメールを送ると受けとった相手の文面では文字化けしてしまうという部分である。パソコンのように容易に外字フォントをインストールできるのであれば添付ファイルで外字フォントを添付し、相手にインストールしてもらってファイルを読むこともできるのだが、LINEやショートメールなどのSNSのように若者が好む通信手段には全く対応できないのが弱点といえるだろう。

また、『てぃ』や『とぅ』、『っや』や『っわ』など、沖縄語特有の発音はわざわざ外字を使って一字で書き表すがその一方で、『きゃ』『ちょ』など日本語と同じ発音でかな二文字で書き表す『拗音』の方は外字を使って一字にせず、日本語と同じ二字で入力するのである。二文字を一文字で示すことに意味を見いだすのであれば手間をかけて『外字』を入力する意図もわかるのだが、二文字で一音の表記を他にも認めるのであれば、『てぃ』『とぅ』『っや』『っわ』と二字で表記するのを認める方が右のような通信手段や電子入力などの手間を大幅に軽減できるのではないだろうか。仲原穣（二〇一七：二一六―二一七）（下線筆者）

船津氏の「沖縄文字」の発想はたいへんユニークなものであるが、「しまくとぅば」のオンライン化、ボーダレス化を見据えるときには、可能な限り汎用性のある表記が望ましい。仲原氏の言うように、これからの時代は「電子入力」しやすい表記が望まれるのである。「沖縄文字」のように、特殊な「外字」を使う「表記」は望ましくない。「沖縄文字」の他にも、「っわー ʔwaː」「っやー ʔjaː」など喉頭化の表記に、「っ」を上付きにして、「っわー」「っやー」などと細やかに示す表記法もあるが、私は汎用性の側面から賛成しない。「しまくとぅば」をオンラインで学ぶという観点から言うならば、「電子入力」しやすい、ウェブ上で展開しやすい文字を採用したほうが学習者の負担を減らす意味でも好ましいと考えられる。

「二　しまくとぅばのダイバーシティ」のところで紹介した琉球各地の多様な発音について、オンライン化・ボーダレス化といった汎用性の観点も考慮して表記例を与えると、例えば、カタカナ表記で次のようなものが考えられよう。全角カタカナ文字に電子入力が可能なアイヌ語の小書き片仮名を組み合わせる。

Ⅰ．北琉球語における特徴的な音声例

喉頭化音（首里）　ッワー（豚）　ッヤー（お前）

中舌母音（名瀬）　ムィ（目）　モエ（前）

閉音節（古仁屋）　ハ-ㇰ（箱）　ク-ㇷ゚（首）

II．南琉球語における特徴的な音声例

唇歯摩擦音（平良）　ッファ（子）　ッヴァ（お前）

鼻母音（竹富）　シュ～（肝）　ハ～ジ（髪）

無声化（波照間）　パハナ（花）　ピヒラ（ヘラ）

アイヌ語には「小書き片仮名」があるので、多様な組み合わせが工夫できる。ただし、これが絶対というわけではないし、「横書き」ではなく、（国語や新聞、漫画文化等も含めた）「縦書き」という「非標準」のデジタル表記を選んだ場合の問題も考える必要が生じる。

また、ムードル（Moodle）のLMSでも、どのLMSでも考えられることであるが、「表記」があらかじめ設定されていないと、オンラインで練習問題を解答するときに、「正答」と「誤答」を区別することが困難になる。「しまくとぅば」は「正書法」がまだ定まっておらず、多様な音声に対して各個々人がまちまちの表記を行うため、出題者が準備した「練習問題」について、解答者が解答を分かっていても、解答者が「表記」する段階で、出題者と解答者の間に齟齬が生じることがある。再び例として挙げるが、仲原氏によれば（仲原二〇一七：二一三―二一四）、沖縄語の「豚」の発音には、次の六つの様々な仮名表記があると言う。

「ウヮー」「ッワー」「ウワー」「ゥワー」「わー」「ʔワー」

これらをすべて「正答」として、オンラインの「練習問題」で設定することも可能であるけれども、たいへん煩わしい設定の作業を繰り返すこととなる。実際には、設問の際に、「全角カタカナで表記してください。なお、喉頭化音は、『ッ』を前に添えて表記してください。」等の但し書きを入れることによって、解答者の「表記」を誘導して答えてもらっているというのが現状である。そうすると、「ッワー」という解答は「正答」となるが、「ウヮー」という解答は「誤答」となる。ただし、そのように、人間の決めた決まり事を機械（コンピュータ）に判断させることの問題点を、決して無視してはならないと考えている。

ここで、「一　しまくとぅばのダイバーシティ」のところで言及した「しまくとぅば」の表記のあり方について話を戻して考えたい。

1. ローマ字で工夫して書く

若年層には特に有用である。かりまたしげひさ氏はローマ字表記の優位性を主張している（かりまた二〇一一）。

2. 仮名文字を工夫して書く

ローマ字表記に慣れていない、生えぬき話者にとって有用である。

3. 漢字仮名交じりを工夫して書く

実際、しまくとぅばの継承を意図して、「しまくとぅば」を書く場面では、漢字も併用されている。このことは表記の歴史性、すなわち、「しまくとぅば」の表記で伝統的に漢字仮名交じり表記を使用してきたことと深く結びついている。

「しまくとぅば」の表記法の確立とオンライン化の促進は表裏一体の関係にあると考えられる。「しまくとぅば」の表記法が確立すれば、「しまくとぅば」によるコンテンツ（クイズ等）のオンライン化も促進されていくだろう。現在、「しまくとぅば」の「正書法」が沖縄県でも検討されつつあるが、私個人の意見としては、「正書法」の設定に、「汎用性」と「歴史性」という二つの観点を吟味してほしいということがある。「しまくとぅば」の表記が「汎用性」を持つことによって、オンライン上のやりとりが容易となり、境界を越えた（ボーダレスの）「学び」の展開が期待されるであろう。また、「しまくとぅば」の表記が「歴史性」を備えたもの、すなわち、琉球での表記の伝統をふまえた漢字仮名交じり表記を容認することによって、「書かれた琉球語」（狩俣恵一氏の言う「琉球文」）も含めた琉球文化への意識も深まっていくであろう。

まとめ

今回のうまんちゅ定例講座では、次のような観点で話を進めた。

①「しまくとぅば」そのものが「ダイバーシティ」（多様性）であるという認識。
②「語学」としての「しまくとぅば」（第二言語習得）もオンライン化することによって「ボーダレス」な学びとすることができること（いつでもどこでも）。
③但し、「しまくとぅば学習」のオンライン化には、「しまくとぅば」の表記法の確立が必要であること。

「危機言語」である多様な「しまくとぅば」は、記録することの重要性に加えて、継承することの意味も指摘されている。近年の情報化社会を「しまくとぅば」を脅かすもの一辺倒として捉えるのではなく、「しまくとぅば」を継承するための新しい時代が到来したと考えて、「ダイバーシティ」「ボーダレス」時代の要請に応えていくことも必要であると考えるのである。

〇参考文献

小川晋史［編］（二〇一六）『琉球のことばの書き方』くろしお出版
岡村隆博（二〇〇七）『奄美方言～カナ文字での書き方～』南方新社
狩俣恵一（二〇一七）「琉球文とシマ言葉―言語文化の視点から継承について考える―」『しまくとぅばルネサンス』編集工房東洋企画
かりまたしげひさ（二〇一一）「音韻研究と方言指導から宮古方言の表記法を考える」パトリック・ハインリッ

ヒ、下地理則［編］『琉球諸語記録　保存の基礎』東京外国語大学アジア・アフリカ言語文化研究所
国立国語研究所［編］（一九六二）『沖縄語辞典』大蔵省印刷局
下地賀代子（二〇一五）「琉球語で書く、琉球語を書く」『武蔵野文学』第六三集、武蔵野書院
仲原穣（二〇一三）「沖縄中南部方言の仮名表記の問題点―「沖縄語仮名遣い」に向けて―」『南島文化』三五、沖縄国際大学南島文化研究所
仲原穣（二〇一七）「琉球語の表記について―『沖縄語』の表記を中心に―」『しまくとぅばルネサンス』編集工房東洋企画
名護市史編さん委員会［編］（二〇〇六）『名護市史 本編10　言語　やんばるの方言』名護市役所
西岡敏・仲原穣（二〇〇〇）『沖縄語の入門―たのしいウチナーグチ』伊狩典子・中島由美［協力］、白水社（二〇〇六年にCD付改訂版）
西岡敏（二〇〇〇）「『琉球漢字音訓辞典』の可能性について」『一橋論叢』一二四―四
西岡敏（二〇〇六）「古琉球語はいかにして書かれたか―16～17世紀の沖縄語の表記―」塩原朝子・児玉茂昭［編］『表記の習慣のない言語の表記』東京外国語大学アジア・アフリカ言語文化研究所
西岡敏（二〇一〇）「口承文芸のテキストと文法注釈―琉球語の場合―」『口承文芸研究』四三、口承文芸学会
船津好明（一九八八）『美しい沖縄の方言①』技興社（二〇一〇年に復刊、『沖縄口さびら』琉球新報社）

西欧と日本における〈日本〉のイメージ

―〈とざされた世界〉をめぐる近代から現代の議論―

岡野　薫

岡野　薫：おかの　かおる

所属：総合文化学部英米言語文化学科
　専門分野は比較文化論。

主要学歴：東北大学大学院国際文化研究科博士後期課程修了。博士（国際）。

所属学会：日本独文学会、日本ヘルダー学会、日本一八世紀学会、東北ドイツ文学会、日本独文学会西日本支部、沖縄外国文学会

主要論文及び主要著書：主な論文にDas Japanbild in deutschen Enzyklopädien im Zeitalter der Aufklärung. In: *Vielheit und Einheit der Germanistik weltweit*, Bd. 13, 2012.「エンゲルベルト・ケンプファーの日本宗教理解」（堀池信夫総編集・石川文康・井川義次編『知は東方から』明治書院、二〇一三）、「〈閉ざされた世界〉と〈開かれた世界〉の狭間で」（『高橋輝暁先生定年退職記念論集１　日独文化論考』立教大学ドイツ文学研究室、二〇一四）、「ケンプファー研究の現在」（『沖縄国際大学外国語研究』第23巻第２号、二〇二〇）などがある。

※役職肩書等は講座開催当時

はじめに

交流と物流のグローバル化が急速に進み、国家、人種、民族の境界を超えたボーダレスな社会が成立しつつある。そのなかで、多様な文化を背景とする人々の共存、すなわち、ダイバーシティ社会への対応がわれわれに求められている。二〇二〇年度の学内定例講座は、このような社会について考える試みであった。論者は、本来、ドイツ語圏の異文化理解を専門とする研究者である。これまで一八世紀、つまり、近代への過渡期となる時代を研究対象としてきた。本稿もこの時代を軸に、講座のテーマ「ボーダレス・ダイバーシティ社会に向けて」にアプローチすることとなる。では、一八世紀の異文化理解と二一世紀のボーダレス・ダイバーシティ社会とはいかなる関係があるのだろうか。本論に入る前に、まずは講座のテーマと本稿のテーマとの関連に目を向け、問題の所在を明らかにしたい。

ローマ帝国やモンゴル帝国といった近代以前の国家は、その領域に多様な民族や文化を包摂していた。この点に着目すれば、ボーダレス・ダイバーシティ社会を現代に固有なものとすることには留保が必要である。しかし、現代の社会は次の点で以前とは異なる。第一に、科学技術の革新的な発展に支えられている点、第二に、ひとつの広大な国家というよりも、諸国家が相互に依存し、他国や国際社会の動向と連動するところが大きい点、第三に、グローバル化、ボーダレス・ダイバーシティ社会といった理念が、社会の成員によって支持、促進される点である。第二点と第三点に注目すれば、現代のボーダレス・ダイバーシティ社会とは、国家や文化の多様性にひらかれているだけでなく、〈ひらかれる〉という理念を肯定する社会として特徴づけうる。この社会によって構成された世界を、本稿では〈ひらかれた世界〉という言葉で呼びたい。〈ひらかれた世界〉を志向し、さらに促進すること、それは現代の人々の共通の目標となりつつあるようにみえる。

それでも近年は自国至上主義、排外主義、人種主義、過激思想といった問題が顕在化しており、〈ひらかれた世界〉への道は必ずしも平坦ではない。加えて、目下、流行する感染症（COVID-19）も世界と地域を閉鎖的にしている。この学内定例講座も対面での開催は断念され、結果として、本稿も受講者との議論を土台として執筆することが叶わなかった。感染症は〈ひらかれた世界〉を支える科学技術の限界を暗示し、〈ひらかれた世界〉に反対するさまざまな言説は、その理念に誰もが無条件で賛同できないことを示唆している。感染症はひとまず措くとしても、〈ひらかれた世界〉への反対は現代に固有なものであろうか。

西欧において〈ひらかれた世界〉の思想的な起源は一八世紀にある。この時代には、同時に、外界から隔絶された土地で平和に暮らすこと、つまり〈とざされた世界〉を理想とする考え方もあった。この〈とざされた世界〉は、ある時は架空の土地として登場し、ある時は現実の国として描かれた。なかでも、ドイツ語圏出身のエンゲルベルト・ケンプファーは、日本を〈とざされた世界〉として西欧に紹介している。彼については後述することとし、いまはひとまず、次の点を確認しよう。まず、一八世紀においても〈ひらかれた世界〉への批判はあったということ、次に、〈ひらかれた世界〉

の対蹠的な世界として日本がみなされたことである。ケンプファーの描いた日本は、西欧でも日本でもさまざまな議論を呼ぶことになる。この議論は、総じて、〈とざされた世界〉と〈ひらかれた世界〉との相克そして後者が漸次優位となる過程を示しているが、換言すれば、それは現代のボーダレス・ダイバーシティ社会に至る行程を反映している。この点をふまえて、本稿では〈とざされた世界〉としての日本と、それをめぐる日本と西欧の議論を辿ることで、次の二点の問題を考察する。第一に、日欧の諸議論において日本はいかなる国として描出され、評価されたのか。第二に、現代では否定的に評価される〈とざされた世界〉だが、その評価を検証したい。

この問題は次の手順で回答される。〈とざされた世界〉は、日本史の用語では「鎖国」と呼ばれる。しかし、この用語と概念の使用には留意すべき点がある。これを第二節で述べ、続けて鎖国をめぐる日本の議論と西欧の議論を順次、考察してゆく。最初に用語と概念とに着目してみよう。

一八五四年、徳川幕府は米国と日米和親条約を締結し、これをもって日本は鎖国政策から完全に転換して開国した。高校生を対象とする教科書『詳説日本史』（二〇二〇）は、日本の〈ひらかれた世界〉への歩みをこのように説明する。それ以前の日本は、この教科書において鎖国の時代と表現される。鎖国は近世の一時期を表す日本史の用語として用いられるのである。もっとも、歴史用語という枠を超えて、鎖国は日常生活のさまざまな場面で使用される。感染症の影響下、インターネットでは日本の状況を「コロナ鎖国」と形容する例がみられた。日本政府による人々の出入国規制を批判的に表現したものである。この例に限らず、鎖国という言葉が使われる場合、現代では肯定的に使われることは稀である。理由のひとつは、前述のごとく、わたしたちの社会が鎖国と相反する志向を有しているためである。もうひとつの理由は、歴史用語としての鎖国がもつイメージにあると考えられる。例えば、先に挙げた教科書は、織豊政権下における南蛮貿易や南蛮文化の興隆を述べた後、江戸時代初期の朱印船貿易による日本人の海外進出、そして南方での日本人町の建設に言及する。つまり、鎖国以前の日本は、西欧との活発な交流があり、おおくの日本人がアジアに渡航した。このような〈ひらかれた世界〉への歩みを鎖国が停滞させるのである。鎖国には否定的なイメージがつきまとう。だが、鎖国という言葉には、本来、そのような意味合いは含まれていない。そもそも、この言葉は、いつ、いかにして誕生したのだろうか。

一　エンゲルベルト・ケンプファーの生涯―〈とざされた世界〉を訪れた西欧人―

鎖国の誕生に深くかかわるのが、医師、ペルシア・日本研究家のエンゲルベルト・ケンプファー(Engelbert Kaempfer、一六五一-一七一六)である。日本では「ケンペル」の名で知られている。神聖ローマ帝国のリッペ伯爵領、いまはドイツ連邦共和国のノルトライン=ヴェストファーレン州の都市レムゴーで彼は生を享けた。現在、レムゴー駅に降り立つと、駅前から市内に向かうには南北にのびたエンゲルベルト・ケンプファー通りを歩くことになる。この通りに面した緑地公園には彼の記念碑が建ち、市内に入ればその名を冠した学校がある。ケンプファーはレムゴー市の各所で顕彰されるのである。本稿でも彼はとくに重要な登場人物である。そこで以下に彼の生涯と著作に立ち入ってみよう。

ケンプファーの生涯を特徴づけるのは旅である。一六歳で離郷して四三歳で帰郷するまで、人生の多くを船上と馬上とに過ごした。もっとも、ひとくちに旅といっても、ケンプファーのそれはふたつの種類の旅から成り立っている。一方はドイツ語圏各地の学校や大学を廻ってスウェーデンのウプサラ大学に至る学問的修行の旅であり、他方は非西欧圏つまりロシア、ペルシア、インド、シャムを廻り、日本に至る職業上かつ研究上の旅である。本稿の論旨において重要なのは、一六九〇年九月二五日に始まる日本滞在である。オランダ商館付き医師として滞在期間の大半を長崎の出島で過ごしたケンプファーであったが、それでも一六九一年とその翌年の江戸参府旅行に随行し、道中、多くのスケッチや観察を行った。彼はまた江戸城にて将軍の徳川綱吉にも拝謁している。その様子は、謹厳実直な彼の旅行記のユーモラスな見せ場になっている。将軍の求めに応じて、オランダ人たちは、踊ったり跳ねたり、酔っぱらいの真似をすることになるが、そこでドイツの恋歌をケンプファーは披露している。謁見の記録は、英国の作家ゴールドスミス（Oliver Goldsmith）『世界の市民、すなわち、ロンドン在住の中国人哲学者から東方の友人に宛てた書簡集』（一七六二）をはじめとする西欧の著述家たちの日本描写に転用されて西欧でも広く知られるようになる。

出島を自由に出られなくともケンプファーはオランダ通詞たちから、日本に関するさまざまな資料や情報を得ることができた。とりわけ、彼が小使として雇った若き今村源右衛門がケンプファーの日本研究に多大な貢献をおこなった。今村は、後に、イタリア人イエズス会士シドッティ(Giovanni Battista Sidotti)が日本に密入国して捕えられた際、その通訳をつとめ、新井白石に西洋事情を伝えた人物としても知られる。

二年の日本滞在の後、ケンプファーは一六九二年に長崎港を出港、喜望峰を廻って翌年にオランダに到着する。一六九四年にライデン大学で医学博士号を取得した後、故郷の近郊に居を構え開業医として働く一方で、みずからの旅の記録を著作にまとめようと努力した。しかし、仕事の多忙や家庭の不和などが相俟って、生前にラテン語で『廻国奇観』(一七一二)を上梓したのみに終わった。未刊行のドイツ語遺稿は英国人収集家が購入し、英語版『日本誌』(一七二七)として出版された。同書はオランダ語とフランス語に重訳(一七二九)された。ドイツ語版(一七七七―七九)が最も遅く登場している。ラテン語の『廻国奇観』に対して、『日本誌』は西欧各国語で紹介されたことによって多くの読者を獲得することとなった。

ここまで生涯と著作について縷述してきたが、その限りで、ケンプファーの日欧交流史における多岐にわたる影響を垣間見ることができよう。こうした直接の影響にとどまらず、彼が描出した日本は西欧人の日本認識と日本人の自己認識とに色濃く反映されることとなる。

二　鎖国の誕生—用語と概念をめぐって—

先述の『廻国奇観』はペルシアを主題としたラテン語の論文集だが、なかには六編の日本関連論文と日本の植物誌が収められている。日本関連論文のひとつに次の題名の論文がある。「日本王国が最良の理由から自国住民の出国ならびに外国人の入国と交際に対してとざされていること」。題名が明示するように、国際交流を禁止する日本の政策を擁護する論文である。この論文は、後に『日本誌』の各国語版に付録として翻訳され転載されることになる。英訳される際、題名に手が加えられ「日本王国が現在のごとく国を閉ざし、国内であれ国外であれ住民たちに外国人とのいかなる貿易も許可しないことが、日本王国の利益に貢献するか否かという研究」と変化した。とくに英語版はラテン語のcommunio（交際）をcommerce（貿易）と訳したために、国際交流論としての意味合いは後退し、貿易を禁止することの利益を論じる論文、つまり貿易論としての性格が強調されることとなった。同論文のオランダ語訳は、英訳からの重訳だが、それは江戸時代の日本にもたらされることになる。元オランダ通詞の志筑忠雄は、これを翻訳して「今の日本人全国を鎖して国民をして国中国外に限らず敢て異域の人と通商せざらしむる事、実に所益なるに与れりや否やの論」（一八〇一）とした。ケンプファーの原題とは隔たりが大きいが、それは英訳が介在しているためである。しかし、この題名が長過ぎると感じたらしく、志筑は題号を設けて「鎖国論」としている。それはケンプファーの論文（以下「鎖国論」）の本質を的確にあらわしている。

歴史学者の板澤武雄は一九三四年の論文で、鎖国という名称がはじめて用いられたのは志筑の翻訳であると指摘した。この指摘はすでに定説となって久しい。すなわち、鎖国とはケンプファー論文の翻訳によって誕生した用語といえるのである。言葉のみではない。日本が鎖国にあるという認識もケンプファーに由来する。これらのことをふまえて、次の三点が重要である。第一に、ケンプファーは日本の状態を「最良」と位置付けている。志筑もまたこの状況を「我輩のかゝる得難き国に生まれ、斯る有難き御代にあひて、太平の草木と共に、また上もなき雨露の恵みを蒙ることのたのしさ」（八八）と表現し、鎖国を肯定している。つまり、鎖国には、否定というよりもむしろ肯定の意味が含まれていたのである。第二に、一六四一年から二〇〇年以上にわたったとされる鎖国時代のうち、一八〇一年までの一六〇年間は鎖国という用語は日本語になかった。つまり、鎖国時代の大半において日本人は自らが鎖国しているという認識を有していなかった。この点と関連して、第三に、鎖国という認識は外国人によって日本にもたらされたことを指摘できる。こうして「江戸期は鎖国の時代である」という日本史の前提は、次第に日本で疑問視されるようになってゆく。次節では、この過程に目をむけてみよう。

三　〈とざされた世界〉を見直す──日本における日本のイメージ──

志筑の「鎖国論」は、当初、写本として読み継がれたが、その読者のひとりに国学者の平田篤胤がいる。『古道大意』（一八一一）のなかで、彼はケンプファーを証人として、〈とざされた世界〉たる日本の卓越性と独自性を強調している。国学者を中心に「鎖国論」は外国人による日本賛美論として利用されはしたが、写本という書誌形態も相俟ってひろく一般に読まれた訳ではなかった。それでも、国学者の黒澤翁満よって、この論文は『異人恐怖傳』（一八五〇）と改題され、木版で出版されている。

「鎖国論」と同様に鎖国という言葉も一般的な語彙として定着するには時を要した。歴史学者の大島明秀は『「鎖国」という言説』（二〇〇九）のなかで、「鎖国論」と鎖国という言葉の受容を研究している。この研究を手がかりに、その広がりをみてゆくなら、およそ次のようにまとめうる。鎖国という言葉は、開港とハリスの来航（一八五六）以後、幕閣のなかで使用されはじめる。ただし、鎖国が日本の体制として、日本人に広く認知されるようになるのは一九世紀末から二〇世紀初頭である。その際に、重要な役割を果たしたのは、歴史書、新聞、雑誌、そして、とくに小学校の教科書であった。教科書検定制度のはじまる一八八七年以降、鎖国は教科書で否定的に言及されるようになり、二〇世紀の初めから終戦直後まで、教科書には「克服すべき非文明的な時代だったとする『鎖国』の世が描かれた」（二〇〇四）という。一連の過程を大島は文献を挙げながら、実証的にたどるが、ひとまず次の点を確認しておこう。ケンプファー、志筑、平田において鎖国は積極的な意味をもっていた。しかし、世紀転換期から二〇世紀前半にかけて、日本が鎖国であったという認識が広まるにつれ、その評価は否定的なものへと転じていったのである。

こうして「江戸期は鎖国の時代である」という「事実」は日本人に広く認められるようになったが、この時代をいかに評価するのかという点については知識人の間に議論もあった。ときに日本独自の文化を形成する要因として肯定的に評価される一方で、多くは前近代性と結びつけられて否定的に評価された。鎖国の得失をめぐるこうした議論は多岐にわたる。そのなかで特筆すべきは、思想家の和辻哲郎の著作『鎖国　日本の悲劇』（一九五〇）である。第二次世界大戦の敗戦をふまえ、和辻はその原因として日本の「科学的精神の欠如」（一五）を挙げる。その欠点は鎖国に求められる。「悲劇」という副題ですでに明示されるように、鎖国は日本特有の悪しき閉鎖性として評価されるのであった。ところで、和辻において、日本の鎖国は疑いえない前提とされている。その前提が、しかし、次第に問われるようになる。

一九七〇年代以降、歴史学者たちの間で、鎖国の概念は批判的に研究されるようになる。そこには研究の膨大な蓄積があるが、その主要な論文を収めた論文集『展望日本歴史　海禁と鎖国』（二〇〇二）は、研究史の概観を与えてくれる。また、この研究の第一人者である荒野泰典による『「鎖国」を見直す』（二〇一九）は、この分野の最新かつ平易な解説を提供している。これらを土台に、これまでの議論を要約するならば、歴史学者たちの批判はおよそ次の二点にまとめられる。第一の批判として、歴史学者たちは鎖国時代の日本が中国、朝鮮、琉球、蝦夷地といった国や民族と関係があったことを示し、日本が決してとざされた状態ではなかったことを強調する。鎖国とは、外国すなわち西欧、という認識に基づくもので、東アジアの諸地域との間に構築されていた対外関係を捨象した表現であるとされる。つまり、鎖国時代を外国との交流の途絶えた時代とみなすことは、当時の実態にそぐわない理解なのである。

第二の批判は鎖国は日本固有の政策ではないことである。明清時代の中国は鎖国と類似する海禁政策をとっていた。これは華夷秩序を支える外交システムである。この場合、華夷秩序とは中国皇帝に周辺諸国が貢物を献上する朝貢とその国に返礼品をもたせる回賜とからなる朝貢貿易を指している。そして、鎖国は海禁と華夷秩序と同一の発想に基づく外交システムであったとされる。それゆえ、現代の歴史学者は鎖国の代わりに海禁・華夷秩序という用語を使用するよう推奨している。この第二の批判は、鎖国を外交がない状態と考えることへの批判である。鎖国とは西欧の外交システムとは異なるが、東アジアの外交システムなのである。

こうした鎖国の批判的理解は、歴史学者たちに限らず、近年では一般にも認められつつある。現代の歴史学の観点からすれば、「江戸期は鎖国の時代である」という認識は、長年にわたって日本人が抱いてきた誤った日本イメージであるといえよう。この主張を認めれば、日本が〈とざされた世界〉であったという認識そのものが虚像なのだから、〈とざされた世界〉としての鎖国の評価をめぐる論争も解消されることになる。

文部科学省は二〇一七年に小中学校の歴史教科書から、鎖国を削除して別の表現に変更することを提言した。しかし、パブリック・コメントの不評を理由にそれを撤回し、いまに至っている。それでも、現在では、〈とざされた世界〉と同じ意味で鎖国が用いられることは稀である。先述の『詳説日本史』においても、東アジアの国や民族との対外関係が鎖国の説明に追記されている。つまり、鎖国時代においても日本は鎖されてはいなかったのである。もっとも、この鎖国の定義は、字義からしても、混乱をきたす要因である。とくに、二〇世紀から二一世紀にかけて鎖国の概念が大きく変化しているため、混乱に拍車がかかることとなる。それゆえ、本稿は「鎖された国」の意味で、〈とざされた世界〉という表現を使用している。

「鎖国論」ならびに鎖国という言葉は、日本人の自己認識に大きな影響をあたえた。では、「鎖国論」とはそもそもいかなる論文だろうか。一般的にこの論文は、「日本の状況を理想とみなし、〈とざされた世界〉を肯定する論文」とされている。大枠としてそれは誤りではないが、「鎖国論」を理解するためには、ケンプファーの主張をより仔細にみる必要がある。

四　〈とざされた世界〉という理想—ケンプファーの日本イメージ—

「鎖国論」でケンプファーは日本について次のように記す。「日本の例にならえば最も幸福な国家の状態に到達する」（四八〇）。彼は〈とざされた世界〉としての日本を称揚するにとどまらず、他国もみならうべき幸福な状態として際立たせる。彼がここで日本の状況を理想とみなしているのは間違いない。だが、なぜこれほど彼は熱心に日本を賞賛したのであろうか。来日し、その政策と住民とをつぶさに観察した結果である。このように考えることも可能かもしれない。だが、〈とざされた世界〉という理想は、ほんとうに観察の結果なのだろうか。

この疑問は主著の『日本誌』を参観するといっそう強まる。ラテン語版「鎖国論」が二五頁の論文であるのに対し、ドイツ語版『日本誌』は上下巻あわせて七八八頁に及ぶ。後者は日本について冷静で価値中立的な記述に終始しており、そこに「鎖国論」のような日本への賞賛は見出されない。「鎖国論」は、むしろ、ケンプファーの日本関連著述のなかで特殊な位置にあるのだ。

「鎖国論」の日本賞賛を考える上で思い起したいのは、「鎖国論」が『廻国奇観』所収の論文であるということである。『廻国奇観』の出版意図をその序文で、ケンプファーはワインの「試飲」になぞらえて説明している。試飲は「客」すなわち読者を次なる著作へと誘う、と彼は述べる。次の著作とは、ここでは『日本誌』を指す。『廻国奇観』は『日本誌』の「見本と試供品」(四)として位置づけられるのである。つまり、「鎖国論」は、『日本誌』のいわば販売促進の宣伝という役割も担っているのである。この点に着目すれば、同時代の読者に向けて、ケンプファーが日本をより魅力的に脚色したと考えることもできる。そもそも、〈とざされた世界〉という「鎖国論」の理想は、この時代の孤立した理想ではない。英国の哲学者ベーコン(Francis Bacon)の『ニュー・アトランティス』(一六二七)、フランスの聖職者フェヌロン(François de Salignac de la Mothe Fénelon)の『テレマコスの冒険』(一六九九)には、それぞれ「鎖国論」に類似する国家が架空の理想郷として登場する。〈とざされた世界〉は、ケンプファーの同時代人にとっても魅力的たりうる理想だったのである。日本をそのように描出することで、彼は読者の関心をひこうと考えたのではないか。少なくとも、ケンプファー自身の理想が少なからず「鎖国論」に投影されたと考えることはできよう。もちろん「鎖国論」が彼の日本滞在や観察とまったく無関係ということはない。しかし、そのすべてを現実の日本とみなす必要はない。むしろ、その日本は具体的ないし実証的な知識というよりも、直感的で感情的な印象によって形成された日本、すなわち日本のイメージといえる。〈とざされた世界〉の理想としての日本は、おそらくはかなり意図的に、ケンプファーが作り上げた日本のイメージである。しかし、日本の実像として、それは西欧にも日本にも受容されることになるのである。

「鎖国論」を理解するもうひとつの鍵は、〈とざされた世界〉への肯定である。ケンプファーは確かにその世界を肯定してはいる。だが、彼はそれを無条件で認めている訳ではない。論文の冒頭で、彼は〈とざされた世界〉を肯定と否定の両面から考察する。まず、否定論を念頭に、その主張は次のように説明される。万国は万物を等しく産出する訳ではない。従って、ある国には産物の余剰が、その他の国には不足が生じる。不足を他国より得て、余剰を他国に与える。こうして諸民族は相互に交際し、連帯する。それは「神の摂理と自然の法則」(四七九)であり、諸民族の連帯を断つことは、これに反する。ケンプファーはこうした考え方に、一旦、支持を表明するが、諸民族の連帯という理想に完全に納得してはいない。理想は現実によって裏切られているのではないか。彼の疑念はこの点に向かう。ケンプファーが示唆するのは、民族間、国家間の不和、さらには戦争である。家屋や町が壊され、人々が殺され、国が荒らされる。こうした不条理ゆえに人々は不幸になる。彼が生きた時代の現実である。それゆえ、彼は〈とざされた世界〉を、自給自足が可能であること、という条件を付してではあるが、賞賛すべきものととらえる。さらに、『旧約聖書』のバベルの言語混乱が言及され、諸民族が相互に分かれて住まうことは神の意思に必ずしも反しないと述べる。「鎖国」は「神の摂理」に背馳するものでないことを彼は保証したのであった。ケンプファーにとって、日本はその理想を具現する国家であった。この国は文化において完成の域に達し、物質的に自給自足が可能であると彼はいう。

〈とざされた世界〉という理想にケンプファーが至った要因はいくつか考えられる。「日本誌」の序文で、彼は国家間の戦争に対する不安を明言しており、そうした不安が彼に人的交流のない世界を志向させたのであろう。

いずれにせよ、ここまでみたように、〈とざされた世界〉をケンプファーは無条件で肯定してはいない。諸民族が交際する〈ひらかれた世界〉と〈とざされた世界〉というふたつの理想を対比させ、両者共に理があることを認めながらも、不和や戦争がもたらす不条理ゆえに後者を採ったのである。「鎖国論」は、ケンプファー自身あるいは同時代の理想、そして、彼の生きた時代の現実が投影された日本イメージであった。しかし、このイメージは、後代の西欧人に日本の実像として認識される。しかし、西欧人にとって〈とざされた世界〉は次第に首肯し難いものとなってゆく。それは近代の日本においても同様である。〈とざされた世界〉が、日本で克服すべき非文明と評価されたことはすでにみたとおりである。この評価の源流は、一八世紀西欧の〈とざされた世界〉をめぐる議論に求めることができる。

五 「不幸」な日本人—西欧における日本イメージ—

フランスの思想家モンテスキュー（Charles Louis de Secondat baron de Montesquieu）は、『法の精神』（一七四八）において、たびたび日本に言及する。ここでの日本は暗い色彩で塗りつぶされている。ひとつの例に目を向けよう。モンテスキューは日本の峻厳な刑罰について考察をおこなう。彼は、ケンプファーの「鎖国論」から、日本ではほとんどの罪が死罪で罰せられるという報告を引用する。ケンプファーにおいて、その制度は、貧富貴賤の差によって刑罰の軽重が決まらないため、公平な制度と評価された。だが、モンテスキューはこれに同意しない。賢明な立法者ならば、刑罰と褒賞の正しい釣り合いをとり、それによって犯罪の抑制に心を配るはずである。しかし、すべてが死罪によって罰せられる日本では、この釣り合いはまったく顧慮されない。それゆえ、日本ではより残虐な刑罰によってしか犯罪を制御できなくなったのである。『法の精神』では、共和政の原理は徳、君主政の原理は名誉、専制政の原理は恐怖として説明されるが、そのなかで日本は専制政にあるとされる。しかし、あまりに峻厳な日本の刑罰は専制政治すら腐敗させる。「日本では、専制政治は努力したが、専制政治そのものより残酷になった」（上巻一八二）。

『法の精神』においてケンプファーは頻繁に証人として召喚される。だが、モンテスキューが、ケンプファーの日本評価に同意することは稀である。〈とざされた世界〉は『法の精神』の商業をめぐる考察でとりあげられる。彼はここで「商業の精神」を分析している。この精神は、本来「野蛮な習俗を磨き、これを穏和にする」(中巻二〇一)とされる。また、商売を営む二国民は相互に依存し、助け合うために「商業の自然の効果は平和へと向かわせることである」(中巻二〇二)という。「商業の精神」に基づく、〈ひらかれた世界〉が平和をもたらすと彼は考え、評価したのであった。モンテスキューが、その観点から〈とざされた世界〉に賛同することはない。政策への直接の批判は避けながらも、これが日本にもたらす不利益が強調される。「商業の精神」を重視するモンテスキューにとって、〈とざされた世界〉はもはや理想ではなかった。

「商業の精神」に基づくさらなる日本への批判は、フランスの思想家レーナル(Guillaume Thomas Raynal)によって、より明確になされた。『両インド史』(一七八〇)の「オランダ人の日本貿易」という章には次のような一文がある。「貿易をすれば、市民としては失うものがあるかもしれないが、しかし、貿易を通じて、ひとはもっと人間的になるのである。ところで、日本人は暴君の鞭のもとで虎になってしまったのである」(一九七)。モンテスキュー同様にレーナルもまた商業は習俗を穏和にすると考える。商業は確かに「市民」としての日本人固有の性格を失わせるかもしれないが、より普遍的な「人間」へと導く。みずからの世界にひきこもった日本人は、「虎」のように野蛮になった。〈とざされた世界〉をレナールは強く批判するのである。

フランスにおける日本への批判を、ドイツに持ち込んだのはドーム(Christian Wilhelm Dohm)である。彼はケンプファーの『日本誌』のドイツ語版の編者として知られ、また、後に外交官そしてユダヤ人解放令の素地を整えた政治的著述家としてドイツ史に名を残す人物でもある。

みずからが編集したケンプファーの著書の中に、彼は自身の論文「編者によるあとがき」を挿入した。この「あとがき」で彼はケンプファーの「鎖国論」のさまざまな記述に反論した上で、日本を専制政治と進歩の停滞によって性格づける。〈とざされた世界〉について言えば、ドームはこの問題に慎重に向き合う。まず、彼はケンプファーの主張を治安上の観点から、一旦、その正当性を追認する。しかし、同時にその政治的有益性について、つまり功利主義の観点から彼は再度検討を試みる。その要点は次の通りである。

〈とざされた世界〉は治安の安定に貢献するところがある。ドームは長所に言及しつつも、その短所を列挙する。〈とざされた世界〉は日本人の文化と啓蒙における進歩を阻害する。また、人口増加に伴う食糧問題によって日本人は、将来、貧困にあえぐことになる。なにより、他国との交際をしないことで日本は次第に野蛮になってゆく。〈とざされた世界〉はドームにとって欠点に満ちた政策と映った。日本人の立場を代弁して、彼は次のように書く。「全ての他の人間から敵対的に隔離されることは国民自身にとって議論の余地なく大きな不幸である」(四二二)。

〈とざされた世界〉による政治的不利益、国民の「不幸」を避ける手段としてドームはふたつの提言を行った。ひとつ目は、日本が自由な商業を行うべきこと、ふたつ目は、鎖国を終わらせるためには外国の圧力、場合によっては占領が必要であること。それは結果的に日本人に益するとドームは付言する。

日本が開国を決断する七〇年以上も前にドームが外圧による開国に言及したことは彼の政治的卓

見を示すものと評価できなくもない。ドームの日本イメージには、日本人が鎖国という言葉に抱いてきた〈克服すべき非文明〉という見解がすでにはっきりと表れている。もっとも、その根底にあるのは、フランスの思想家による商業の精神にもとづいた〈ひらかれた世界〉という思想であり、その意味では、ドームの日本論は必ずしも独創的とはいえない。それでも、そこには一八世紀の〈とざされた世界〉への諸議論が巧みに織り込まれており、この時代の標準的な日本論とみることはできる。こうして〈とざされた世界〉は、日本の不幸とみなされてゆくのである。

〈とざされた世界〉は、ケンプファー以降、評価されることは稀であったが、一八世紀末にドイツの思想家カント（Immanuel Kant）が、関係性という視点からこの問題に新たな光をあてている。彼の「永遠平和のために」（一七九五）の最終節で日本の政策が言及される。この節では「世界市民法」が論じられ、これを基礎づけるのは「訪問の権利」とされる。この権利は、カントの定義によれば、外国人が他国で平和にふるまう限り、相互に交際を申し込むことができる権利である。この権利によって遠く離れた土地であっても平和な関係を築くことができるとされ、異国の旅人からの略奪はこの権利に反する行為であるという。カントのこの基本姿勢を考えれば、この後には〈とざされた世界〉への批判が続くように思われる。だが、この予想に反してこの政策は思慮深いものと評価される。

カントにおいて、この評価を根拠づけるのは、西欧人のアジア、アフリカ、アメリカでの「非友好的な振舞い」（二七五）である。西欧人は戦争、飢餓などのさまざまな災厄を持ち込んだと彼はみる。

彼は西欧諸国の植民地主義を批判するのである。「だから中国と日本が、一応これらの来訪者を吟味してから、以下の措置をとったのは思慮深いことであった。前者は、来航は許可したが入国は許可せず、後者は来航することさえただヨーロッパの一民族であるオランダ人だけに許可し、しかもその際に彼らを捕虜のように扱い、自国民との共同生活体から閉め出したのである」（二七五）。こうカントは記すのであった。

カントの〈とざされた世界〉への積極的な評価はケンプファーのそれと共通する。それでも、この二人の間には重要な相違がある。ケンプファーは〈とざされた世界〉を理想とみなした。しかし、カントにとってそれは理想ではない。彼は、自然が諸民族相互の交際すなわち〈ひらかれた世界〉に人々を向かわせると彼は考えるのである。この〈ひらかれた世界〉を前提としながらも、彼は世界の現状が不完全であることを強調する。この主張は「永遠平和のために」の最後に次のように記される。

ところが今や、地球上の諸民族の間にいったんあまねく広まった（広狭さまざまな）共同生活体は、地球上の一つの場所で生じた法の侵害が、あらゆる場所で感じられるほどまで発展を遂げたのである。だから世界市民法の理念は、もはや法の、空想的でとっぴな考え方ではなく、公的な人類法一般に対し、したがってまた永遠平和に対し、国法や国際法の法典にまだ書かれていないことを補足するものとして必要なのである。（二七七）

「共同生活体」つまり諸民族の交際の広がりと共に、「法の侵害」すなわち植民地主義が同時に広く認知されたことをカントは示唆する。植民地主義への自衛手段として〈とざされた世界〉があり、その〈とざされた世界〉を通じて不正が西欧に認知される。カントにおいて〈とざされた世界〉は〈ひらかれた世界〉の対極にある政策としてではなく、西欧の「非友好的な振舞い」への「思慮深い」反応として位置づけられる。〈とざされた世界〉は〈ひらかれた世界〉とが真の意味で〈開かれた〉ひとつの世界になるために、カントは異文化に対する「非友好的な振舞い」の是正を求めるのである。

おわりに

ここまで〈とざされた世界〉としての日本と、それをめぐる日本と西欧の議論を辿ってきた。冒頭で、ふたつの問題提起をおこなったので、これらに回答しながら本稿をとじたい。最初の問いは、日欧の諸議論において日本はいかなる国として描出され、評価されたのか、であった。これまで述べたことをまとめておこう。

戦争の不安に脅かされた時代を生きたケンプファーは、戦乱のない〈とざされた世界〉を望んだ。その理想は日本に投影され、〈とざされた日本〉という像を結んだ。しかし、この理想は一八世紀の思想家たちには受け入れがたいものであった。彼らは、国々が商業によって相互に結びついた〈ひらかれた世界〉を称揚する。このなかで日本の政策は、野蛮ないしは非文明とみなされてゆく。こうして日本は不幸な国というイメージが形成されることになる。
ケンプファーに端を発する〈とざされた世界〉という日本イメージは、一九世紀に日本にもたらされ、鎖国という言葉として実を結んだ。この語は志筑や国学者の間で自国の幸福な政策として受容されたが、その評価は世紀転換期に逆転する。〈とざされた世界〉は、克服すべき非文明として、あるいは、悲劇と認識されるようになったのである。二〇世紀後半から現代にかけて、これまでの議論の克服が試みられている。現代において、日本は〈とざされた世界〉であった、というイメージこそが克服すべきものとされている。つまり、日本は、ケンプファーを起源とする西欧の日本イメージからの脱却をはかり、新たな自己認識を模索しているのである。

これが本稿が追ってきた議論の骨子だとすれば、次に〈とざされた世界〉の評価という問題について考えたい。現代は国家や文化の多様性に〈ひらかれた世界〉である。このなかにあって、ケンプファーの〈とざされた世界〉はもはや実現可能な目標とはみえない。それでも、現代において国際協調という理念や多様な民族、文化との共生といった理念を拒絶する声もいまだに小さくはない。彼らは〈とざされた世界〉を望んでいるのだろうか。

本稿の〈とざされた世界〉の擁護者たちの主張は、そのような世界を無条件に容認している訳ではない。ケンプファーは〈ひらかれた世界〉の不条理ゆえに、カントはその不正ゆえに〈とざされた世界〉を肯定したのである。この肯定を通じて、彼らは〈ひらかれた世界〉に警告を発している。その意味において、〈とざされた世界〉は〈ひらかれた世界〉への試金石でもある。不条理や不満を抱く人々を黙殺する限り、それはほんとうに〈ひらかれた世界〉ではない。ここから次のようなことが言えるのではないだろうか。ボーダレス・ダイバーシティ社会にむけて重要なことは、意見を異にする人々との対話のプロセスを通じて合意を形成することである。

参考文献

Dohm, Christian Wilhelm von: Nacherinnerungen des Herausgebers. In: *Geschichte und Beschreibung von Japan*. Bd. 2, hrsg. und übers. von Christian Wilhelm von Dohm, Lemgo (Meyer) 1779 (Nachdruck, Saarbrücken 2011), S. 414-422.

Kaempfer, Engelbert: Beweis, daß im Japanischen Reiche aus sehr guten Gründen den Eingebornen der Ausgang, fremden Nationen der Eingang, und alle Gemeinschaft dieses Landes mit der übrigen Welt untersagt sey. In: *Geschichte und Beschreibung von Japan*. Bd. 2 (1779), S. 394-414.

Kaempfer, Engelbert: *Exotic Attractions in Persia, 1684-1688 Travels & Observations*. Transl. and ed. by Willem Floor and Colette Ouahes, Washington DC (Mage Publischers) 2018.

荒野泰典『「鎖国」を見直す』（岩波書店）二〇一九。

板澤武雄「鎖国及び『鎖国論』について」（尾佐竹猛編『明治文化研究論争』（一元社）一九三四）一一一-一一三。

大島明秀『「鎖国」という言説』（ミネルヴァ書房）二〇〇九。

紙谷敦之・木村直也編『展望日本歴史　第一四巻　海禁と鎖国』（東京堂出版）二〇〇二。

カント（遠山義孝訳）「永遠平和のために」（『カント全集』第一四巻（岩波書店）二〇〇〇）二五一-三一五。

笹山晴生・佐藤信・五味文彦・高埜利彦ほか著『詳説日本史　改訂版』（山川出版社）二〇二〇。

志筑忠雄訳（杉本つとむ校註・解説）『鎖国論―影印・翻刻・校註』（八坂書房）二〇一五。

B・M・ボダルト＝ベイリー（中直一訳）『ケンペル　礼節の国に来たりて』（ミネルヴァ書房）二〇〇九。

モンテスキュー（野田良之・稲本洋之助ほか訳）『法の精神』上中下巻（岩波書店）一九八九。

レーナル（大津真作訳）『両インド史　東インド編』上巻（法政大学出版局）二〇〇九。

和辻哲郎『和辻哲郎全集　第一五巻　鎖国』（岩波書店）一九六三。

多文化化する沖縄社会

崎濱佳代

崎濱　佳代・さきはま　かよ
所属：　総合文化学部　社会文化学科
主要学歴：慶應義塾大学大学院社会学研究科博士後期課程単位取得退学
所属学会：日本社会学会、沖縄社会学会
主要論文及び主要著書：

1. 崎濱佳代「沖縄における南米系日系人の求職過程―移民の社会適応と社会移動に対する社会関係資本に着目して―」『移民研究』第14号、沖縄移民研究センター編、二〇一八年。
2. 崎濱佳代「沖縄における南米系日系人と「仕事」―社会関係資本の成果としての仕事・社会関係の源泉としての仕事―」鈴木規之・崎濱佳代編『ホスト社会沖縄と南米系日系人―文化資本に基づくネットワーキングとその継承―』（琉球大学法文学部　社会学専攻社会学コース「社会学実習」二〇一五年度調査報告書）二〇一八年。
3. 崎濱佳代「ホスト社会・沖縄と日系人―同胞意識と疎外経験のギャップ―」鈴木規之編『ホスト社会沖縄と日系人・外国人―多文化化から多文化共生への可能性―』（琉球大学法文学部　社会学専攻社会学コース「社会学実習」二〇〇九年度調査報告書）二〇一二年。
4. 崎濱佳代「〝ウチナーンチュ〟沖縄の外国人住民のもつ違和感」関根政美・塩原良和編『多文化交差世界の市民意識と政治社会秩序形成』慶應義塾大学出版会、二〇〇八年。
5. 崎濱佳代「異質性と向き合う社会での権利問題―主体化をめぐる問題の扱いについての考察」安藤由美・鈴木規之・野入直美編『沖縄社会と日系人・外国人・アメラジアン―新たな出会いとつながりをめざして―』クバプロ、二〇〇七年。
6. 崎濱佳代「沖縄県における外国人住民の違和感・被抑圧感への対応に関する考察～「開放的沖縄」観への問題提起～」『人間と社会の探究　慶應義塾大学大学院社会学研究科紀要』65号、慶應義塾大学大学院社会学研究科、二〇〇七年。
7. 崎濱佳代「多文化共生社会における主体化問題の位置づけ」『人間と社会の探究　慶應義塾大学大学院社会学研究科紀要』62号、慶應義塾大学大学院社会学研究科、二〇〇六年。
8. 崎濱佳代「沖縄社会における異質性をめぐる葛藤と入り込み―沖縄県におけるディアスポラの意識調査から―」『移民研究』創刊号、琉球大学移民研究センター、二〇〇五年。

※役職肩書等は講座開催当時

一　問題意識―多文化化と沖縄社会

1　「チャンプルー文化」の島・沖縄？

本稿では、沖縄社会の多文化化について論じていきたい。沖縄の文化を指して「チャンプルー文化」という言葉がよく使われる。沖縄社会は、琉球王朝時代には進貢貿易によって中国文化の影響を受け、東南アジアの国々にも船を出し、交流してきた。日本国内では大変珍しい、首里城の造りや、豚肉を食べる文化も中国文化の影響と言われる。東南アジアの各地に琉球王国との交流の形跡が残っており、「チャンプルー」の語源はインドネシア語だとも言われる。もちろん、日本の影響も多く受けている。廃藩置県後は、笠戸丸から一一二年、全国でも飛び抜けて多い割合でハワイや南米、南洋諸島に移民を送り出してきた。帰還した移民が持ち込んだ文化、移民の子孫が沖縄に「帰って」きて持ち込んだ文化もある。コーレーグスや南米スタイルのチキンの丸焼きも生活に馴染んでいる。

また、第二次大戦後、二七年間に及ぶ米軍統治の間に、他の都道府県よりもアメリカ文化の影響を強く受けた。これらが入り混じって、沖縄文化を形作っているとして「チャンプルー文化」と名付けられているのである。

このような文化の状況や歴史から、沖縄社会は開放的で、他所から来た人々に優しいとイメージされることが多い。「イチャリバチョーデー（出会えば皆兄弟）」という諺もある。琉球大学の社会学専攻では、二〇〇二年から筆者も参加して「ディアスポラ[1]の人々を、ホスト社会[2]としての沖縄はどう受け入れているのか？」といった研究を続けてきた。本稿では、この一八年にわたる研究プロジェクトの成果の一部を紹介しながら、多文化社会を生きるとはどういう事か考えていきたいと思う。

2　日本における多文化化の背景

一九九〇年の出入国管理法改正以降、多くの南米系日系人が来日し、定住するようになった。その後、二〇〇八年のリーマンショックと二〇一一年春に起こった東日本大震災の影響による不況で、多数の南米系日系人労働者が解雇され、入国数も減少し、帰国する者も少なくなかった。それでもなお二三万四、二六六人（法務省在留外国人統計、二〇一五年六月末現在）の南米系住民が在留しており、人口増の経緯からその多くが日系人だと考えられる。

一般的に日本社会において南米系日系人は「外国人」労働者と同じようにみなされており、先行研究でも定住外国人の問題と並列して分析されることが多かった。実際に、日本に在留する日系ブラジル人は移動性が高く、地域社会との関わりは薄く（梶田・丹野・樋口、二〇〇五年）、エスニック・コミュニティを形成している。南米系日系人の労働問題や貧困問題、教育を含めた社会的サービスや地域コミュニティにいかに接続・包摂していくかという問題意識は、このような住み分け（segregation）の状況を反映したアプローチであったといえよう。

一方で、少なくない南米系日系人が帰国した二〇〇八年以降、在留日系人研究は新たな局面を迎えている。不況で解雇された後一〇万人ほどが帰国したが、二〇万人あまりは何らかの生活基盤を得て日本に留まっているのである。例えば、日系ブラジル人労働者については、労働市場全体の非正規化を背景に、非正規労働のままとはいえ単純労働から基幹労働力へ転換される例が指摘されている（植木、二〇一二年）。また、日本で生まれ育った南米系日系人の子どもたちについては幾多の困難を伴いつつも進学して高等教育を受け、トランスナショナルな社会関係資本を築く者たちが輩出されつつある（Eunice, 2014）。田巻松雄らは日系ペルー人について研究しており、そこでも出稼ぎ型から定住へ至る過程にあることが報告されている（田巻、スエヨシ、二〇一五年）。このような現状を前に、南米系日系人のトランスナショナルな側面を「ハンディキャップ」ではなく「資源」として捉えなおす動きが出てきた。例えば、二〇一五年になって日本国際貿易機構（ＪＥＴＲＯ）の機関誌では、近年になって経済成長してきた中南米でのビジネスで日系人をパートナーとして活用しようという特集が組まれた（『ジェトロセンサー』、二〇一五年）。また、ブラジルに戻ったあと日系人社会や日本企業の駐在員を対象としたビジネスで日本語能力を活かしてキャリアを形成している子ども世代の事例が学会で報告されている（山ノ内、二〇一四年）。二〇〇八年以降、日本でのデカセギから引き揚げた南米系日系人たちは、全てを失って去って行ったのではなく、日本語能力や日本のビジネス慣行、価値観といった文化資本を得て、出身国の日系人社会と日本社会をつなぐ役割を期待されるようになってきているのである。

沖縄県は、かつて日本有数の移民送出県であった。戦後の困窮期に世界各地の沖縄系移民からの物資・支援を受け、経済発展後は海外の沖縄系日系人組織を支援するなどそのネットワークは現在でも維持されている（町田・金城・宮内、二〇一三年）。一九九〇年前後からはそのネットワークを意識的に社会的資源と位置づける動きも出てきた。例えば、一九九〇年から五年ごとに県主導で開催される「世界のウチナーンチュ大会」では、海外の県人会を通して沖縄系の人々に参加を呼びかけ、交流のためのフェスティバルを催し、ビジネス交流や沖縄系の若者同士のネットワークを育んでいる。これらの活動には県内に在住する南米系日系人が多く関わっており、出身国の日系人社会とのつながりも密接である。日系人のトランスナショナル性を資源と位置づけた場合、どのような社会関係が構築されるのかについて、沖縄社会にはすでに二五年分もの事例が蓄積されているのである。

3　沖縄の人々は異文化をどのように受け止めているか

沖縄は日本の中のマイノリティーとして語られ、研究されることが多いが、沖縄の中にも、外国人、日系人、アメラジアンといったマイノリティーの人々が存在する。このような、移動の結果として異なる文化や文化的背景を持つ人々を、ディアスポラと呼んで研究することが最近では一般的になってきた。それでは、日本の中のマイノリティーである沖縄がホスト社会として、マイノリティーであるディアスポラの人々に対してどのようにふるまうのだろうか。（鈴木、二〇一二）

これまで日本国内におけるマイノリティーやマージナルな存在として論じられてきた沖縄社会が、日系人・外国人といった海外出身の住民や異文化を持つ住民を内包するホスト社会としての立ち位置も兼ねるようになった現在、沖縄県内におけるディアスポラと言える彼らをどのように認識し、関わっているのだろうか。

沖縄の人々は、地域の国際化や多文化化に一定の肯定感を持っているが、米軍人については拒否する傾向がある。また、多文化化を肯定する意識がある一方で実際に外国人や日系人と関っている者は少なく、外国人住民の抱える問題やサポートに対して、関心はあるものの実際の行動に移すことは難しく、多文化共生の可能性については楽観視できない。

①意識上での多文化化肯定派は八割程度。実際に外国人と関わりのある住民は二割程度。

②地域の国際化や多文化化に一定の肯定感を持っているが、米軍人については拒否する傾向がある。

③特に還流移民である日系人に対し、ルーツを共有することでの肯定感が大きい。

④文化資本としては、（アメリカと同様、歴史的に関わりのある）中国、東南アジア、ラテンアメリカと比較して、アメリカ、カナダなど英語圏への志向性が圧倒的に強い。

以上の調査研究から、県内に共住する外国人が多い割には接点が少なく、住民は外国人のことを意識せずに生活しており（セグリゲーション）、多文化化しつつも多文化共生とは言えない現状にあることが明らかになった。また、沖縄社会において地域の多文化化に対する好悪感を規定する社会的要因として、かつての（そして暗喩的な意味では現在も続く）米軍統治への抵抗感（否定要因）、多くの移民を送出してきたことを誇りとする歴史認識（肯定要因）、グローバリゼーションの下での英語の資源的価値（肯定要因）の三要因が強く影響していることが明らかになった。

データでは、国際化が進むことに八割は賛成し、外国人や日系人が増えることにもおおむね好ましく思っているが、米軍関係者が増えることには八割以上が好ましくないと回答している。文化のハイブリッド化、多文化化にも好意的であり、子どもにも異文化を学んでほしいと考えている。しかし、外国人・日系人と日常的に接する機会を持っているのは二割程度で、異文化に対する興味は八割弱が「ある」と回答しているが、実際に身のまわりに異文化を学ぶ機会があるのは一五％である。外国人・日系人へのサポートについては、意識の上では三分の二近くがサポートをしたい（特に同じ地域の住民として）と回答し、自治体の取り組みももっとするべきだと考えている。しかし、実際に仕事以外の日常でサポートをした経験があるのは一七・三％にすぎない。

関根政美（二〇〇〇）は、単にエスニック料理店が増えることや、年に数回の多文化フェスティバルなどの機会に民族芸能を披露することの意義を積極的に認め、文化・言語の多様性を認めようとしないことは「シンボリック多文化主義」とし、それは同化政策に近いと指摘する。沖縄の現状は、まさにこのような状況にあり、シンポジウムで関根に指摘されたような状況である。

二　沖縄社会で暮らす南米系日系人

1　現況

沖縄県においては、外国人と地域社会の関わりをめぐる問題は、第二次大戦後二七年間にわたり米軍統治下におかれるという特殊な社会歴史的背景のため、外国人登録者の出身国別割合やエスニック間の関係性などにおいて日本本土とはかなり異なった様相を呈している。さらに、沖縄県はかつて日本有数の移民送出県であったが、ラテンアメリカなどに移住した移民の子孫すなわち日系二世や三世が、出身国の治安の悪化や日本への出稼ぎをきっかけに沖縄の親族を頼って「帰郷」してきているケースについても、後述するように特殊な傾向が見られる。日本本土での事例とはホスト社会の構造が異なる中で南米系日系人がどのような状況に出会うのか、それに対してどのように認識し対応していくのかについての研究は、ディアスポラ研究に対して新たな成果をもたらすと考えられる。

以上の知見の中で日本国内の他地域と比べて特徴的なのは、日系人のホスト社会内における立ち位置である。

他地域での日系人の立ち位置は、外国人のそれとほぼ変わらない。一般的に日本社会において日系人は「外国人」労働者と同じようにみなされており、先行研究でも外国人の問題と並列して分析されることが多かった。むろんこれは実態を反映したアプローチであり、地域の関わりに関する問題も日系人と外国人労働者の問題とはほぼ重なる。また、近年では日系ブラジル人のライフスタイルは「定住化」という言葉のイメージとは異なり、日本国内を仕事に合わせて転々としたり母国との間を何度も行き来しながら出稼ぎを続けるなど移動性が高く、地域社会と信頼関係を築きにくいことが指摘されている（梶田・丹野・樋口、二〇〇五）。

一方、前述した著者らによる『沖縄県におけるディアスポラのライフコース―ホスト社会との関係性をめぐって―』における調査結果では、沖縄県内の日系人の場合は一般的なニューカマーのケースと異なり、サービス業や販売業など第三次産業で働く割合が高く、とくに都市部の住民と生活パターンなどに共通点が多いことが明らかになった。また、外国人と同様の困難を抱えつつも沖縄社会への信頼感が比較的高く、「社会の一員として、特長を生かして社会運営に参加したい」とのニーズが見られた。こういったホスト社会における承認への欲求は沖縄県における日系人に特徴的に見られるニーズではないだろうか。

先述したとおり、日本の外国人登録者の中で大きな割合を占める日系ブラジル人については、頻繁に移動を繰り返し、ホスト社会と信頼関係を築きにくいことが指摘されているが、沖縄県内の日系人については逆にホスト社会への参加を志向する傾向にあると考えられる。この差異をもたらす要因の一つと考えられるのが「世界ウチナーンチュ大会」に代表されるオキナワ・ネットワーク言説である。沖縄社会が戦後の困窮期に世界各地の沖縄系移民からの物資・支援を受け、経済発展後は海外の沖縄系移民組織を支援するなど沖縄系移民の子孫におけるオキナワ・ネットワークの結束力は、金城宏幸らの一連の研究（町田・金城・宮内、二〇一三）でも指摘されている。

また、これまで沖縄社会は米軍基地があることで国際化、多文化化してきたが、過去の移民の遺産ともいえる多くの日系人が英語力を生かして基地に雇用されたりラテン系の米軍人を相手としたサービスを提供することで多文化化の担い手となってきた。日本の中でディアスポラ化されてきたがゆえに「沖縄性」への関心が強く結束的な沖縄社会に入り込みうる資源（ルーツの共有）を持ちつつ、同時にマージナルであるがゆえに、沖縄社会と出身国社会をつなぎ架橋的な社会関係資本を提供しうる存在となり「県系人」と呼ばれることもある（鈴木規之、二〇一八）。

沖縄の日系人・外国人の現状であるが、法務省入国管理局「都道府県別　国籍・地域別在留外国人」（二〇一七年六月末）（表1）によると三〇〇人以上が外国人登録を行い、トップ一〇に入っているのは米国（二、四九一

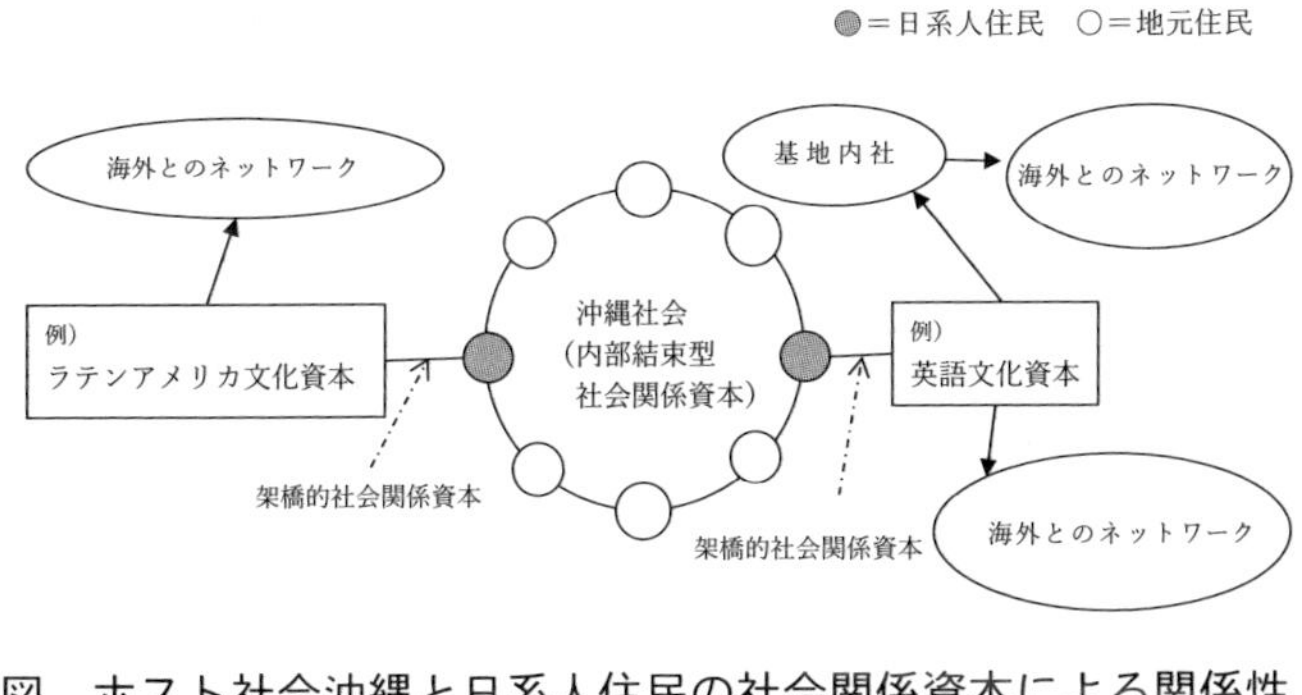

図　ホスト社会沖縄と日系人住民の社会関係資本による関係性

人）、中国（二、一八九人）、フィリピン（一、九三一人）、ネパール（一、六一四人）など一〇ヶ国となっている。南米系日系人が多いと推測されるブラジルは三一一人で九位、ペルーは二四四人で一一位、本研究が対象とするアルゼンチンは六二人で上位ではない。日本全体と比較すると、米国が一位となっていること、ブラジルが少ないことが特徴的であるが、この表には軍人・軍属であるアメリカ人や帰化をした日系人は含まれていない。

二〇〇六年のデータと比較すると、沖縄の在留外国人数は二倍弱に増加した。日系人関連ではブラジルは一九九人から三一一人に増加した一方で、ペルーは三五三人から二四四人に減少、アルゼンチンも九九人から六二人に減少しており、帰化が進んだことや世代交代がうかがえる。南米系日系人の総数は、帰化についての統計が公開されていないため、これ

表１　日本と沖縄の在留外国人数（2017年6月末、法務省）

	日本	沖縄
総数	2,471,458	14,599
米国	54,918 (7)	2,491 (1)
中国	711,486 (1)	2,189 (2)
フィリピン	251,934 (3)	1,931 (3)
ネパール	74,300 (6)	1,614 (4)
韓国	452,953 (2)	1,222 (5)
ベトナム	232,562 (4)	958 (6)
台湾	54,358 (8)	806 (7)
インドネシア	46,350	493 (8)
ブラジル	185,967 (5)	311 (9)
インド	30,048	309 (10)
ペルー	47,861 (10)	244
タイ	48,952 (9)	137
アルゼンチン	2,710	62

出典：https://www.e-stat.go.jp/stat-search/files?page=1&layout=datalist&stat_infid=000031642055&lid=000001196143（法務省、在留外国人統計、2017年6月末現在）、2018年1月5日参照

までの調査対象者の帰化率（半数強）から推測すると、一、〇〇〇〜一、二〇〇人と推計される。

2　沖縄における南米系日系人の社会関係資本の構築

この項の目的は、二〇一五年度に沖縄県内に在住する南米系日系人を対象として行った調査から得られた知見を報告することである。沖縄県には、推計一〇〇〇〜一二〇〇人ほどの南米系日系人が居住しているとみられる（二〇一五年末現在）。先行研究から沖縄県に在住する南米系日系人は他県の事例よりもホスト社会に包摂されてはいるが、あくまで「同じウチナーンチュ（沖縄人）」であることを求められており、ホスト社会のネットワークに参入するために同化志向的に振る舞う傾向が指摘されている。[(3)] これは、沖縄社会が同質なメンバーによって構成される結束的社会関係資本を重視する構造になっていることを反映しているものと考えられる。しかし、ネットワークを社会関係資本として捉えるならば、南米系日系人の有する異文化は架橋的資本としての価値を持っているのではないだろうか。

本研究では、以上のような視点に基づき、結束的な沖縄社会において、異文化を背景に持つ南米系日系人がどのようにして自文化を表出し、社会関係資本を築いているのかを明らかにする。

①社会関係資本とは〜包摂／排除との関わり〜

本研究の問題意識は、沖縄社会における南米系日系人の包摂のありようを社会関係資本の概念を用いて捉えることである。社会的包摂／排除と社会関係資本との関わりについては中島(二〇一五)の議論を参照したい。

中島はイギリスの社会的包摂政策の検討を通じて社会的包摂／排除とソーシャル・キャピタル(社会関係資本)の関係を論じている。「社会的排除」とは一九八〇年代に欧州共同体(EC)に取り入れられた概念で、ヨーロッパ諸国で広く認められた基本的な生活水準、および社会的・職業的機会への参加を満たすことができない状態を指す。社会的排除の概念は貧困や剥奪状況をより多次元的に捉えることを可能にした。すなわち、個人の社会的統合にとって重要な社会的、経済的、政治的、あるいは文化的システムのいずれかからの追放のプロセスを意味する。[4] 社会的マイノリティの意思決定や政治参加の阻害、雇用や物資的資源へのアクセスの困難、共通の文化からの排除といった問題は個別の問題として捉えられてきたが、実はこれらの排除は一体化して[5]互いに因果関係を成している。例えば、ある一人の移民二世が困窮する背景には失業があり、すぐに失業するような職しか得られないのはホスト社会で自立して生きるのに必要とされる教育が達成できなかったためであり、教育達成を困難にしたのは子ども時代に言語や文化の違いをカバーする教育機会にアクセスできなかったからであり、教育機会にアクセスできなかったのは移民一世である親が貧しく、また子どもの就学を助けるような社会的援助についての情報を十分に得られなかったためであり、情報が入ってこなかったのは言語的不自由のため…と多様な形態の不自由がお互いに連鎖し合って個人の困窮状態を形成している。これらの一塊になった種々の不自由をまとめる概念として社会的排除がＥＣの政策課題に挙がったのである。

社会的排除の概念は、一九九九年のイギリス国家統計局による「貧困および社会的排除調査」で、以下のように具体化された。[6]

・窮乏状態、あるいは適切な収入もしくは資源からの排除（＝貧困）
・労働市場（＝適切な収入の確保・社会的交流の源泉）からの排除
・サービス（＝公共サービス、病院などへのアクセス、公共交通機関の利用、日常的な買い物、金融機関、パブの利用）からの排除
・社会的関係からの排除（＝社会的活動へ参加できない、孤独、必要な支援の欠如、市民活動へ参加できない、何らかの理由によるひきこもり）

これらの社会的排除は社会関係資本が欠如した結果とされる。すなわち社会的包摂は社会関係資本を十分に構築することによって実現される。この概念を借りて、ホスト社会としての沖縄におけるエスニック・マイノリティである南米系日系人の包摂のありようを彼らの社会関係資本の分析を通じて捉えることができよう。

イギリスの社会関係資本研究においては、社会関係資本を測定する指標は、次の五つの次元に整理されている。

（１）市民参加：投票性向、地域課題や国家的課題に対する行動
（２）社会ネットワークと支援：友人や親類との交流

（3）社会参加：グループ活動やボランタリー活動への参加
（4）相互依存と信頼：利益の供与と授受、他人や政府や警察などの機関への信頼
（5）地域への認識：その地域の生活の満足度や課題など

②沖縄社会における南米系日系人の社会的包摂／排除の現況

ここでは、前項で触れたイギリス国家統計局の社会的排除概念に沿って沖縄社会における南米系日系人の社会的包摂／排除の現況を整理したい。使用する量的データは二〇〇二年に鈴木ら（二〇〇三）によって科研費プロジェクト「ホスト社会沖縄における外国人・日系人・アメラジアン―新たな出会いとつながりをめざして―」の下に実施された量的調査のデータのうち日系人からの回答のみを取り出して集計したデータである。この研究は、沖縄社会をさまざまなディアスポラの住民を内包するホスト社会として位置付け、ディアスポラ住民の側の視点から描き出したものである。調査対象者は沖縄県内に在住する外国人・日系人・アメラジアンで、各エスニック団体や対象者の結節点となっている店などを起点としたスノーボール・サンプリングによって質問紙を配布し回答を依頼した。寄せられた一五〇ケースの回答のうち、日系人の回答者は九三ケースであった。調査項目は多岐に及んでいるが、以下ではイギリス国家統計局の社会的排除概念に関わる質問項目の回答を取り上げ、南米系日系人住民が沖縄社会において包摂されているのか排除されているのかを検討したい。

(1) 窮乏状態、あるいは適切な収入もしくは資源からの排除（＝貧困）はあるか？

貧困については、個人収入・世帯収入の分布を二〇〇二年当時の沖縄県全体との比較を行うことで排除があるかを検討する。ただし、日系人住民の収入に関するデータは無回答が多かったので、補助的に居住形態の比較も行う。

個人収入においては、二〇〇万円未満の層が一番厚く、二〇〇万円以上四〇〇万円未満の層が次に多いという構成は、沖縄県全体においても日系人においても同様である。ただし日系人においては二〇〇万円未満の層が沖縄県全体よりも一〇ポイントほど多い。沖縄県全体よりも収入が低いといえるだろう。特に四〇〇万円以上六〇〇万円未満の中間層が少ない構成になっている。世帯収入においても同様の傾向が見られる。

以上の比較結果からは、少なくとも二〇〇二年当時の時点で日系人住民が収入の面で排除される割合が高いことが明らかになった。これについては、次項で詳述するが、沖縄県の産業構造が第三次産業中心であり、求人の際に日本語能力を問われることが多いためと考えられる。

この調査以降、二〇〇八年のリーマン・ショック、二〇一一年の東日本大震災の影響による不況で、多くの南米系日系人が派遣労働者であったため職を失ったことは周知のとおりである。しかし、沖縄県においてはもともと技能・生産工程労務職の割合が少ないこと、沖縄県全体においても不安定な非正規雇用が多いことから、特に南米系日系人に限って不利を被る＝社会的に排除される状況にはなっていないと推測される。二〇一五年の聞き取り調査においては、他県で技能職に就いていたものの不況で失職したのをきっかけに沖縄県に移住した事例や東日本大震災による環境汚染を恐れて移住してきた事例が見られた。失職をきっかけに家族や親族のネットワークを頼って沖縄に移住した事例からは、沖縄社会が本土での失職の危機を受け止めるクッションとして機能したことが見て取れる。

(2)労働市場（＝適切な収入の確保・社会的交流の源泉）からの排除はあるか？

職業の面から見てみると、日系人住民は、沖縄県全体と比べて事務職と技能・生産工程労務職の割合が少なく、販売・サービス職につく者の割合が大きいことが特徴として挙げられる。事務職の割合の少なさは、日本語能力に影響されていると考えられる。二〇一五年の聞き取り調査では事務職に就いている、もしくは就いたことのある対象者も少なくはなかったが、「言葉」が不利な点として挙げられる傾向があった。また、先に挙げた項目ほどの開きはないが、全体に比して専門技術職の割合は少なめ、経営管理職の割合は多めという結果が出ている。これは、次に検討する従業上の地位の傾向とも関わっていると思われる。

従業上の地位は、就業している者を「役員・自営業」「正規雇用」「アルバイト・パート」「家族従業者」に分けて傾向を出した。日系人では、役員・自営業が二七・〇％、被雇用者が四四・六％、アルバイト・パートが一八・九％となっている。沖縄県全体では、役員・自営業が一七・〇％、正規雇用にあたる一般常雇が六三・一％、臨時雇・日雇が一五・七％で、家族従業者が四・一％となっている。日系人は比較的、役員・自営業が多く正規雇用が少ないという結果になり、職業内容において「経営管理職」の回答が多いのも、役員や自営業主の割合の多さを反映していると考えられる。日系人と沖縄県全体の傾向の違いをまとめると、日系人は雇われて働く割合が少なく、自営業を営むか、もしくは家族従業者として働く割合が多い。上林（二〇一五）は、労働市場を、比較的安定して労働条件も有利な第一次労働市場と不安定な低賃金職種で構成される第二次労働市場に区分して概念化したピオレら(7)の研究を引用しながら、移民が労働市場に入ってくる場合はもっぱら第二次労働市場に組み込まれること、第二次労働市場と第一次労働市場は技能や職歴の障壁で隔てられているが不安定な第二次労働市場では技能や職歴が人的資本として蓄積されず、障壁を超えるのが困難であることを論じた。同様に、沖縄社会においても日系人は第一次労働市場では不利であり、その結果として自営業や家業の手伝いを選択していると考えられる。この点からは、労働市場において社会的排除を受けていると言えよう。

沖縄県の産業構造は第三次産業の比率が高く、日本語能力が低い場合、雇用機会は非常に制限される。二〇〇二年のデータであるが、働く上での不都合を感じるとした回答の中では三〇・八％が「言葉」をあげている。二〇一五年の調査時点でも仕事をする上で言葉がネックであるとする回答は多かった。

ここまでで主に取り上げてきた二〇〇二年度調査では三〇代前後の若い対象者が多かったが、二〇一五年のインタビュー調査の対象者は働き盛りの四〇～五〇代が多くなった。従業上の地位は経営・役員・自営業・自由業といった経営に主体的に関わる地位につく人が二七・〇％（二〇〇二年）から三八・四％（二〇一五年）へ、常時雇用される一般従業者は四四・六％（二〇〇二年）から三四・六％（二〇一五年）へと変化した。多言語で行った量的調査である二〇〇二年度調査と日本語での会話が可能な対象者への質的調査である二〇一五年度調査を単純に経年変化として比較することはできないが、二〇一五年度調査において聞き取った職歴からは、成人後に移動してきた多くの人が来日してすぐに就くことのできる単純労働から、様々な職業や訓練を経て、より専門性の高い仕事や経営者・役員に階層移動していることが確認できる。このことから、二〇〇二年度調査の時点で労働において排除されていた南米系日系人もその後の一三年間で日本語能力を向上させ、日本での職業経験を積み重ねて社会上昇していることは十分に考えられるであろう。二〇一五年度調査では専門的・技術的職種が三四・六％、管理的職種が一五・四％、日本語能力を必要とされる事務・営業的職種が一九・二％となっている。収入についても、四〇〇万円未満の層が厚いことは変わらないが、それ以上の収入を上げる人の割合も少なくない。

(3)サービス（＝公共サービス、病院などへのアクセス、公共交通機関の利用、日常的な買い物、金融機関など）からの排除はあるか?

ここでは、自治体のサービスについてと、学校の利用状況のデータを用いて検証を行う。

二〇〇二年調査の対象者では、自治体のサービスが必要になったとき「すぐ相談に行く（行った）」

との回答が四三・〇％、「あまり相談しにいかない（行かなかった）」との回答が五七・〇％であり、相談しにいかないケースが多いという結果になった。その理由としては「家族や隣人、友人・知人に相談し解決したほうが早いから」との回答が最も多かった。一方ですぐ相談に行くケースではその理由として「直接相談した方が早いから」との回答が多かった。この結果を総じて読み取れるのは双方とも解決への利便性を考えて公的サービスを利用するか私的なネットワークからのサポートを利用するかを選んでいるということである。公的サービスがもっぱら日本語で提供されているためにアクセスできる人とできない人に分かれるということも考えられるが、相談しない理由として「言葉」よりも私的なネットワークの利便性が多く挙げられていることから言葉だけではなく、通り一遍の措置ではカバーしにくい個別的なニーズへの対応が悪いなど、何らかの使い勝手の悪さがあることが考えられる。教育機会の提供を公的サービスの一例として見てみると、子どもを公立学校に通わせている日系人が多く、サービスへのアクセス自体は排除されていないといえるが、公立学校に通わせる中で困難が多いことは二〇一五年のインタビューのなかで多く指摘されている。二〇一五年度の調査の対象者は日本への移住時期が一九八〇～一九九〇年代に集中している。二〇〇二年の調査当時は本人が沖縄の学校を卒業したばかりの対象者も少なくなかった。一九八〇～一九九〇年代当時は学校や自治体の受け入れ態勢にも不備が多く、「学校時代には何もいい思い出がない」と語る対象者もいた。たとえば、この時期は移住してきた子どもを小中学校に編入するときに学年を落として編入させるという措置が取られていたが、学校側は日本語能力に配慮したつもりでも小中学生にとって二～三歳違えば同級生との発達度合は全く異なる。友人が作れない、第二次性徴期への配慮が足りないなどの問題があった。また、二〇一五年度調査の時点では、多くの対象者が学校教育に保護者として関わっていた。そこでも南米系日系人の文化をバックグラウンドに持つ子どもへのいじめや多文化性を受け入れない公立校の教育方針との食い違いの事例が語られた。公的サービスについては制度的には排除されないものの内容においては排除されている日系人は少なくないと考えられる。それでも、県内で学齢期を過ごした対象者が長じて公務員となり外国人住民をサポートする部署を立ち上げたり、子どもへのいじめを解決するため南米系日系人についての理解を深める講演をするなど、排除の解決に自ら乗り出す事例も散見された。

(4) 社会的関係からの排除（＝社会的活動へ参加できない、孤独、必要な支援の欠如、市民活動へ参加できない、何らかの理由によるひきこもり）はあるか？

社会的関係からの排除については、まずホスト社会の人々との交流があるか、また接点はどこかを確かめる。二〇〇二年の調査においては、九二・四％が「親しく交際している沖縄の人がいる」と回答している。また、沖縄社会と最も関わる場所は「職場」「友人・知人」「親戚」が主であることが明らかになった。関係を持つ接点として「職場」「友人・知人」「親戚」が重視される点は、労働など一部分に特化した形ではなく沖縄の人々と全般的に生活圏を共有していることを示唆している。社会的活動においては排除はなく特に孤独な状況に陥りやすいわけではないと考えられる。

「必要な支援の欠如」についてはトラブルに見舞われた時の相談相手を尋ねた項目を分析する。相談相手として最も多く選ばれているのは「沖縄にいる同郷の友人・知人」と「家族」であった。次が「沖縄の人である友人・知人」である。支援が必要なときには南米系日系人同士のネットワークが重視される傾向がある。二〇一五年の調査では「困ったときの相談相手」については「困りごとの種類によって使い分ける」といった回答が多かったが、二〇〇二年当時はまだ在沖年数も短く、ホスト社会との緊密な関係は築けていなかったものと考えられる。

「市民活動への参加」については地域活動への参加と隣近所との付き合いの度合いから検証する。地域活動への参加状況を複数回答で尋ねたところ、半数近くが「地域活動には参加していない」と回答している。参加している中では「お祭り」「交流イベント」「ボランティア活動」が多く選択されている。もともと後述するように沖縄社会の地域活動への参加率は高くはなく、インフォーマルな関係性に軸足を置いている人が多いのが現状である。南米系日系人も同様の傾向を示していると言えるだろう。また、近隣との関係においても「挨拶程度」が最も多く、次が「世間話をする程度」となっている。地域コミュニティとの関わりはつかず離れずの関係であり、地域を支える市民としてではなく都市を浮遊する個人としてのネットワークが重視されているといえる。ただし、後述するように先行研究では沖縄の人々も地域活動への参加がそれほど多くないことが指摘されており（川添・安藤、二〇一二：一四六）、南米系日系人に限った傾向とはいえない。

(5)社会的包摂／排除の状況についてのまとめ

以上のようにイギリス国家統計局の社会的排除概念に沿って沖縄社会における南米系日系人の社会的包摂／排除の現況を整理した場合、二〇〇二年時点においての沖縄県における南米系日系人の包摂がはっきりと認められるのは社会的活動の側面だけである。公的サービスにおいては、アクセス自体は排除されていないがサービスを受ける中での困難が多い。収入はやや低めな程度だが、雇用市場では「言葉」の違いのために不利になりがちである。そのかわり、自営業を起こしたり起業した家族の手伝いをする家族従業者として生計を立てる傾向にある。沖縄振興開発金融公庫が二〇一五年に発表した報告書によると、沖縄県は全国平均と比較して開業率（全国一位）・廃業率（全国三位）とも飛び抜けて高く、産業の新陳代謝が活発な地域とされている（沖縄振興開発金融公庫、二〇一五：二）。女性の開業者の割合も全国平均より高く、また小規模な個人企業が大半なのも特徴である。約三割が五〇〇万円未満で開業しており、開業資金のうち、自己資金は約二割、七割が金融機関からの借り入れで、そのほか身内や友人などの援助で補っている開業者が多い（沖縄振興開発金融公庫、二〇一五：三）。以上のような報告から、沖縄社会は小さな商いを始めやすい環境であり、南米系日系人が経済基盤を得る重要なルートになっていると考えられる。

以上のような分析を行う中で浮かび上がってきたのは私的ネットワークの重要性である。職業あっせんや教育などにおいて、公的なシステムは日本語能力や日本社会への同化を強く求めているが、二〇一五年度調査の対象者は、家族・親族・友人（同僚含む）といった私的ネットワークを活用して職を得、居場所を開拓してきた。これについては後の項であらためて分析していきたい。

3　二〇一五年度インタビュー調査の概要と結果

インタビュー調査の内容は、①本人属性、②移動歴、③ネットワーク、④家族、⑤教育、⑥職業、⑦遊び、⑧観光との関わりについての八項目である。

本調査での対象者は、日本とりわけ沖縄在住歴が長く、沖縄社会に根を下ろしているといえよう。自らのルーツへの関心を契機として成人後に移住してきたケースが多く、移住直後は沖縄の親族が定着をサポートしているが、その後は親族関係に留まらず仕事や育児・遊びを通して幅広いネットワークを築き、最近ではSNSを用いて架橋的な役割を果たしていること、文化資本の継承については公的な側面では困難であるが、私的な部分で日系人としての意識づけがなされていることが明らかになった。

ここでは特に、対象者が困ったときに相談する相手についての項目を分析する。その目的は、ホスト社会との関わり方を知るためと、日系人同士のネットワークの現状を把握するためである。分析においては、親族ネットワークと友人ネットワークについての質問項目である「日系人が多いか／沖縄の人が多いか」、「連絡の頻度はどのくらいか」、「どんな連絡内容が主なのか」の三点についての回答事例も援用しながら分析を行う。

①「日系人が多いか／沖縄の人が多いか」については、対象者がホスト社会と分断されているの

か包摂されているのか、またエスニックネットワークがあるのか個人化しているのかといった視点から分析を行う。②「連絡の頻度はどのくらいか」は関わりの強さを示す指標として尋ねている。③「どんな連絡内容が主なのか」については、どんなサポートがやりとりされているのかに注目して分析を行う。

本調査のベースとなった研究である「沖縄のディアスポラのライフコース―ホスト社会との関係性をめぐって―」(科学研究費補助金基盤(C)、二〇〇一―二〇〇三年度)において、日系人住民が沖縄社会との接点として「地縁・血縁」(一世の場合)、「職場」(二世以降の場合)の二つを重視していることが析出された(崎濱、二〇〇四)。その二つのうち、実際に生活を安定させ、ホスト社会との接点ともなる「職」を社会関係資本を活用する実践の場と位置づけ、①「求職・転職の際の支援」、②「職場で日系人であることのメリット・デメリットはあるか」について尋ねた。この二点については、日本語能力や文化的背景の違いを持った南米系日系人が、結束的とされる沖縄社会に入り込む具体例として分析する。

4　困ったときの相談相手

「困ったときの相談相手」については、多くの対象者が、「沖縄でのことなら沖縄の人、出身国でのことなら日系人」といったように相談事の内容によって相手を選んでいることが明らかになった。これに関しては、沖縄在住歴の短い対象者二名は「日系人」や「本土の友人」と回答しているのに対し沖縄在住歴の長い対象者は、相談相手が実家の家族や配偶者（およびその実家・親族）、日系人の友人、沖縄の友人、職場の人といったように多岐にわたっている。

相談の内容や連絡する内容としては、「沖縄の親族」に対しては年中行事についての相談や連絡が多かった。「日系人の友人」とはサッカーやパーティーなど遊びの連絡が多く、ここに「沖縄の友人」や「ラテン系米軍人」が入ることもある。その他に「沖縄の友人」は仕事上の顧客や同僚である場合も多く、仕事に関する連絡や職場の交流行事（バーベキューなど）を挙げる回答もあった。

以上のような結果から、対象者が長期間におよぶ多面的な社会参加を通じてホスト社会と日系人社会の両方に多様な社会関係資本を築いていることが明らかになった。また、余暇においてはラテンアメリカ的な遊び（ダンス、フットサル）を日常的に行っており、遊びを文化資本として日系人―沖縄の地域住民―ラテン系米軍人に至るネットワークを築いていることも窺える。先にも論じたように、先行研究では沖縄の社会関係の特徴として非公式な社会関係に参加している人の割合が非常に高いことが指摘されているが、その背景があればこそ「遊び」が沖縄の人々とのネットワークをもたらす文化資本として機能していると言えよう。

5　南米系日系人と「仕事」：収入を確保する資源として・社会関係の源泉として

「求職・転職の際の支援」については、友人・知人・親族による紹介を経て職に就く例が最も多かった。この場合、ヘッド・ハンティングのような事例を除けば、比較的小さな地元企業や自営業で雇われることが多い。求人広告やハローワークなどを通じて職を得た例では自治体などの公的機関での仕事である場合が多い。職歴については、他県での出稼ぎ労働や県内でのアルバイトを経て、親族や職場の元同僚などの紹介で社会上昇を果たす例が多かった。ハローワークや求人広告への応募の時には日本語能力や国籍で採用されなかった経験に言及する対象者もおり、知人による紹介がホスト社会での安定した生活を築くカギになっていると考えられる。

また、「職場で日系人であることのメリット・デメリットはあるか」という質問に対しては、多くの対象者が「スペイン語の名前にインパクトがあるので顔を覚えてもらいやすい」「わからないこと（日本語・慣習など）があっても笑って許してもらえる、手伝ってもらえる」「発想の違い・陽気さ」をメリットとして挙げた。また、国際イベント企画やスペイン語でのコールセンター業務など国際的な仕事に携わる対象者は「スペイン語能力や両方の文化を知っていることで重宝される」「外国人として意見に説得力が出る」との回答があった。一方、デメリットとしても「言語」「外国人扱い」を挙げる回答が多かった。また「（他の外国人と違って）安い給料やボランティアで何でもできると思われてしまう」「外国人に関わる案件がなんでも回ってきてしまう」といった回答もあり、沖縄社会の側がなあなあになって頼りすぎると感じられている事例もあった。ホスト社会との差異をメリットとして挙げる事例は国際的な業務に携わる対象者以外にも多く見られ、二〇〇二年の調査研究の時点（崎濱、二〇〇七）よりも職場において同化を強いられる経験は一般的に少ないと推察される。また、日本語能力での不自由は職場の同僚がサポートしていると考えられる。このような「理解ある」職業経験の背景としては、「自営業」「知人による紹介（＝事情を飲み込んだ上での採用）」の他、職場の規模が小さいために融通が利きやすいと考えられる。一方で、デメリットとして「言語」が挙げられるのは、第三次産業が中心で工場のラインのような仕事が少ないといった沖縄県の産業構造が背景にあることが指摘される。

以上のような職業経験を通じて、「沖縄社会にどのような影響を与えていると思うか」との質問に対しては、日本的な職場慣行とは違う働き方や関係性（フラットさ、だらだら残業しないなど）を提案することで影響を与えているとの回答がいくつかあったが、こういった文化変容を促せる一因として「紹介」で入社したことによる信頼関係があることが考えられる。また、「沖縄の友人」と「同僚・取引先」など職業を通じたネットワークが重なっている回答者も多く、社会関係資本を通じて変わるきっかけを得やすいという沖縄社会の特色が現れていると言えよう。

実際に、生活を安定させるのに不可欠な「仕事」を得る場面でも友人・知人・親族による紹介を経て職に就く例が最も多く、日本語能力や文化的背景の違いがハンディキャップになりやすい第三次産業が中心の沖縄社会で「わからないこと（日本語・慣習など）があっても笑って許してもらえる、手伝ってもらえる」職場環境を得られるのも、紹介者の信用を社会関係資本として活用しているためだと分析された。このような環境下で、対象者は周りと異なる自文化をメリットとして肯定的に位置づける傾向がみられた。

6　結論

イギリス国家統計局の社会的排除概念に沿って沖縄社会における南米系日系人の社会的包摂／排除の現況を整理した場合、二〇〇二年時点においての沖縄県における南米系日系人の包摂がはっきりと認められるのは社会的活動の側面だけであった。公的サービスにおいては、アクセス自体は排除されていないがサービスを受ける中での困難が多い。収入はやや低めな程度だが、雇用市場では「言葉」の違いのために不利になりがちである。そのかわり、自営業を起こしたり起業した家族の手伝いをする家族従業者として生計を立てる傾向にあり、小さな商いを始めやすい沖縄社会の環境が南米系日系人が経済基盤を得る後押しをしていると考えられる。職業あっせんや教育などにおいて、公的なシステムは日本語能力や日本社会への同化を強く求めているが、二〇一五年度調査の対象者は、家族・親族・友人（同僚含む）といった私的ネットワークを活用して職や情報を得、居場所を開拓してきた。沖縄社会全体が、行政などによる公式の社会関係よりも非公式の私的なネットワークを大事にして、その中で助け合いや信頼といった向社会的な行為・意識を醸成するといった構造になっており、多文化化の進まない公式セクターを私的な社会関係資本が補って南米系日系人が適応を助けているという構造が見えてきた。

以上の結果から、沖縄県在住の南米系日系人は日系人仲間とホスト社会との双方に信頼できる社会関係資本を築いているといえよう。顔の見えるネットワークを通じた求職は、彼らの異質性を了解した上で受け入れる職場環境につながっている。社会関係資本構築における「遊び」の機能として、異質性が架橋的資源としての価値を持つことと、言葉が多少不自由でも感情を共有し信頼感を育めることが指摘される。沖縄県の産業構造から日本語が不得手な場合はかなり不自由な生活を強いられるが、そのような日系人も遊びを通じてホスト社会とのネットワークにつながることが可能となっている。

二〇一六年一〇月二七—三〇日に第六回大会が開催された「世界のウチナーンチュ大会」はフットサルやダンス、空手などのコンテンツを通じて沖縄県出身の日系人や地元住民の交流を深めることを目的に開催されており、多くの対象者が参加経験を持っている。ここでも文化資本を活用した社会関係資本が創出されていると言えよう（崎濱佳代、二〇一八年）。

三　異文化学習によるネットワーキングと自己の変容

～二〇一八年度予備調査と二〇一九年度インタビュー調査の結果から～

1　はじめに

本プロジェクトの目的は、南米系日系人を受け入れるホスト社会としての沖縄社会が南米系日系人の持つ架橋性をどのように位置づけ、どのように受け入れているのかを、文化資本に基づくネットワーキング（ホスト社会、出身国社会、他県の南米系日系人社会との繋がり）の視点から精査・分析し、架橋的な社会関係資本が結束的な社会を変えていくプロセスを明らかにすることである。

具体的には、沖縄県内の南米系日系人を調査対象とした平成二七〜二九年度文部科学省科学研究費基盤研究（c）「ホスト社会沖縄と日系人—文化資本に基づくネットワーキングとその継承—」（研究代表者　鈴木規之）の成果を踏まえた上で、ホスト社会の側からのまなざし・コミットメントを、実際にラテン文化に親しんでいる個人へのインタビュー調査と沖縄県の日系人関連の施策についてのドキュメント分析を通して、ミクロ—マクロの両面から分析・考察する。

平成二二〜二四年度文部科学省科学研究費基盤研究（c）『ホスト社会沖縄と日系人・外国人・アメラジアン—多文化化から多文化共生への可能性—』（研究代表者：鈴木規之）で行った量的調査では沖縄県浦添市を調査対象地とし、地域の多文化化に対する住民意識調査を行った。その結果、実際に外国人と関わりのある住民は二割程度と接点が少なく、住民は外国人のことを意識せずに生活しており、多文化化しつつも多文化共生とは言えない現状にあることが明らかになった。また、文化資本としては、（アメリカと同様、歴史的に関わりのある）中国、東南アジア、ラテンアメリカと比較して、アメリカ、カナダなど英語圏への志向性が圧倒的に強いことも明らかになっている。ここでみられる「英米文化志向」はグローバリゼーションの下での英語の資源的価値に依拠しており、異文化に対しては利益志向のドライなスタンスで接しているように見受けられる。一方で、還流移民である日系人に対し、「沖縄」というルーツを共有することでの肯定感が大きいことも明らかになっている。

2　本プロジェクトの調査計画

本研究では、実際にラテン文化に親しんでいる地元民（サルサ教室に参加している人々など）にインタビュー調査を行い、ミクロレベルでの異文化受容と日系人の持つ架橋的社会関係資本へのアクセスについて分析を行うことを計画している。

一．において触れたように、二〇〇九年の量的調査からホスト社会としての沖縄側の異文化受容に対するスタンスは「英米志向」「利益志向」と位置づけられる。その一方で、日系人に対しては「同胞」として受け入れているといえる。平成二七～二九年度文部科学省科学研究費基盤研究（c）「ホスト社会沖縄と日系人―文化資本に基づくネットワーキングとその継承―」（研究代表者　鈴木規之）ではさらに踏み込んで、「同胞」のはずの南米系日系人がもたらす異質性（南米系の文化や、ネイティブとしての文脈・言語能力を共有しないこと）に対する配慮や支援のコストを、社会関係資本を活用することによって受け入れている可能性が指摘された。

以上の研究経緯を踏まえ、本研究ではホスト社会の側からの異文化受容へのまなざし・コミットメントについて明らかにすることになっている。具体的には、沖縄県内で日系ペルー人の講師が教えるサルサ教室やスペイン語教室の参加者にコンタクトをとり、インタビュー調査を行うこととなる。この計画に先立ち、実際に対象となり得る人々がどのような人々で、異文化学習の場をどのように位置づけ、どれほどの頻度・深さで参加しているのかについて予備調査を行う必要が認められた。そこで、実際にある南米系日系人講師が主宰するサルサ教室やイベントに定期的に参加し、サンプリングの条件や調査項目についての検討を行うこととした。

3　予備調査の結果と検討

①調査概要

当該サルサ教室は、那覇市のサルサバーCにおいて、水曜日（中級クラス）と日曜日（初級クラスの後中級クラス）に開店前の時間を利用して行われている。レッスン料は一コマ一五〇〇円だが、一コマ目から続けて二コマ目を受講する参加者が多い。筆者はこのうち日曜日の初級クラスに一―二週間おきに参加した。また、南米の祭りである「死者の日」のイベントにも参加した。

サルサ講師とCの経営者はいずれも南米系日系人で、友人同士である。Cの経営者は別の曜日に別のラテンダンス（バチャータ）の教室を開いてもいる。レッスンの時間帯やスタジオとして貸すときの料金などかなり融通を利かせているようである。

講師の話では、沖縄ではサルサ人口が少なく、東京などのように近隣の県から人が集められるわけでもないのでイベントなど経営的には苦しいという。

観察した項目は主に①参加者の傾向、②どのような物や情報がやりとりされているか、の二点である。

②調査結果

a．参加者は、実際には初級者は少なく、サルサ歴が長くイベントなどにも出演する中級以上の人々であった。

女性がほとんどで、初級クラスの後に設定されている「オン・ツー」（男女ペアで踊るスタイル）のレッスンに支障を来すほど男性の参加者は少なく、レッスンに来るかどうかもまちまちである。そのため実際には「初級クラス」で扱っている「レディース・シャイン」（女性が一人で踊るスタイル）の練習をそのまま続けることが多い。

年齢層は二〇―四〇代、仕事をして、収入を持っている人が多いようである。

講師が別に受け持っているベリーダンスのクラスと本クラスと両方に参加する人もいる。さらにレッスンが終わった後Cのバーカウンターに立って働いたり、頻繁に遊びに来たりなど、ただのお稽古ごとを超えた「居場所」として深く関わっている人も数人いる。

b．教室では、野菜のお裾分けや、作りすぎたサラダが配られることもある。お土産や差し入れもちょくちょくやりとりしている。また、体の不調に対してアドバイスしあったり、子どもの動向を伝えあったりなど、日常的な情報交換を行っている。

c．「死者の日」のパーティーについては毎年行ってきたわけではなく、これまでは時期の近いハロウィンにまとめられていたものが、「他と被らないように」日をずらし、目先を変えて行われたものである。当日は「死者の日」にちなみ、骸骨の仮装をしてくることがコードであった。しかし、九州にあるサルサバーのメンバーとの交流パーティーも兼ねていたことから、仮装をせず通常のダンスパーティースタイルの参加者も三割ほどみられた。「死者の日」であることに気づかない参加者もいた。

参加者は、多くがサルサ教室の参加者やサルサバーの常連であり、地元のダンス愛好家が多かった。また、日系人の参加者も一定数いるようであった。また、通常のダンスレッスンで見られたジェンダー差は、パーティーでは見られなかった。

参加者は、サルサ・ベリーダンス・ヒップホップダンス・三線演奏のパフォーマンスを楽しんだ後、ディスコタイムで思い思いにペアを組み、ラテンダンスを楽しんだ。常に踊っている参加者もいれば、たまに踊って挨拶に回る参加者もいた。音楽の音量が大きく、込み入った会話はほぼ不可能な状況であった。

このパーティーでは会費は設定されておらず、カウンターで有料ドリンクを頼む仕組みであり、(会場のサルサバーCはドリンク代を得たが)商業イベントというよりは私的なパーティーに近いと位置付けられる。

以上の観察から、当該サルサ教室では、週二回顔を合わせるメンバー同士の親密なネットワークが形成されており、そのネットワークがダンス学習以外の資源のやり取りにも転用されていること、情緒的な資源がやり取りされる居場所をも提供していることが読み取れる。また、ビジネスのネットワークと私的なネットワークが重なっており、区分が曖昧であることが指摘される。

「死者の日」パーティーの様子からは、主催者側としては沖縄文化と南米文化の融合を意図し、それを特徴として打ち出している意識が読み取れる。しかし、そのメッセージを受け取るか否かは参加者次第であり、参加者の中ではこのパーティーで異文化を意識する度合いはさまざまである。

4　二〇一九年度インタビュー調査の結果と分析

この調査は、科研費プロジェクト（一八K〇一九九八 基盤（C）「ホスト社会沖縄と日系人―ラテン文化資本の架橋性―」）の調査の一環として行われた。サルサダンスの学習者に、異文化の学習を通じて得られるネットワークと、意識や行動の変化についての質的調査を行ったものである。

①調査の範囲／対象

調査対象者は、南米系日系人の講師が主宰するサルサダンス教室の生徒（一五人）である。対象者選定の理由は、科目担当者が一〇年通う教室であり、ラポールの形成および予備調査（参与観察）が行えること、また、県内でも活発にステージ出演活動を行っていることから、生徒達の思い入れも深く、多様な語りのデータを採集できる見込みがあったためである。

②主な調査項目

一．回答者本人についての項目、二．ダンスのネットワークについて、三．ラテン文化、南米系日系人、外国人への意識・行動の変化について、四．自分自身の変化についての四点である。

③データ収集（現地調査）の方法

半構造化インタビューを行った。調査の実施時期は、二〇一九年八～一〇月である。調査地は、沖縄県中南部で、対象者の指定する場所に赴いてインタビューを行った。調査員の数は一五名であり、二人一組で対象者二名ずつを担当した。

④データ分析／解釈の方法

ＫＪ法を用いて全体の傾向を掴んだ後、類型分けをして、他の項目との関わりを分析した。

⑤調査の成果

調査の成果として、異文化学習者は年収や家族構成にかかわらず仕事や家庭以外の空間を多く求めていることが明らかになった。現代社会において多種多様な空間で生活している我々はニュートラル・グランドでの生活が気楽に、親密に人間関係が構築できるのではないかと考える。サード・プレイスの特徴として、社会的身分差とは無縁な資質を重視する事によってその空間では当人の魅力や雰囲気こそが重要視される。そのため、年齢や職業に関係なく同じ空間で活動できているのだと考えられる。

また、ダンス教室の生徒やバンドのメンバーとして対等で互恵的な関係を結んでいることが明らかになった。ダンス・音楽の「出会い」から協働的活動を経て、高次的な活動へと繋げる信頼関係を築いていると言える。

さらに、「自分自身の変化について」の調査結果から、趣味や仕事を通じて日常的に異文化に触れることで、自身や他者に対して何かしらの変化や効果をもたらしていることが分かった。対象者自身は趣味として異文化に触れることで、南米系日系人の友人ができたりなど新たなコミュニティーの輪を広げることができている。

対象者を通じて新たにラテン文化に興味を持つ人もいる。ラテン系の趣味を持つ対象者を通じて、興味がなかった人でも比較的足を運びやすいラテン系の料理を食べにいったり、サルサバーに行ったりなど、その周りの人が異文化について知るきっかけにはつながっている。このように対象者が異文化について理解し周囲の人と共有することで、ラテン文化の懸け橋になっていると推測することができる。

四　多文化社会を生きる

多文化社会の歴史とは包摂と排除にどのように向き合うか、「共にある」工夫の歴史といえる。それは、社会をより複雑にしてきた。

多文化化は、まずは都市社会の問題として認識され、問題点を指摘するところから研究は始まっているが、メリットも存在する。一つは、共同体全体のリスク管理の面での有用性である。多様な方が様々な外的環境の変化に対応しやすい。二つめは、人間は「遊ぶ動物」だということであるだろうか。一見ムダな手間・暇・金をかけてでも遊ぶのはなぜだろうか。三でとりあげたように調査からはネットワーキングや自己の拡張といった目的を果たしていることが見てとれる。遊びは、ひととき社会的な序列や階層の差を超えて人を繋ぐ。普段の関係性の外に開けている世界がある、ということを認識するだけでも、自己を客観視し、環境の変化から受ける衝撃を和らげることが出来る。

合理性だけで考えれば、異質なものを排除する方向に向かいがちである。言語も価値観も視点も同じメンバー同士で固まっていた方が話も通じやすく、考え方の違いによるいざこざも起きず、物事はさしあたりスムーズに回る。

それでも、人間は異質な他者と繋がろうとしてきた。大学院生として排除について研究を始めて二〇年が経った今、「環境の変化」と「遊び」をキーワードにすると、異質な他者を包摂する原理が見えてくるかもしれないと考えている。

注

(1) 故郷を離れて異文化の中で暮らす人々のこと。元は、ユダヤ人が世界中に離散している状況を示す言葉。

(2) 他所からの人々を受け入れる側の社会。

(3) 崎濱佳代「沖縄社会における異質性をめぐる葛藤と入り込み―沖縄県におけるディアスポラの意識調査から―」琉球大学人文社会科学研究科二〇〇三年度修士論文、二〇〇四。

(4) 中島（二〇一五）においてWalker, A. "Introduction: the strategy of inequality", In A. Walker and C. Walker (eds.), *Britain Divided: The Growth of Social Exclusion in the 1980s and 1990s*, Child Poverty Action Group, 1997. pp.1-13. から引用された定義。

(5) 中島（二〇一五）におけるMadanipour, A. and Allen, J. (eds.), *Social Exclusion in European Cities: Process, Experiences and Responses*, Routledge, 1998. からの引用を筆者がまとめた。

(6) 中島（二〇一五）より筆者がまとめた。

(7) Piore, Michael J., 1979, *Birds of Passage: Migrant Labor and Industrial Societies*, Cambridge University Press. (digital printed version 2008)など。

参考文献

安藤由美・鈴木規之・野入直美編著『沖縄社会と日系人・外国人・アメラジアン―新たな出会いとつながりをめざして―』クバプロ、二〇〇七。

安藤由美・鈴木規之（研究代表者）『沖縄におけるディアスポラのライフコース―ホスト社会との関係性をめぐって―　平成一三年度～平成一五年度科学研究費補助金（基礎研究(C)(二)）研究成果報告書』二〇〇四。
植木洋「日系ブラジル人の「基幹労働力化」：自動車部品メーカーを例に」社会政策学会『社会政策』四(二)、一一七―一二八頁、二〇一二年
沖縄県観光商工部交流推進課「おきなわ多文化共生指針」二〇〇九。
沖縄振興開発金融公庫『公庫レポート―沖縄公庫取引先からみた新規開業の現状二〇一五―』No.一四一、二〇一五年一〇月
上林千恵子「労働市場と外国人労働者の受け入れ」宮島喬・佐藤成基・小ヶ谷千穂編著『国際社会学』二〇一五年、有斐閣
梶田孝道・丹野清人・樋口直人編著、二〇〇五、『顔の見えない定住化』名古屋大学出版会。
川添雅由・安藤由美「沖縄都市における地域生活と社会参加」安藤由美・鈴木規之編著『沖縄の社会構造と意識―沖縄総合社会調査による分析―』二〇一二年、九州大学出版会
駒井洋『グローバル化時代の日本型多文化共生社会』明石書店、二〇〇六。
崎濱佳代「沖縄における南米系日系人と「仕事」―社会関係資本の成果としての仕事・社会関係の源泉としての仕事―」鈴木規之・崎濱佳代編『ホスト社会沖縄と南米系日系人―文化資本に基づくネットワーキングとその継承―』（琉球大学法文学部　社会学専攻社会学コース「社会学実習」二〇一五年度調査報告書）二〇一八年

崎濱佳代「異質性と向き合う社会での権利問題―主体化をめぐる問題の扱いについての考察―」安藤由美、鈴木規之、野入直美編『沖縄社会と日系人・外国人・アメラジアン―新たな出会いとつながりをめざして―』二〇〇七年、クバプロ
白井こころ「沖縄共同体社会における高齢者とソーシャル・キャピタル」イチロー・カワチ、等々力英美編著『ソーシャル・キャピタルと地域の力：沖縄から考える健康と長寿』二〇一三年、日本評論社
『ジェトロセンサー』日本貿易振興機構，六五(七七二)、二三―二四頁、二〇一五年
鈴木規之「ホスト社会沖縄と南米系日系人―文化資本に基づくネットワーキングとその継承―」鈴木規之・崎濱佳代編『ホスト社会沖縄と南米系日系人―文化資本に基づくネットワーキングとその継承―』（琉球大学法文学部　社会学専攻社会学コース「社会学実習」二〇一五年度調査報告書）二〇一八年
鈴木規之「ホスト社会沖縄と日系人・外国人―多文化化から多文化共生への可能性―」鈴木規之編『ホスト社会沖縄と日系人・外国人―多文化化から多文化共生への可能性―』（琉球大学法文学部　社会学専攻社会学コース「社会学実習」二〇〇九年度調査報告書）、二〇一一年
鈴木規之編著『沖縄のディアスポラの研究―日系人・外国人住民への調査から―』二〇〇二年度琉球大学人間科学科社会学専攻社会学コース「社会学実習」調査報告書、二〇〇五。
鈴木規之、二〇〇四、「沖縄のディアスポラの状況―ホスト社会との関係性をめぐって―」安藤由美・鈴木規之編著『沖縄県におけるディアスポラのライフコース―ホスト社会との関係性をめぐって―』（研究代表者安藤由美・鈴木規之）平成一三～一五年度文部科学省科学研究費基盤研究(C)(二)成果報告書。

関根政美『多文化主義社会の到来』朝日新聞社、二〇〇〇。
田巻松雄、スエヨシ・アナ編著、二〇一五、『越境するペルー人：外国人労働者、日本で成長した若者、「帰国」した子どもたち』下野新聞社。
中島智人「イギリスの社会的排除／包摂とソーシャル・キャピタル」坪郷實編著『ソーシャル・キャピタル』二〇一五年、ミネルヴァ書房
パットナム・ロバート・D、ゴス・クリスティン・A「社会関係資本とは何か」ロバート・D パットナム編著（猪口孝訳）『流動化する民主主義—先進八ヵ国におけるソーシャル・キャピタル—』二〇一三年、ミネルヴァ書房
ポルテス・アレハンドロ、ルンバウト・ルベン著（村井忠政ほか訳）、二〇一四、『現代アメリカ移民第二世代の研究—移民排斥と同化主義に代わる「第三の道」』明石書店。
町田宗博・金城宏幸・宮内久光編『躍動する沖縄系移民：ブラジル、ハワイを中心に』彩流社、二〇一三年
山ノ内裕子「ブラジルへ帰国した日系人青年たちのライフストーリー」日本教育社会学会大会発表要旨集録（六六）、三一〇—三一一頁、二〇一四年
山脇啓造「多文化共生社会に向けて」『自治フォーラム』Vol.五六一、第一法規、二〇〇六。
ヤング・ジョック（木下ちがや・中村好孝・丸山真央訳）『後期近代の眩暈—排除から過剰包摂へ—』二〇〇八年、青土社
Eunice Akemi Ishikawa "Transnational Migration between Brazil and Japan: Implication on Brazilian children's Education" Shizuoka University of Art and Culture, vol. 15, pp. 1-8, 2014

ダイバーシティ社会に向けて
～ろう者の手話言語獲得の歩から考える～

岩田直子

岩田　直子・いわた　なおこ

所属：総合文化学部　人間福祉学科

主要学歴：津田塾大学学芸学部国際関係学科卒、明治学院大学大学院社会文化研究科社会福祉専攻修了、英国リーズ大学Social Policy & Sociology　Disability Studies 修了

所属学会：障害学会、日本社会福祉学会、日本ソーシャルワーク学会、日本島嶼学会、沖縄県社会福祉士会

主要論文及び主要著書：

【論文】島嶼地域の障害者の地域生活の特徴～パラオと沖縄を比較しながら～（二〇一六年）

【共著】「障害者の社会的孤立」『社会的孤立への交戦：分析の視座と福祉実践』（二〇一三年）

【共著】「自立生活の多様性を求めて～宮古島市を事例に～」『共生の障害学：排除と隔離を超えて～』（二〇一二年）

【共著】中央法規出版『障害者福祉論』第4章3節　担当（二〇二一年）

【研究会発表】日本における障害者の暮らしと優生思想：包摂と排除の地域性と世界性（二〇一八年）〈International Conference with the Associated Institute in East Asia〉

【研究会発表】九州沖縄における地域研究と「共生の障害学」（二〇一七年）〈障害学研究会九州沖縄部会〉

※役職肩書等は講座開催当時

はじめに

新型コロナ感染拡大に伴い大学は遠隔授業に移行したが、この移行によって聴覚障害学生に対する情報保障の難しさを経験した。障害のある学生もそうでない学生も共に学ぶ〝キャンパスのダイバーシティ〟を目指して情報保障を試行してきたが、聴覚障害学生のあきらめ顔をみるにつけ彼らが求める情報保障と現状とのズレを痛感した。聴覚障害のある人々にとって、聴者と同じ空間、同じ時間の中で情報が保障されているというのはどのような状態や環境なのだろうか。そもそも聴覚障害のある人々はどのような情報保障を望んでいるか考えたいと思った。

このことを考える上で、聴覚障害者、特に今回はろう者がどのように手話言語を獲得したのかそのあゆみと、そのあゆみの中でどのような情報保障を期待しているのかに注目してみようと思う。具体的には、まず、沖縄国際大学において聴覚障害のある学生に対する情報保障の取組みを紹介した上で、米国、日本、沖縄を事例にろう者の言語である手話の獲得の歩みを述べる。そして、この言語獲得のプロセスで直面した抑圧の経験および聴能主義について考えると共に、この聴能主義を克服するためのささやかな提言を述べる。

一　沖縄国際大学の障害学生支援の紹介

1　沖国大において障害のある学生を支援する体制ができるまでの経緯

まずはじめに、沖縄国際大学（以下、沖国大）の障害学生支援の歴史と情報保障の取組みを紹介する。

一九九〇年代に視覚障害(1)のある学生の点字による情報保障から障害学生支援が始まった。主な支援は、テキストを点字にすることだった。その後、一九九〇年代終わり頃から肢体不自由のある学生が少しずつ入学してきた。当時、大学環境はバリアフリーとはいえない状況だったことから、肢体不自由の学生らが定期的に集まり（四、五名だったか）、学内のバリアフリー環境の必要性を話し合うようになり、定期的に学生部長に要望を出し始めた。具体的には、「バリアフリーのトイレを増やしてほしい」、「七号館にエレベーターを設置してほしい」、「身障者用駐車場に屋根をつけてほしい」、「五号館の出入り口のうちひとつでも自動ドアにしてほしい」、「ＡＴＭ機の前に手動のドアと段差があって使えないのでバリアフリーにしてほしい」といった内容だった。進歩はゆっくりだったが、学生と教職員が協力しながら大学のバリアフリー化が進み、現在では要望の多くが実現している。

そして、聴覚障害学生に対する支援が始まったのは、今から一七年前のことだ。社会福祉専攻の学生の中に入学後に聴力が低下し講義が聞き取れなくなった学生がいた。どのようにしたら勉強を続けていけるのか、本人、仲間たち、教員間で話し合いを重ねた。また、沖縄大学で要約筆記のサポートをしているようだと聞きつけるとすぐに学びに行ったりした（その後もスポーツ大会を開催するなど交流は続く）。学生らの情熱あふれるアクションは他の学友に伝わり、学生主導のサポート団体ができた。リーダー格の学生がコーディネートする形で、空き時間のある学生が聴覚障害の学生をサポートする仕組みを実現させた。しかし、一年を過ぎた頃から、学生のボランティアだけでは限界があることが明らかになった。そして、「紙とペンは大学で用意してほしい」、「授業の保障は大学の責務であることから大学として情報保障をしてほしい」等の要望を大学側に要望する活動が始まった。

このような言わば学生による学内ＮＰＯの活動は数年続いたが、学生主導の団体は、初期メンバーが卒業すると少しずつ機能しなくなった。このままでは情報保障の担い手がいなくなってしまう危機感から、在籍していた聴覚障害学生自ら学長に直接要望書を手渡した。彼らのアクションは大学組織として聴覚障害学生を支援することを考える契機となった。また、この頃になると、JASSO（日本学生支援機構）やPEPNET-JAPAN（日本聴覚障害学生高等教育支援ネットワーク）などが全国で研修を開催し、先駆的に障害学生支援を行っている大学の情報を学ぶ機会が増えたため支援体制を具体的に考える環境ができた。この流れの中で、ボランティア支援室（現・学生支援室）のスタッフがコーディネーターの役割を担い、ノートテイカー養成、ノートテイカー派遣、聴覚障害学生や講義を担当する教員のサポート等を担うことになった。聴覚障害学生や担当教員をサポートする際は個々のケースごとに話し合いを重ね、合理的配慮のあり方を模索している。また、教職員向けに情報保障に関するガイドブックを作成し、講義でどのような合理的配慮をすればいいのか伝えている。

2 障害のある学生に向けた支援の広がりと組織化

(1) 障害のある学生に向けた支援の広がり

1で述べたように、聴覚障害学生ならびに関係教職員の地道な活動があったことで、現在では大学組織の中で授業保障が進められるようになった。また、技術を身に着けた学生が有償（本学教育支援者制度（SA・TA制度）(2)と同等の時給）でノートテイクや文字おこし、字幕などの情報保障の担い手になるシステムも構築できた。新たなノートテイカーを養成するために年に二回、ノートテイク講習会を開催し、専門の講師からノートテイクの基礎を学んでいる。教職員用のガイドブックも版を重ねて情報が豊富になった。

沖国大では、他にも、肢体不自由の学生の代筆サポート、発達障害や精神障害のある学生のキャンパスライフのサポートもしている。短期間ではあったが、LGBTの自主グループができたこともあった。学生支援室の利用条件に特段の限定（例えば障害手帳の有無など）はなく、事故で負傷したなど一時的に支援が必要な状況でも利用できるし、教職員も利用可能だ。妊娠をした学生へのサポートや出産後の学生への支援体制（ベビールームの確保等）もある。

学生支援室にはボランティア活動を支援する機能もあり、全学の学生を対象にボランティア活動を紹介したり、学生自らがボランティア団体を立ち上げることを支援したりしている。全学からボランティアに関心を持つ学生が支援室に集まるのだが、自然と障害のある学生との交流が生まれている。一緒に昼食を食べながら手話を習ってみたり、ボランティア活動に参加する計画を立てたりすることも増えた。クリスマス会には日頃集う学生だけでなくその友人も参加しているようだ。教職員や教員や学生支援室スタッフ、吹奏楽部の学生も楽器演奏を披露する場面もあり、楽しいひと時を過ごしている。障害学生支援を単独の部署で行っていたらこのような出会いや交流は生まれなかっただろう。交流を通して障害の有無に関わらず学生どおし互いに理解を深めていく様子にインクルーシブ社会の萌芽が伺える。大学は社会課題に向けた実験ができる場所でもあるので、学生が主体になってさらにインクルーシブな環境を構築することを期待したい。

(2) 大学のユニバーサルデザインの推進

長い間、各大学の自主努力にゆだねられてきた障害学生支援だったが、文部科学省は、平成二四年一二月に「障がいのある学生の修学支援に関する検討会報告（第一次まとめ）」を発表して大学における合理的配慮の考え方や課題を示した。障害のある入学生の数が増えたこと、国連総会において「障害者権利条約」(3)が採択されたこと、国内法（障害者基本法や発達障害者福祉法(4)）等が背景にある。ついで、平成二八年度四月に障害者差別禁止法が施行されたによって、高等教育機関での障害学生支援が明確になった。さらに文部科学省は、平成二九年三月に、「障害のある学生の修学支援に関する検討会報告（第二次まとめ）」を発表した。障害者差別解消法で示された「不当な差別的取扱い」や「合理的配慮」について大学等における基本的考え方と対応を示した。また、教育方法や進学、就職等、主要課題において各大学が取り組むべき内容や留意点について示した。

沖国大においては、「沖縄国際大学における障害を理由とする差別の解消の推進に関する教職員対応要領」に示した障害学生支援の理念[5]に基づいて、①修学支援に関する相談対応、②学生サポーター育成・コーディネート、③教職員からの相談・対応行っている。また、「学生・保護者・高校生向け障害のある学生への支援のためのHandbook」[6]を刊行している。このハンドブックにはバリアフリーマップや大学内の学内の支援体制を紹介している。支援体制は、障害学生支援、学生課、キャンパス相談室、健康相談室、キャリア支援課、対面朗読室が連携して全学を横断するサポートチームを構築して運営している。定期的に全学教授会で啓発活動を行っている。

3　コロナ禍において模索した聴覚障害学生に向けた支援～情報保障の脆さと埋めがたいズレ～

四半世紀におよぶ試行錯誤と国内外の政策動向の後押しによって、沖国大の障害学生への支援は発展・充実した。しかし、二〇二〇年春からの新型コロナウイルス感染拡大は新たな試練を私達につきつけた。新学期早々遠隔授業がスタートしたが、これまで聴覚障害がある学生の情報保障を行うために提供してきたノートテイク（要約筆記）や字幕、文字おこしのサービスが従来通りの方法では情報保障ができくなってしまった。

例えば、ゼミ活動のように活発な議論の内容をオンタイムで理解することを求められる場合は、遠隔でどのようにテイカーを配置したら良いのか思考錯誤が続いた。また、聴覚障害の学生もひとりひとり聞こえの状態は異なるのでサポート内容も多様な選択肢が必要だった。聴こえない部分を文字で補えばそれで解決かというとそうではなく、例えば教員の口の動きを直接見ることで理解する学生にとってはパソコン画面が苦痛なものになってしまった。UDトークや字幕の誤字修正方法も当初はとまどいの連続だったし、教員によって講義スタイルが異なるのでそれぞれのスタイルごとに情報保障を考えなくてはならなかった。さらに、対面式の講義では、教員も受講生もマスクをつけているので口の動きが読めなかった。オンラインによる講義になって聴覚障害学生はさらに情報難民化してしまった。

世界ろう連盟は聴覚障害がある学生の教育におけるインクルーシブ教育について、「学ぶ者が参加し能力を発揮できる権利であること、また、単に同じ場にいればいいということではなく共に経験すること」という声明を出している。沖国大の日々の情報保障をふりかえると、関係者や聴覚障害学生、テイカーの学生らは最大限工夫を重ねているものの、共に経験を分かち合えている状態には至っているかといえばまだ途上のように思える。聴覚障害学生が我慢したり諦めたりしている表情を見ると、解決につながる！と取り組んだことがどこかズレていることを思い知らされる。さらには、以前から聴覚障害学生からは手話通訳で学びたいという要望を聞いているが、現行の日本の福祉サービスが未整備(7)であることを理由に結果的に可能性を探ることを先延ばしにしてきた（そして、忘れてしまう…）ことを思い出して無力感に襲われる。聴覚障害のある人々が健聴者(8)と同じ空間で同じタイミングで思う存分情報を共有することは無理なことなのだろうか。ダイバーシティ社会の実現が遠く思える。

以上、コロナ禍で露呈した情報保障の脆さを経験した筆者であるが、今回、このように執筆の機会をいただいたことをきっかけに一度立ち止まり、聴覚障害の方々はどのような情報保障を望んでいるのか考えてみたいと思った。具体的には、聴覚障害者の中でも生まれながら音声言語を獲得することが困難なろう者(9)に注目し、ろう者はどのように手話言語を獲得したのか、社会に対してどのような情報保障を望んできたのかを概観する。手話言語を獲得する選択肢は様々だが、ろう者学の研究者H．レインは、ろう学校をろう学校が手話言語獲得の主たる場所として「領土をもたないマイノリティの国(10)」と例えていることなどからも、今回はろう学校において手話言語がどのように捉えられてきたかたどる。

二　手話言語獲得の歴史～米国と日本を事例に～

1　ろう者学～手話獲得の歴史をたどる視点として～

(1) ろう者学

さて、ろう者の歴史や文化、主張をたどるにあたって、まず最初に当事者学としての「ろう者学:Deaf Studies」を紹介したい。ろう者学は、ろう者の運動であるろう文化運動から生まれた。ろう文化運動は一九八〇年代に欧米を中心に興ったもので、この運動によってろう者は手話を第一言語とする者というアイデンティティを獲得したと共に、自分達の言語や文化を守り、ろう者としての自信と誇りを取り戻した。換言すると、自らの存在を社会的文化的視点から捉えなおし、聴覚に障害があって聞こえない人ではなく生まれながら手話言語を使用する言語的少数者と捉えた。このような考え方を文字で示すときに、頭文字を大文字にしてDeafと表している。一方、小文字のdで始まるdeafは既存の医学的視点に基づく聴覚障害を語る時に使い、意味あいを分けている。Dから始まるDeafにはコミュニティの価値や規範、伝統、言語、行動基準を共有する者というアイデンティティが包含されていて、できないことや失ったことがある等々とは考えていない。そして、自らが紡いできた独自の文化や習慣に愛着と誇りをもっている。

一連のろう文化運動の流れの中から誕生したろう者学は、例えば、手話はろう者のコミュニティーから〝自然〟に生み出された言語であり、誰かが人工的に作ったものではないこと、手話は音のない言語だと表現する者もいるが、いわゆるパントマイムとは異なり二重文節があり、手話と音声言語の音韻構造には平行する現象があることなどが明らかにしている。また、後ほど具体的に説明するが、手話が禁止され唇の動きを読む（lip reading）口話法を強制された歴史を研究している。他にも「聴能主義」、つまり聞こえることが優れていて聞こえないというのは劣っているという価値を問い直したり、ろう者のコミュニティが生み育てた文化を探求したりしている。今回は、このろう者学の成果から学び、ろう者学の視点からに手話言語獲得のあゆみをたどる。

(2) 障害学

ろう者学とならんで、障害学（Disability Studies）についてもふれておきたい。障害学とは、いわゆる重度障害のある人々による運動から生まれた学術分野で、障害当事者の経験から社会を多角的に問い直す研究を続けている。重度障害のある人々はこれまで一人では何もできない人々、他者の援助を受けなければ生きていけない人々と見られ、医学やリハビリ、福祉、教育の専門職者が一方的に判定して訓練の目標を決められていた。また、制度も社会環境にも自身が人生を選択していくにはあまりにも障壁が多くあった。しかし、一九六〇年代後半から欧米諸国や日本において重度障害の人々自らが自分の置かれた環境についてとことん話し合い、自分達の生きづらさを根本から問い直すことをした。そして、そこから既存社会に異議を唱えたと共に障害に対する新たな考え方を打ち出す運動（自立生活運動）が広がった。自立生活運動を通して、障害は（視覚障害や聴覚障害等の）機能的な側面だけではなく、社会の側がつくりだした障害が生きづらさをつくりだしているという考え方を主張した。障害は社会が作り出したという考え方は「障害の社会モデル」というが、人々の意識、習慣、文化、制度が、社会のマジョリティの発想でつくられていることで生きづらさが生まれていることを明らかにした。今回、手話言語獲得のあゆみをたどる際、障害学が提示した障害の社会モデルの成果も参考にしたい。

ろう者学も障害学も、当事者の経験から、また、社会文化的文脈から既存の価値を問い直している。地域共生社会を標榜しながら結果的にはマジョリティがつくりだした論理や仕組みや価値に巻き込まれるといった経験を幾度となく経験してきた障害当事者は、安易に妥協せずに構造的な排除の仕組みを追究している。ダイバーシティ社会の実現と聞くと響きはいいが、障害当事者からすれば、健常者の自己満足や健常者による価値の押しつけだと言えなくもない。障害者の権利を奪っておきながらダイバーシティ社会を目指すことは避けなくてはならない。ろう者学や障害学から学び、排除、差別、偏見の事実をしっかり踏まえてダイバーシティについて考えることを大切にしながら、以下、米国、日本、沖縄における手話言語獲得のあゆみをまとめる。

2　米国における手話言語を取り戻す歴史

まず、ろう者がどのように手話言語を獲得していったのか一八世紀後半以降の米国のろう学校の事例を概観する。

米国では、一八世紀になると寄宿舎のあるろう学校が各地にでき、そこでろう者のコミュニティも育まれた。ろう者のクラブや会合の場所、ろう者の雑誌や新聞も誕生した。しかし、一九世紀になるとで、社会ダーウィニズムによる優生学[11]が広がり、ろう者は改善すべき存在と捉えられるようになった。優れた健聴者のコミュニケーションやふるまいを良しとし、手話言語とろう文化は否定された。ろう学校から手話もろうの教師も排除され、また、結婚を禁止したり断種や去勢するための法律が成立したりした国もあった。

このような健聴者による優生思想の強化は一八八〇年のろう教育国際会議（ミラノ会議）でより強化された。会議の参加者は圧倒的に聴者の教員が多く、一方、手話による教育を大切にしたい者は参加できず、さらにろうの人々は決議の投票からも除外されてしまった。会議の参加者は、聴覚障害者が社会復帰するためには健聴者のコミュニケーションを身につけなくてはならないとして聞こえる教師が口話法を教えることを決定した。この口話法による教育はその後八〇年近く本質的な議論がなされないまま残ることになってしまった。ろう者は聴覚障害があるために孤独で、また、問題を抱えて悩む存在になってしまった。社会福祉サービスは、聞こえない困った障害者のためにサービスを提供することを仕事だと考えるようになった。

それでは、手話は健聴者によって奪われてしまったのだろうか。それは違った。手話もろう文化も存続と発展を続けた。教師の職を奪われたろうの教員が寄宿舎担当の教師となり、子ども達に手話を伝えていたのだった。生徒の間でも手話を教え合い語り合った。優生思想が広がる中で

一八六四年には手話言語で学べるギャローデット大学がワシントンD．C．に設立されたのは興味深い。(12)

一九七〇年代後半になると、口話法による教育の失敗がようやく明らかになってきたことから、ろうコミュニティが復活し始めた。(13)公民権運動もろうコミュニティの復活に大きな影響を与えた。ブラックアメリカンやマイノリティ、女性達のアクションはろう者が社会から疎外されてきた歴史を見つめ直すことを促した。また、公民権運動は、ギャローデット大学の学長選挙に端を発する学生らの運動（一九九八年）にも影響を与えた。ギャローデット大学は、学長選挙をめぐる学生運動が生まれるまで学長は健聴者だったそうだが、学生達は「Deaf President NOW!（今こそろうの学長を！）」と主張した。八日間続いた運動は市民も巻き込みながら社会的に影響を与え、ろう者が自尊感情を取り戻すプロセスにもなった。(14)

そして、二〇一〇年七月バンクーバーで開催された第二一回ろう教育国際会議において、同国際会議ミラノ会議（一八八〇）の決議を否定するバンクーバー声明「新しい時代―ろうの参加と協調」が採択された。(15)ここでは全国ろうあ連盟訳のポイントを抜粋して紹介する。

> 一八八〇年、ミラノで国際会議が開かれ、ろう者の教育が討論された。当時の参加者は、世界中のろう者の教育や生活に影響を与えることになるいくつかの決議を行った。この決議によって次の事項が生じた：

・世界中のろう者のための教育プログラムで手話の使用が排除された。
・世界中のろう市民の生活に不利益がもたらされた。
・世界の多くの地域や国々の教育上の施策や立案における、ろう市民の排除につながった。
・就業訓練、再教育などキャリア開発の分野で政府の立案、政策決定、財政的援助にろう市民が参加できなくなった。
・ろう市民がさまざまなキャリアで成功する能力を阻み、多くのろう者が自分の夢を追いかけることができなくなった。
・多くのろう市民が、自分の文化や芸術性を十分に発揮して各国の多様性に寄与する機会を阻んだ。

ゆえに、私たちは…
・ろうの児童生徒の教育プログラムにおける手話の使用を禁じた一八八〇年ミラノ会議の決議をすべて退ける。
・ミラノ会議が及ぼした有害な諸影響を認め、心から遺憾に思う。
・世界のすべての国家が、歴史を記憶し、すべての言語とあらゆるコミュニケーションの形式を教育プログラムが受け入れ、尊重することを要求する。

ろう教育国際会議ミラノ会議（一八八〇年）で口話法を採用しバンクーバー会議（二〇一〇年）でその決議を退けるまで一三〇年の年月が必要だった。手話言語を取り戻すための闘いが長く過酷だったことを痛感する。

3　日本における手話言語を取り戻す歴史

(1) 日本におけるろう者はどのようにろう学校の歴史と手話

次に、日本のろう者はどのよう手話言語を獲得していったのか、日本のろう教育の歴史を概観しながら考える。

日本では、一八七八年（明治一一年）に、古川太四郎が日本で最初の聾唖（ろうあ）学校、「京都訓聾唖院」を設立した。設立当時は「手まね」と言われていた手話を活用した教育が行われていた。古川は五〇音図を表す指文字を開発した。一八八〇年（明治一三）には東京の訓盲院も誕生した。学校には寄宿舎が併設されていたことや同窓会のつながりからろうコミュニティも生まれた。

その後、大正末期になると、後に口話教育の父と呼ばれる西川吉之助が口話法によるろう児の教育を広める活動を始めた。西川は、娘が聾であることがわかると、手話や筆談に頼らなければならない話せない唖者にはしたくないということから研究を重ね、当時欧米で広がりを見せていた口話法にたどり着いた。西川は娘に口話法で教育すると共に、私財を投じて口話教育推進運動にも力を注いだ。その後、一九三三年（昭和八年）、全国聾学校長会で、当時の文部大臣鳩山一郎が聾学校での手話を禁止し、聴覚口話法の全身である「口話法」による教育をするように訓告し、[16]教育の場で手話が禁止されることになった。この訓告でろう者の教員は退職に追い込まれた。

しかし、大阪市立聾唖学校の高橋潔先生のように手話を守り抜いた教師もいた。高橋先生は、一九一四（大正三年）から一九五二（昭和二七年）年の退職まで、ろう者の教育に尽力した教師だった。ろう学校に就職した頃、すでに欧米では口話法が広がりを見せていたが、口話法による教育は単なる日本語学校か治療や矯正としか思えなかった高橋先生は、「一日一日成長していく生活者として彼らの精神的生活の糧を与えて行かねばならない、それには彼らの母国語である手話に依らねばならぬ。」と考えた。[17]大阪市立聾学校では、米国から帰国した大曽根源助先生が中心になって指文字の教育がすすめられた。また、手話劇の公演や超宗派の宗教教育、を実現した。聾唖青年達が全国から集って合宿をすることもあったそうだ。[18]大阪市立聾学校の方針に対しては多くの批判があったそうだが、ろう者と共に歩みろう児の立場になって手話を守り、声を上げ続けた教師がいたことを忘れてはならない。

こうして、日本も、諸外国同様、口話法によって教育を行う時代が続くのだが、一九七〇年代になると、全日本ろうあ連盟などろう者の運動によって少しずつ変化が生まれてきた。そして、一九八九年（平成元年）に新しく設けられた盲学校、聾学校及び養護学校幼稚部教育要綱では表情や身振りなどの様々な方法を用いて意欲的に意志を伝え合うことを教育の目標として掲げた。また、同時期に改訂された高等部学習指導要領では生徒の聴覚障害の状態等に応じ、各種の言語メディアの適切な活用を図り、言葉による意思の相互伝達が正確かつ効率的に行われるようにすることを掲げた。その後の改正でも手話も含めた多様な方法でコミュニケーションを図ることが示された。

(2) ろう者の間で生じた手話に対する認識の相違と教員への影響

全日本ろうあ連盟は、一九六〇年代後半以降、活動の目的をろうあ者の生活と権利を要求することを主たる目的とし、差別や権利侵害に対して闘った。連盟のリーダーらは、労働運動に参画した経験からろうあ者と健聴者との連帯を重視し、手話についてもろうあ者と健聴者の「共通の言語」と捉えることを推奨した。手話独自の文法よりも、手話と日本語の互換性を重視していった。[19] そうすることで手話が広がりろう者の社会参画が促進される一方で、これまで使っていた手話との齟齬に悩むことになった。[20]

一九九〇年代になると、連盟とは異なる新たなアクションが生まれた。一九九三年に結成したDプロだ。Dプロはろう文化及び独自の文法を持つ「日本手話」を大切にすること、およびバイリンガルろう教育の必要性を主張した。[21] Dプロの中心人物である木村と市田による「ろう文化宣言」(一九九五)[22] は、宣言の文頭に以下の通りろう者の定義を記している。

「ろう者とは、日本手話という、日本語とは異なる言語を話す、言語的少数者である」──

これが、私たちの「ろう者」の定義である。

これは、「ろう者」＝「耳の聞こえない者」、つまり「障害者」という病理的視点から、「ろう者」＝「日本手話を日常言語として用いる者」、つまり「言語的少数者」という社会的文化的視点への転換である。[23]

木村らによるろう文化宣言は、他に、デフ・コミュニティー、口話主義、トータル・コミュニケーション、人工内耳、バイリンガリズム、シスコム、手話通訳者のことにも言及している。中でも、ろう学校で展開した口話主義教育に言及していて、「植民地政策」という表現を用いながら口話主義の教育を痛烈に批判した。本来、別の言語である音声言語と手話を同時に話すことなど不可能であり、どちらかが（あるいは両方とも）中途半端になってしまうと指摘した。[24]口話主義は、多数派である聴者の文化と言語に同化を強制する行為であること、手話の使用を禁じられたろう者はひとりの自立した存在であるどころか自立を欠いた〝障害者〟としてのアイデンティティを強要された変化を生み出した。ろう文化宣言は、ろう者の中でも賛否分かれたそうで、批判的意見もあったそうだ。ろう者の間で手話に対する認識が異なることは注目すべき点である。

同じ時期（二〇〇〇年（平成一二年））に口話法によるろう教育に疑問をもった親たちが「全国ろう児をもつ親の会」を結成して、手話の使用を求める運動を展開した。二〇〇二年にはろう児の人権宣言[25]」を発表し、反響を呼んだ。そして、翌二〇〇三年に親の会は人権救済申立書を日弁連に提出した。(※)この宣言には、ろう児とろう者にとっての母語が日本手話（日本語対応手話とは異なる）であること、母語である日本手話で教育を受ける権利があること、バイリンガル・バイカルチュラル教育（手話という言語、ろう文化を学ぶ教育）推進することなどが宣言されている。これを受けて、日弁連は二〇〇五年に文科省に「手話教育の充実を求める意見書」を手渡した。日弁連の意見書は、親の会が目指していた「日本手話」を単に「手話」と置き換えるなど、少々トーンダウンした内容になったが、これらの動きは、文科省の学習指導要領の改訂につながり、二〇〇九年にはろう学校のコミュニケーション手段のひとつとして手話を認めた。

二〇一〇年代になると、新たな動きとして各地で「手話言語条例」が誕生した。この条例は、手話は意思疎通を図る上で欠かせない言語であることを定めている。また、現在、日本ろうあ連盟が中心になって「手話言語法」をつくる全国的な動きがある。言語としての手話を獲得し活用するための五つの基本的権利[27]を保障する内容になっている。

以上、米国および日本において手話言語を取り戻す歴史を概観した。取り戻したというより取り戻す途上にあると言えるが、現在の様々な情報保障の取り組みの背景には長く過酷な歴史があることを忘れてはならない。また、ろう文化運動によって獲得した価値や文化を教育システムとして受け入れるかどうか、つまり手話言語で教育を受けることを実現させるか否かの判断が聴覚障害児童の教育のあり方を大きく左右することが示された。

三　沖縄における手話言語を取り戻す歴史

～沖縄のろう学校のあゆみと沖縄県聴覚障害者協会の取り組みから～

1　明治期～戦前における沖縄のろう教育

ここまで欧米諸国および日本の歴史沖縄の手話獲得の歴史を概観した。それでは、沖縄にはどのようなろう者の歴史、どのような手話言語獲得のあゆみがあるだろうか。沖縄県聴覚障害者協会のご協力を得て、沖縄のろう者の教育の変遷を伺う機会をいただいた。ここでは、沖縄においてろう者はどのように手話を獲得していったのかを紹介する。

明治時代後半期に聴覚障害児に対する慈善的な私塾としての教育機関が全国的に数多く設立されたが、沖縄においても情熱をもって聴覚障害児の教育に取り組んだ先人がいた。また、聴覚障害教育国際会議ミラノ会議（一八八〇年）を契機に手話教育が禁止となり口話教育が奨励されたが、沖縄においても口話教育が推奨され、手話を奪われた歴史があった。

沖縄の聾教育の歴史は、渡慶次尋常高等小学校長の與那嶺惟俊先生の生涯をかけた教育がある。與那嶺先生は明治三九年頃から盲聾唖児教育着手した。次いで、鹿児島県出身の田代清雄先生が私財を投げうって沖縄の聾唖者教育を始めた。大正一二年に那覇市若狭で私立沖縄聾唖塾（後に私立沖縄聾唖学校に変わる）を始めた。田代先生は手話（身振り）と筆記で教育を行った。昭和四年「私立沖縄聾唖学校」文部大臣から認可を得た頃には、生徒は男性一四名、女性二名。科目は修身、読み方、算術、書方、図画、綴方、裁縫、体操の八科目。教員は田代先生の他に無資格の教員が二名いた。また、田代先生の提案で、昭和三年一〇月に沖縄聾唖協会組織された。資金造成が目的とされているが、学校創設のためなのかスポーツ大会のためなのかは定かではない。その後、沖縄聾唖学校は県立代用校として認可され昭和一八年まで続いた。

昭和一八年四月　沖縄盲学校と聾唖学校が合併。沖縄県立盲聾唖学校となった。現在の那覇高校のあたりにできた。しかし、昭和二〇年二月　戦災にあい閉校となってしまった。

戦前の沖縄の聾教育は、昭和一三年までは手話や身振語を主とする手話法が用いられていたようだ。昭和一四年頃から他県より遅れる導入だったが口話法による指導が始まり、初等部一，二年だけ発音指導を行った。三年以上は、毎日日誌を書いて助詞の使い方を指導した。その他では、手話で授業が行われていた。

2　戦後の沖縄のろう教育

昭和二六年四月沖縄盲唖学校設立が認可された。昭和二六年から二八年までの二年間は手に職つけるクラスがあった。農業とかトイレの汲み取りとかを学んだ。コミュニケーションは手話中心だった。同じ時期、本土の聾学校視察をした教員が口話による教育を伝えた。当時生徒は手話で話していた。また、口話の読み取りはできなかった。美術を教えていたろう者の新田先生は手話による教育を勧めたが、他の先生は口話を推進しようとし、新田先生の立場は複雑だったようだ。新田先生自身、教員資格をもっており本当は手話で教えたかったが、教職の資格が戦前の資格だったことから教員免許をはく奪された。県に進言しても断られ、補助的教員になった。

昭和二八年に盲教育聾教育義務制が実施（琉球教育法）され、昭和三四年にはろう学校と盲学校が正式に分かれて、琉球政府立沖縄聾学校と改称された。このころになると口話による教育が広がり、手話を使わせないため手を後ろに組ませたり、筆談手帳でコミュニケーションを促したりした。読解力を妨げるのは手話だと決めつけたて手話を厳しく禁止した。教師もいた。口話努力賞を校長名で発行し、朝会でこれを授与したりした。

今回、協会の方に聞き取り調査を行った際、当時、教室では口話法による教育だったが、下校時のバスの中では手話で会話をしたそうだ。この当時、沖縄で生まれ沖縄で手話を学んだ者と、東京のろう学校で学んだ沖縄出身者とでは手話が分かり合えなかったそうだ。

3　風疹児童の教育とその後

沖縄では、一九六五年（昭和四〇年）頃、風疹児童が急増した。そして、一九六八年に風疹児の親の会が発足し、教育の場と補聴器の無料配布を琉球政府に訴えた。一九六九年一月に総理府の調査団（本土政府派遣検診班）が沖縄を調査した。この報告によると、三八〇人の聴覚障害児がいることがわかった。総合施策を強調した。すぐに教育者（本土政府教育指導団）を派遣した。一〇人の教育者が本土から来て教師や親に講習を行った。その後も九州大学から五人の専門医が検診にきたりした。また、他の子どもと同じように就学させるために巡回教師が指導したが約四〇〇人に対して巡回教師は一二人のみだった。[28]

風疹児童の教育は、全国的に口話主義による教育が全盛期だった時と重なったことから口話が中心だった。そして、口話法による教育が進めた一方で手話は禁止されていた。二〇二〇年に出版された沖縄風疹聴覚障害教育を記録に残す会編（二〇二〇）『聴こえない世界に生きて―沖縄風疹児五五年の軌跡―』には風疹聴覚障害者の座談会や手記が掲載されている。[29]

風疹時として生まれた54年間の体験では、以下のようなエピソードが紹介されている。

・小学校五年から普通学級に入って勉強するように言われたが、先生の口話もわからず勉強についていけなかった。専門学校に入って初めて手話を知った。
・沖ろうの寄宿舎で先輩から手話を自然に覚えた。ろう学校では、手話を使うと先生に物差しで手をたたかれた。そのトラウマで勉強に集中できなかった。
・先生は繰り返し繰り返し厳しく教えた。ときには手をあげることもあったので、泣いた。
・先生は手話がわからない。口の形だけを読み取らなくてはならない。先生が起こっては泣いてしまう。
・寮に入り手話が少しできるようになった。

・小学1年から高校まで、先生とはコミュニケーションがとれないことがたくさんあった。
・発生訓練や唇の動きからは話を読み取る読唇術や、風船をふく練習など。親子で訓練の日々だった。
・卒業して大人になってから手話を獲得した。

沖縄県聴覚障害者協会も、聴覚障害者に対する教育について社会に提言を繰り返してきた。例えば、二〇〇三年に第一回聴覚障害者教育フォーラムを開催した。開催背景にはこれまでまともなろう教育をうけていないことや、会員の学力が思わしくない要因も手話による教育を受けられなかったからではないかという思いがあったそうだ。しかし、第一回フォーラムの基調講演の講師として招聘したろう学校の教師が語ったことは手話導入の話ではなく口話教育のことだった。基調講演に続けてシンポジウムをしたが、その教師とろう者とは最後まで意見が合わなかったそうだ。フォーラムの結果に落胆し、当面の間フォーラムを休止する経験をしたそうだ。

また、ろう学校の名称を「特別支援学校に変更する国の動きに対して、聴覚障害者協会は、二〇〇八年に単独型の「聴覚特別支援学校」として存続する陳情書を県議会に提出した。特別支援学校になると、ろうなのか盲なのかわからない。自分達は〝ろう〟に誇りをもっている。ろう学校を残してほしい。卒業生や通訳者などが反対した。沖縄の場合はろう学校に誇りを持っていたので残した。陳情書に対する県議会の反応は受理しますというだけだった。県も迷っていたようだ。その後も名称を変えないかと繰り返し提案されたが、そのたび主張を繰り返した。

4　沖縄の手話言語獲得の今後

沖縄は、明治期後期に情熱をもった教師が私塾を開校することから始まり、戦後の口話教育、風疹児の教育を経験してきた。日々のコミュニケーションに欠かせない手話を奪われてきた歴史、国内外のろう学校で続けられた口話法による教育は、手話を学ぶ機会や手話で知識を得る機会を奪った。ろう者は涙ぐましい努力で健聴者の発声と読唇術をたたきこまれた。沖縄の風疹児童が生まれた時期はまさに口話法教育が主流で、先述した沖縄風疹児の経験からも親子の並々ならぬ努力と葛藤、トラウマの状況が伝わる。しかし、発声することができたとして、どれだけの聴覚障害者が健聴者と同じように聞こえるのか、冷静に考えてそもそも人は読唇で会話を理解できるのかと問うてみると、二〇一〇年第二一回ろう教育国際会議 バンクーバー会議のバンクーバー声明の決議は遅すぎの感が否めない。沖縄県聴覚障碍者協会会員の話の中で印象的だったのは、「手話は私たちにとって命だ。手話なくしては生きていくことができない。健聴者から日本語を奪ったら生きていけないのと同じこと。」という発言だった。ろう者にとって手話が不可欠ということ、そしてこのシンプルなことが保障されることが沖縄においてもいまだ難しい状況にあること、情報技術が発展してもろう者が手話言語で知識を得るには高いハードルがあることを学んだ。県内において手話通訳で受講するろうの大学生はまだいない。全日本ろうあ連盟と連携して県内市町村に手話言語条例を制定すること並びに手話言語法を成立させ、手話が言語として認識される活動を行いながら、手話による情報保障が実現することが期待される。

四　健聴者とのコミュニケーションに隠れる抑圧
〜対等な関係の幻想と被抑圧者としてのろう者の経験〜

1　被抑圧者の経験

圧倒的にマイノリティである手話という言語は、健聴者が健聴者の論理で構築したろう教育の中で否定されてきた。教育がろう児の自尊感情を低めることに貢献したのならば残念でならない。専門職者の指導が自尊感情を低めることにつながってしまったことに関しては、例えば、脳性麻痺のある児童に対する訓練にも見られた。日本において一九六〇年代後半に脳性麻痺の定義が定められ、その後一九七〇年代から早期発見早期治療が脳性麻痺の克服に効果があるとして、早期治療が広がり訓練が繰り返された。日々長時間の訓練をして少しだけ物をつかめたり足を動かせたりすると周りの大人たちは喜ぶが、それができなくなると落胆する姿を見せつけられた子どもは自分の障害が親や周りの人たちを悲しませるインプットして自尊感情を低くしてしまった。

国際人権上のマイノリティ、社会的弱者にさせられたマイノリティは可視化されにくい。多数者による決定過程から排除されてしまう。マジョリティが無関心であることがマイノリティには抑圧になる。この点について、ハタノ（二〇〇六）は、「多文化共生という言葉はマイノリティ、または社会的に弱い立場に置かれている人たちの側から発生した言葉ではない。」、[30]「マイノリティ、または社会的に弱い立場に置かれている人」は、「多文化共生」というような「抽象的で丸みを帯びた言葉」を使って何かを要求することはなく、むしろ「自分たちのこの権利を認めてほしい」「侵害しないでほしい」といった形で「切実な要求を掲げるのが自然」[31]と述べ、マジョリティの楽観的な思考に対するマイノリティの批判的視点を分析している。圧倒的マイノリティのろう者の声は社会にどれだけ届いているのだろうか。ダイバーシティ社会を実現するためには、抑圧の経験を受けてきたマイノリティの声にどのように応えていくかから始めることが重要だと考える。

2　目にみえない抑圧　～聴能主義～

ろう者は、聴能主義（オーディズム）についてもするどく追究している。聴能主義とは、聞こえるという能力を持っていたり、聞こえるものどおしのふるまいができる者は優れていると考えたり、できない者を劣っていると捉える考え方だ。H．レインは、聴能主義について、

「ろう者に対処する制度総体である。ろう者に関する発言を行い、ろう者に関する見解を述べる権限を持ち、ろう者を記述し、ろう者について教え、どの学校に行くのか、時にはどこに住むかすら決定する。ろう者社会を支配し、再構成し、ろう者社会に権力を行

使する聴者の方法である。(32)オーディズムは、聴者の文化に基づいてろう者の能力や成功をジャッジしようとする。」

と定義している。聴能主義にもとづく習慣や意識、制度等は社会のあらゆる分野にあり、しかもあまりにも自覚がない。あまりにも当たり前にあることから、ろう者自身の中にも内在化していると言われている。圧倒的少数派のろう者が聴能主義社会の抑圧に飲み込まれながらも自らの文化を誇りに思い、手話を第一言語とする言語的少数者というアイデンティティを獲得したあゆみをたどってみて、マジョリティの健聴者がどれだけ自分事として考えられるか問われていると痛感した。

3 ダイバーシティ社会に向けて何ができるか

それでは、これから私たち（健聴者もろう者も）はどのようなこと積み上げてダイバーシティ社会を実現していけばいいだろうか。二―3で述べたように、今後は、健聴者が日頃使う言語と手話との間にあるギャップを具体的にどのように埋めていくかを考えることが必要だろう。

健聴者の言語と手話言語との間にあるギャップを軽減させるために、まずはろう者が参画することが予想される場で質量ともに納得いく情報保障を実現することが求められるだろう。また、この保障を持続可能なものにする必要がある。そのためにはネックになっている情報保障（ろう者ひとりひとりの社会環境に合わせた情報保障）体制を公的に整備し、個人や組織が経済的負担を心配せずに情報を保障することが求められる。手話言語法を成立させることや関連法を改正することが急務だ。その公的土台の上に、聴覚障害学生と共に柔軟に情報保障の方法を考え事例を積み重ねられたらギャップを軽減することができるのではないだろうか。

また、ギャップを軽減するために、手話が言語であることや豊かなろう文化があることを学ぶ場を増やすことが期待される。例えば、四国学院大学のように語学教育（第二外国語）に手話を導入している大学があるそうだ。ドイツ語やフランス語と同じように語学として手話を学ぶことはギャップを軽減するよい機会だと考える。同様に、共通科目の中にろう文化を学ぶ科目を導入したら、互いの文化を理解することができるのではないだろうか。さらに、英国リーズ大学など海外の大学の中には、同時通訳を学ぶコースの中に手話通訳を学ぶカリキュラムがあるそうなのだが、手話通訳士の専門職者養成を他の言語の通訳士と一緒の枠組みで行うこと自体が啓発になる。地道な取り組みだが、ギャップを軽減することにつながると考える。

手話言語について他領域の研究分野と共同研究を行うことも有効であろう。国内では全国ろうあ連盟とDプロとでは手話に対する認識が異なっていたが、ろう者学や障害学が他領域と共同研究を行うことで手話言語に対する新たな見地が見つかるのではないだろうか。他にも、例えば、社会人類学者のスティーブン・バートヴェック（S.Vertvec）が二〇〇七年にスーパーダイバーシティ（super diversity：超多様性）という概念を打ち出したが、人々の移動やテクノロジーの発展によって従来の移民研究のフレームワークでは説明できない現象（民族も言語もミックスされる）の中に、手話言語を第一言語とするろう者を含めることは、ろう者のアイデンティティに新たな観点を加えることになるのではないだろうか。このような共同研究は、マジョリティ言語とマイノリティ言語の間にある圧倒的な不均衡を変えていく方向性を見出す可能性があると思われる。

おわりに

沖国大において聴覚障害学生の情報保障のあり方を探る上で、今回、米国、日本、沖縄のろう学校で手話言語がどのように扱われてきたのか、また、手話言語をどのように獲得してきたかを概観し、手話言語で学ぶことを保障することの重要性を述べた。また、ダイバーシティ社会を実現する上で、圧倒的マジョリティである健聴者が無自覚に聴能主義の価値を押し付け抑圧していることを忘れてはならないことを述べた。今後は、多様な研究分野と共同研究を重ねながら聴能主義の具体例を丁寧に分析し、互いに意見を出し合うこと重ねていくことが求められる。また、実際に情報保障を行う際は、情報保障を行う場（大学、会社、講演会、等々）の環境や経済的条件に柔軟に対応しながら、一歩ずつ保障の方法を創意工夫していくことが期待される。もちろん、情報保障に関連するしつかりとした法整備が前提であるので、その前提を整備するためのアクションを共に行っていきたい。

註

(1) 障害の表記について:日本語による障害の表記方法は、障害、障がい、障碍などの選択肢がある。本文では「障害」と表記する。

(2) 本学教育支援者制度(SA・TA制度)は在学生が教員の講義をサポートする制度。SAは学部生の教育支援者を指し、時給は一、二〇〇円。TAは院生の教育支援者を指し、時給は一、八〇〇円。

(3) 障害者権利条約の中で教育分野については、「教育についての障害者の権利を認める」(第二四条第一項)とし、「障害者が、差別なしに、かつ、他の者と平等に高等教育一般、職業訓練、成人教育及び生涯学習の機会を与えられることを確保する。このため、締約国は、合理的配慮が障害者に提供されることを確保する」(第二四条第五項)と定めている。

(4) 障害者基本法においては、何人も、障害者に対して、障害を理由として、差別することその他の権利利益を侵害する行為をしてはならない(第四条第一項)、「社会的障壁の除去は、それを必要としている障害者が現に存し、かつ、その実施に伴う負担が過重でないときは、それを怠ることによつて前項の規定に違反することとならないよう、その実施について必要かつ合理的な配慮がなされなければならない」(第四条第二項)と定めている。

発達障害者支援法では、大学及び高等専門学校は、発達障害者の障害の状態に応じ、適切な教育上の配慮をする(第八条第二項)と定めている。

(5) 本学が目指す障害学生支援の理念:https://www.okiu.ac.jp/campus_life/student_support/student-

support_001

(6) 本学ホームページ「学生生活支援情報」→「学生支援室」→「障害学生支援ページ」→「その他：リンク、資料」をクリックするとにアクセスできる。

https://dl1.dl.multidevice-disc.com/dl/29647-c0c0da332978478613195b00ba5f41a8

(7) 現行の福祉サービスでは、手話通訳士の身分保障が未整備のため、専門知識を持った人材（手話通訳士やノートテイカー等）を講義ごとに確保したり情報保障体制をコーディネートするスタッフを確保したりすることが困難である。また、もしそのような人材を確保できたとしても、現行法では手話通訳士の派遣料が膨大になる。さらには、もし人材と予算が確保されたとしても、教室の備品や情報機器の状況、講義スタイルに合わせてケースごとに柔軟に対応をしていくスタッフ体制が求められる。

(8) 健聴者：聴覚障害者に対して音声言語が聞こえる者という意味でよく使用されていることから使用する。健常者という表現と重なる。

(9) 次章に進む前に、ろう者についてふれておきたい。医学の視点（医学モデル）からみる聴覚障害は、大きく分けると、中途失聴者、難聴者、聾者（聾唖者）に分類できる。厳密な定義ではないが大きな枠組みで分けるならば、中途失聴者は、言語を獲得後に失聴した者、難聴者は残存能力を活用してある程度音声言語が分かる者、聾者は音から言語を習得することが困難なので手話や口話といった視覚で言語を獲得する者である。聾者ではなく平仮名で「ろう者」と書く場合は、英語のDeaf と同じ意味を示している。

(10) 木村・市田（二〇〇〇）「ろう文化宣言～言語的少数者としてのろう者～」現代思想編集部編『ろう文化』

九頁（現代思想一九九五年三月号再録）
⑾　マーク・マーシャーク編（二〇一五）『オックスフォードハンドブック　デフスタディーズ　ろう者の研究・言語・教育』明石書店　二八一―二八二頁
⑿　連邦議会でコロンビア聾唖教育施設を「国立聾唖大学」に格上げする議案が通過し、当時の大統領リンカーンが署名した。
⒀　マーク・マーシャーク編（二〇一五）『オックスフォードハンドブック　デフスタディーズ　ろう者の研究・言語・教育』明石書店同上二八三頁
⒁　同上二八三頁
⒂　全国ろうあ連盟が訳したバンクーバー声明の日本語版
https://www.jfd.or.jp/int/wfd/newsletter-2009-12.html#1
⒃　佐々木倫子（二〇一二）『ろう者から見た「多文化共生」もうひとつの言語的マイノリティ』ココ出版。五〇頁
⒄　川渕依子（二〇一〇）『高橋潔と大阪市立聾唖学校―手話を守り抜いた教育者たち―』サンライズ出版二六頁
⒅　同上五〇―五四頁
⒆　田門浩（二〇一二）「「手話の復権」―手話言語法運動の背景と法的根拠を考える」『手話学研究』第二一巻八四頁

(20) 同上八五頁

(21) 木村晴美（二〇一二）「日本手話を第一言語とするろう者の道のり」佐々木倫子編『ろう者から見た『多文化共生』』

(22) 『現代思想』一九九五年三月号再録。木村晴美＋市田泰弘「ろう文化宣言─言語的少数者としてのろう者─」現代思想編集部編（二〇〇〇）『ろう文化』青土社八─一七頁

(23) 同上八頁

(24) 同上一〇頁

(25) ろう児の人権宣言：全国ろう児を持つ親の会ＨＰ。ろう児の人権
http://www.hat.hi-ho.ne.jp/at_home/index.html

(26) 玉田さとみ（二〇一二）「ろう児をもつ親たちの道のり」佐々木倫子編『ろう者から見た「多文化共生」─もうひとつの言語的マイノリティ─』ココ出版　五八─五九頁

(27) 全国ろうあ連盟ＨＰより。五つの基本的権利とは、一．手話言語の獲得（手話言語を〝身につける機会〟を保障する）二．手話言語で学ぶ（ろう者の〝学習権〟を保障する）三．手話言語を習得する（手話言語を〝教科〟として学ぶ）四．手話言語を使う（手話言語を〝誰でも気軽に使える社会〟にする）五．手話言語を守る（手話言語の語彙を増やす、保存する、研究する）

(28) 沖縄タイムス一九六九年六月五日

(29) 沖縄風疹聴覚障害教育を記録に残す会編（二〇〇〇）『聴こえない世界に生きて─沖縄風疹児五五年の軌跡

—』新星出版。一〇八—一一八頁
(30) ハタノ（二〇〇六）五五頁
(31) 同上五六頁
(32) ハーラン・レイン（二〇〇七）『善意の仮面—聴能主義とろう文化の闘い—』現代書館

〈参考文献〉

①沖縄関連

・末吉重人（二〇〇四）『近世・近代沖縄の社会事業史』〇樹書林。
・沖縄風疹聴覚障害教育を記録に残す会編（二〇二〇）『聞こえない世界に生きて〜沖縄風疹児五五年間の軌跡』新星出版。
・沖縄県聴覚障害者協会（二〇〇三）『沖縄県ろうあ者五〇年のあゆみ〜〜沖縄県聴覚障害者協会創立五〇周年記念大会記念誌』沖縄聴覚障害者協会。
・船橋治（二〇一一）『復刻版　沖縄教育』不二出版
・沖縄の特殊教育史編集委員会編（一九八三）『沖縄の特殊教育史』沖縄県教育委員会
・沖縄県立沖縄ろう学校（一九九九）『創立七五周年記念誌』沖縄県立沖縄ろう学校。

②ろう文化

・植田晃次他編（二〇一一）『「共生」の内実：批判的社会言語学からの問いかけ』三次社。
・キャロル・パッデン（二〇一六）『「ろう文化」案内』明石書店
・キャロル・パッデン他（二〇〇九）『「ろう文化」の内側から〜アメリカろう者の社会史〜』明石書店
・現代思想編集部編（二〇〇〇）『ろう文化』青土社。
・斎藤道雄（一九九九）『もうひとつの手話〜ろう者の豊かな世界〜』晶文社
・佐々木倫子（二〇一二）『ろう者から見た「多文化共生」〜もうひとつの言語的マイノリティ〜』ココ出版
・全国ろう児を持つ親の会編（二〇〇三）『ぼくたちの言葉を奪わないで！ろう児の人権宣言』明石書店
・田門浩（二〇一二）「「手話の復権」—手話言語法運動の背景と法的根拠を考える—」『手話学研究』第二一巻八一—九六頁
・ノーラ・エレン・グロース（一九九一）『みんなが手話で話した島』築地書館
・ハーラン・レイン（二〇一八）『手話の歴史・上下』築地書館
・マーク・マーシャーク（二〇一五）『オックスフォード・ハンドブック　デフ・スタディーズ　ろう者の研究・言語・教育』明石書店。

ダイバーシティ社会に向けて

「沖縄における教育の歴史聴覚障害者に関連して（明治39年～昭和59年）」

明治39年	與那嶺惟俊、中頭郡渡慶次小学校において聾唖児４名に教育。
明治41年	與那嶺惟俊、自費で上京、東京盲唖学校において盲聾教育法の指導を受ける。
明治41年	與那嶺惟俊、渡慶次小学校から美東小学校長に転任。
明治45年	與那嶺惟俊、公職を辞し、那覇市で「盲唖教育」の教育機関を創立しようとしたが、思うように進まなかった。那覇市において大正４年３月まで、聾唖児３名の教育。
大正４年	與那嶺惟俊、国頭郡恩納小学校に就職。
大正５年	鈴木邦義沖縄県知事就任。
大正５年	８月、與那嶺惟俊、鈴木邦義沖縄県知事へ盲聾唖教育開始の建白書。
大正６年	與那嶺惟俊、恩納小学校を辞する。
大正６年	県教育会代議員会で「盲唖教育」案が採択され、５月初めより「沖縄県教育会付設沖縄盲唖院」の授業が開始。
大正９年	沖縄県教育会付設沖縄盲唖院、中止。
大正12年	田代清雄、「私立沖縄聾唖塾」を創設那覇市若狭。大正16年説あり
昭和３年	沖縄聾唖協会の組織成る。私立沖縄聾唖塾後援団体
昭和３年	「私立沖縄聾唖学校」に改称。
昭和４年	「私立沖縄聾唖学校」文部大臣から認可。
昭和６年	「私立沖縄聾唖学校」が、県立代用校として認可。
昭和７年	「私立沖縄聾唖学校」が那覇市真和志に移転。
昭和18年	「私立沖縄聾唖学校」は県立代用私立盲学校と合併し、「県立盲聾唖学校」となる。
昭和20年	太平洋戦争のため閉校昭和20年２月空襲で全焼
昭和26年	沖縄盲唖学校設立認可（沖縄群島政府厚生部管轄首里石嶺地区に開校職員6名盲聾児32名
昭和28年	盲教育、聾教育義務制実施（琉球教育法）
昭和29年	琉球政府立沖縄盲聾学校（文教局管轄と社会局管轄の「沖縄盲ろう学園」に分轄
昭和33年	那覇市首里石嶺町３-178に移転（現首里東高校）
昭和34年	盲・聾学校分離、琉球政府立沖縄聾学校と改称
昭和40年	「沖縄盲ろう学園」は「沖縄身体障害者更生指導所」に改められた。
昭和43年	琉球政府立沖縄盲聾学校、幼稚部開設（寄宿舎の食堂の一角を借用して使用）
昭和45年	琉球政府立沖縄盲聾学校、風疹による聴覚障害児学級増設（幼稚部）
昭和47年	本土復帰に伴い県立沖縄聾学校と改称
昭和47年	本土復帰に伴い「沖縄身体障害者更生指導所」から「県立身体障害者更生指導所」に改称
昭和49年	「県立身体障害者更生指導所」の「失明者施設」、「ろうあ者施設」を廃止。
昭和49年	盲聾合併の寄宿舎から県立沖縄聾学校のみの寄宿舎となる
昭和50年	県立沖縄聾学校高等部、普通科設置
昭和55年	県立沖縄聾学校校名を県立沖縄ろう学校に改称
昭和59年	県立沖縄ろう学校、首里石嶺より北中城屋宜原（北城ろう学校跡地）へ学校移転

作成・文責：2020.12.18沖縄国際大学大学院M1　高橋宏明

＜引用文献＞

沖縄県身体障害者更生相談所、沖縄県知的障害者更生相談所（2020）『令和２年度事業概要』p 1

沖縄県立沖縄ろう学校[編]（2000）『沖縄県立沖縄ろう学校創立75周年記念誌』沖縄県立沖縄ろう学校

沖縄県立沖縄ろう学校創立90周年記念事業期成会（2014）『沖縄県立沖縄ろう学校創立90周年記念誌』沖縄県立沖縄ろう学校創立90周年記念事業期成会

沖縄県立北城ろう学校記念誌編集委員／編集（1984）『沖縄県立北城ろう学校風疹聴覚障害教育終了記念誌』沖縄県立北城ろう学校

沖縄聴覚障害児教育研究会（1976）『風疹児教育のあゆみ 第２号』沖縄聴覚障害児教育研究会

我喜屋良一（1963）『琉球の身体障害者福祉事業』琉大文理学部紀要第７号、琉球大学

幸地努（1975）『沖縄の児童福祉の歩み：思い出の人・時・所』私家版

末吉重人（2004）『近世・近代沖縄の社会事業史』榕樹書林

渡口武正（1981）『心身障害児（者）福祉の進展』沖社協30年のあゆみ、沖縄県社会福祉協議会

戸崎敬子（2007）『沖縄県における特別学級の歴史［２］：興那嶺惟俊と渡慶次小学校の「盲唖教育」』琉球大学教育学部紀要 no.70 p.15 23 琉球大学教育学部

興那嶺惟俊（1937）「盲唖教育の思ひ出」沖縄教育、第247号、83－86頁

日本語教師の専門性はどこにあるのか
―多文化共生の推進に向けて考える―

奥山貴之

奥山　貴之・おくやま　たかゆき
所属：総合文化学部日本文化学科　講師
主要学歴：法政大学大学院人文科学研究科日本文学専攻修了
日本語学校、大学別科、大学、大学院、などで留学生への日本語教育に携わり、その後現職
所属学会：日本語教育学会、社会言語科学会、沖縄県日本語教育研究会
主要論文及び主要著書：

《論文・著書》

- 『私小説ハンドブック』（共編著）勉誠出版 二〇一四年
- 「大胆な意思表明としての楊逵『泥人形』」『富士論叢』第59巻第1号 二〇一四年
- 『日本語学習者のための読解厳選テーマ10 中上級』（共著）凡人社 二〇一五年
- 「思考に支えられた言語の使用を促す小説読解授業の可能性 内容言語統合型学習CLIL（Content and Language Integrated Learning）として『羅生門』と『レキシントンの幽霊』を教材とした場合」『富士論叢』第61巻第1号 二〇一六年
- 「高度外国人材に求められるビジネス日本語フレームワークの構築—直観的手法を中心に—」『琉球大学国際教育センター紀要』（共著）創刊号 二〇一七年
- 「学部留学生への初年次教育の中で日本語教育が果たす役割についての基礎調査—Can-doアンケートを媒介としたインタビューから—」『沖縄国際大学日本語日本文学研究』第23巻1号 二〇一八年
- 「日本語教師はアカデミック・ジャパニーズをどのようにして捉えているか—教師へのインタビュー調査から」『沖縄国際大学日本語日本文学研究』第24巻2号 二〇二〇年
- 『考える人のための《上級》日本語読解』（共著）凡人社 二〇二〇年

※役職肩書等は講座開催当時

序

「ボーダーレス・ダイバーシティ社会」とは、国や地域の境を越えた人の移動が活発化し境がないような状態となり、それによって文化的背景が異なる多様な人が共に過ごすようになっている社会を指す。後半の「ダイバーシティー」は多様性を意味し、国・地域に限らず、世代やジェンダーなどについて述べる際にも使われるが、本稿では主に国・地域、言語の面で捉える。本稿の目的は「ボーダーレス・ダイバーシティ」に関連する社会的背景を踏まえた上で、日本語教師の専門性について考えること、その専門性について筆者を含む日本語教師がより自覚的に捉えられるようになること、そしてあまり日本語教育に興味や関心がない人とも少しでもそれらの議論を共有することである。これらによって、日本語教育関係者が蓄積してきたものが、多文化共生の議論に貢献できることを期待する。ただし、本稿では日本語教師の専門性の一部にしか言及できない、また、今回は主に母語話者日本語教師に関する議論になることを合わせて述べておく。

さて、その日本語教師の専門性について考える上では、文化庁文化審議会国語分科会（二〇一八）「日本語教育人材の養成・研修の在り方について（報告）」を見ておく必要がある。日本語教師の養成については、一九八五年に「日本語教員の養成等について」（文部省（現・文部科学省））、二〇〇〇年に「日本語教育のための教員養成について」（文化庁）の中で、教育内容や指針が示されてきた。「日本語教育人材の養成・研修の在り方について（報告）」は、一八年ぶりに新たに教員養成のための教育内容や指針が示されたものである。

（略）この間、在留外国人[1]は更に増加し、その在留目的も多様化するなど日本語教育を取り巻く環境は大きく変化した。日本語教育に携わる人材の活躍する場はますます多様化しており、日本語教師のみならず、日本語教育コーディネーターなど様々な役割で関わっている人たちも増えている。（「日本語教育人材の養成・研修の在り方について（報告）」）

このような状況の中、「既に一八年が経過している『平成一二年教育内容』についても、様々な課題が指摘されている」（同報告）ということから、教育内容やモデルカリキュラムが検討され提示された。この報告で次のように「求められる資質・能力」が示されている。この「資質・能力」は、「日本語教師の専門性」の基盤となるものだと捉えていいだろう。

1．日本語教育人材に共通して求められる資質・能力

（1）日本語を正確に理解し的確に運用できる能力を持っていること。

（2）多様な言語・文化・社会的背景を持つ学習者と接する上で、文化的多様性を理解し尊重する態度を持っていること。

（3）コミュニケーションを通じてコミュニケーションを学ぶという日本語教育の特性を理解し

ていること。

2. 専門家としての日本語教師に求められる資質・能力

（1）言語教育者として必要とされる学習者に対する実践的なコミュニケーション能力を有していること。

（2）日本語だけでなく多様な言語や文化に対して、深い関心と鋭い感覚を有していること。

（3）国際的な活動を行う教育者として、グローバルな視野を持ち、豊かな教養と人間性を備えていること。

（4）日本語教育に関する専門性とその社会的意義についての自覚と情熱を有し、常に学び続ける態度を有していること。

（5）日本語教育を通した人間の成長と発達に対する深い理解と関心を有していること。

ここで言う「日本語教育人材」は、教師、支援者、それらの人の手配やコース作りをするコーディネーター、など様々な立場の人が含まれる。それらの人材に共通したもの、そして「専門家としての日本語教師」に求められる資質・能力が示されている。本稿で述べることは、1. の（1）（3）、そして、2. の（1）（3）（4）が主に関わってくる。

一　ボーダーレス・ダイバーシティ社会の中でのコミュニケーション

序を踏まえ、「ボーダーレス・ダイバーシティ社会の中でのコミュニケーション」から日本語教師の専門性について述べる。そのために、次のような場面があったらどうするか、考えてみたい。

Q　観光客が道に迷っているようです。その観光客は外国人のようです。
あなたはどうしますか。

選択肢　A．英語で話しかけてみる
B．英語があまり分からないので、特になにもしない。
C．その他

図1　質問「観光客に対してどうするか」

以後はこの問いからどのようなことが考えられるか、議論していく。

では、図1の問いから何を考えるか、まずは表1を見てみよう。表1は、訪日観光客数の上位一二の国・地域を表している。この中に英語圏の国・地域は、香港、米国、豪州、シンガポール、フィリピン、英国が含まれる。それらの国・地域からの訪日観光客は合計で五、五五五、七〇〇人だ。一位から一二位までの総計が二八、四七一、八〇〇人であるから、英語圏の国・地域から観光で日本に来ている人はこの中の約二〇%ということになる。

表1　外国人観光客数　国・地域別

順位	国・地域	人数
1	中国	9,594,300　人
2	韓国	5,584,600　人
3	台湾	4,890,600　人
4	香港	2,290,700　人
5	米国	1,723,900　人
6	タイ	1,319,000　人
7	豪州	621,800　人
8	インドネシア	613,100　人
9	シンガポール	501,700　人
10	フィリピン	495,100　人
11	英国	424,200　人
12	マレーシア	412,800　人

日本政府観光局（JNTO）「2019年1月～12月訪日外客数（JNTO推計値）」より

もう少しこの問題を発展させて考えるための材料を揃えたい。表2は、観光での短期的な訪日客ではなく、日本在住の外国人の出身国・地域別の人数を表している。先ほどと同じように英語圏の国・地域がどのくらいあるか見てみると、フィリピン、米国、オーストラリアである。そして、これらの国・地域の人たちの数を合計すると四九〇、四五一人、一位から一二位までの総計が三、〇七〇、八七五人であるので、この中で英語圏出身の人の割合は約一六%ということになる。

英語圏からの観光客は約二〇%、英語圏出身の日本在住者が約一六%、つまり、日本国内で外国人に話しかける上で英語を基準に考えることが適当ではない可能性があるのである。

しかし、英語は国際的に共通言語として用いられている。そのため、英語圏出身ではなくても英語ができる人も多いはずだ、という考え方もある。そこで、表3を見てみよう。

表3は、日本在住の外国人に何語ができるかを聞いた結果である。「英語ができる」と答えた人は全体の四四%、「日本語ができる」と答えた人は六二・六%となっている。「英語ができる」人は五〇%に満たず、「日本語ができる」人が「英語ができる」人を大幅に上回っている。地域によってばらつきがあるのは、地域によって在住者の出身の国・地域、立場などが異なるためだが、その地域別で見ても英語が日本語を上回っていると

表2　日本在住の外国人 国・地域別

順位	国・地域	人数
1	中国	1,044,278人
2	韓国	485,257人
3	ベトナム	418,625人
4	フィリピン	329,465人
5	ブラジル	214,643人
6	台湾	125,435人
7	米国	111,841人
8	タイ	99,866人
9	ネパール	96,497人
10	インドネシア	51,535人
11	オーストラリア	49,145人
12	ペルー	44,288人

法務省「在留外国人統計」2019年12月より

ころはない。つまり、日本在住の外国人と話す場合、「英語」よりも「日本語」で話しかけたほうがコミュニケーションできる可能性が高いということだ。

このような統計からの考察だけでなく、当事者である外国人がどのように感じているのかも考えてみたい。

外国人が日本語で話しかけているのにも関わらず、日本人は英語で応答をしているような場面を見かけたことがあるだろうか。「こんにちは」に対して「Hello」、「ありがとう」に対して「Thank you」のようなやり取りだ。外国人観光客は、現地の言葉でコミュニケーションを取りたいという気持ちから日本語を使っているのだろうが、一方、日本人は外国人に合わせて（それが合わせていることになるかどうかはともかく）英語を使用する。このような場合に外国人観光客は、不満や寂しさを感じるのではないだろうか。も

表3「○○語ができる人」英語と日本語の比較

地域	データ数	英語 %	日本語 %
広島	171	36.8	70.8
静岡	135	30.4	47.4
新潟	134	32.8	69.4
愛知	116	16.4	69.0
京都	98	56.1	65.3
千葉	94	53.2	80.0
大阪	93	39.8	68.8
長野	91	34.1	59.3
富山	87	46.0	47.1
山形	77	44.2	70.1
全国	1662	44.0	62.6

岩田（2010）より

し、スペイン語圏出身の観光客なら、「Hola」とスペイン語で挨拶をされれば嬉しいかもしれないが、「Hello」と挨拶をされても自分に寄り添った対応だとはあまり捉えられないだろう。いずれにしても、相手が日本語を使用しているのに対して、他の言語を使用することが適切だとは言えない。

ここで更に、日本在住の外国人の語りも取り上げてみたい。

「私は英語より日本語のほうが得意なのに、どうして日本人は英語で話しかけてくるの?」

（ロシア出身のA）

「知らない日本人がやたらと英語で話しかけてくる。私はフランス人なのに。」

（フランス出身のB）

彼らは、外国人だからと言って英語で話しかけるのはやめて欲しい、と言っている。なぜなら、自分達の母語は英語ではないし、二人とも日本語が十分話せるからである。Aは英語も話せるが日本語のほうが得意だという。また、Bの語りには、一部の人が外国人を、たとえそれが見知らぬ人でも、英語の練習台とみなしているという問題も含まれている。若干今の議論からは論点がずれるが、これも見逃せないことである。さらに、もう一人の外国人の語りを紹介しよう。

「中国人は見た目があまり『外国人』じゃないし、最初に友達を作るのが大変だった。だから頑張って日本語を勉強して日本人に話しかけた。」

（中国出身のC）

ここに含まれている問題は、日本社会の中で外見が「外国人」としての大きな要素で、東洋系であれば「外国人」として好意的に関心を持たれることが少なく、一方で西洋系であることに特別な意味があるということだ。外見で「外国人」と捉えたり、「外国人」としての捉え方が変わったり、また特定の外見を英語と結びつけることには問題がある。どのような外見であれ、出身地や国籍、母語、アイデンティティーもそれぞれで、外見で「〇〇人」や「〇〇語話者」とはならない。特定の外見や出身地の人を蔑むことも、特定の外見や出身地の人を特別視することも同様に問題がある。

ここでこれまでの議論をまとめ、それを踏まえて最初の質問の答えを考えてみよう。

① 日本に来る外国人、住んでいる外国人の多くは英語圏出身ではない。

② 旅行先の外国では、現地の言葉にチャレンジしたい人もいる。

③ 日本に住んでいる人はある程度日本語を勉強していることもある。調査によると英語より日本語ができる人のほうが多い。

④ 「外国人」と「英語」をすぐに結びつけるのは問題がある。

⑤ 外見で「外国人」「〇〇人」という判断も問題がある。

①から⑤を踏まえると、「外国人観光客が困っていたら、どうするか」という最初の問いに対しては、選択肢C「その他」、具体的な行動としては「日本語で話しかけてみる」が有力な答えとなる。少なくとも、使用言語の選択肢の一つとして「日本語」を排除する必要はない。選択肢の中には様々な言語があるが、日本国内の場面で考えると日本語は有力な選択肢なのだ。

そう考えた場合のコミュニケーションの分岐は図2のようになる。このように、相手の様子を見、状況を判断しながらコミュニケーションの方法を日本語を含めて探っていくことができるのだ。

これは、必ず日本語を使わなければならないということでも、日本にいる以上誰でも日本語を学んでいて当然だ、ということでもない。多言語による対応はもちろん重要であるし、外国語を学ぶことも必要なことだ。その上で、日本語が現実的で有力な選択肢であるということ、そして、相手の様子を見ながら日本語を使えばよいということを示してきたのだ。

図２　状況別コミュニケーション分岐

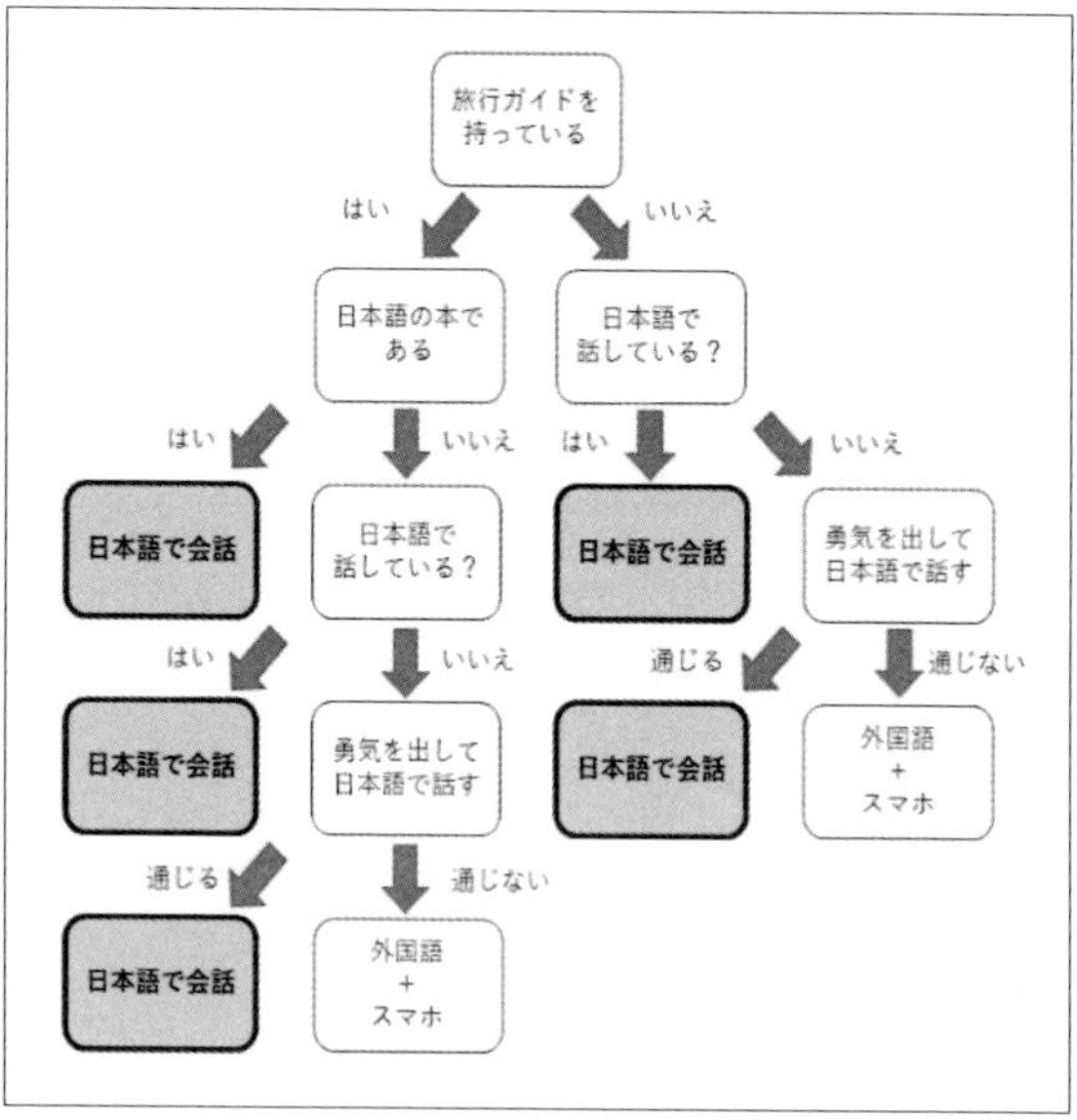

高嶋（2018）を参考に筆者作成

さて、外国人（非母語話者）と日本語でコミュニケーションができると述べてきたが、「日本語ができる」と言っても非母語話者の語学力は限定的であることもある（もちろん、語学習得の才能と努力で非常に高い語学力を身に付ける人もいる）。そうすると、母語話者と非母語話者が日本語でコミュニケーションをするための考え方やスキルが必要になってくる。そこで、次の会話を見て具体的な方法について考えてみたい。Aは日本語母語話者、Bは非母語話者とする。

A：「来週の土曜日、何か予定入っていますか。」
B：「よていはいって？」
A：「土曜日の予定。」
B：「土曜日はジムへ行きます。」
A：「じゃあ、夜って空いていますか。」
B：「よるってあいて・・・。夜ですか、何もしません。」
A：「ジムは何時に終わりますか。」
B：「六時です。」
A：「じゃあ、七時に待ち合わせて、一緒にご飯でも食べに行きましょう。」
B：「・・・？」

高嶋（二〇一八）を参考に筆者作成

この会話からはBが日本語の学習を始めたばかりだということが予想される。Bがうまく理解できていないところは、「予定入っていますか」「夜って空いていますか」「七時に待ち合わせて、一緒にご飯でも食べに行きましょう」の三か所である。この三か所を工夫することで、AとBのコミュニケーションはスムーズになる。その工夫の指標としては次のようなものが挙げられる。

①一文を短く、シンプルな表現に。
②敬語を使わない。
③婉曲な表現、慣用句を使わない
④繰り返しや言い換えで、正確に情報を伝える。
①は難しい表現は使わず、また一つの文を短くまとめるということ、②は表現で相手に「敬意」を伝えることより、その場でより必要な「情報」を伝えることを優先するということ、③は文字通りの意味ではない表現を避けるということ、④は大切な情報を確実に伝える工夫をする、ということだ。これらを踏まえて前掲の会話を修正すると次のようになる。

A：「来週の土曜日、何をしますか。」
B：「土曜日、ジムへ行きます。」
A：「夜は何をしますか。」
B：「何もしません。」
A：「じゃあ、いっしょにご飯を食べませんか。」
B：「はい。」
A：「ジムは何時までですか。」
B：「六時までです。」
A：「じゃあ、七時に安里駅で会いましょう。七時に安里駅です。」

B：「はい。分かりました。」

「来週の土曜日、何か予定入っていますか。」は、「来週の土曜日、何をしますか。」と言い換えている。「～ています」という表現は、学習を始めたばかりの人には難易度が高い（詳しくは二章で述べる）。「予定がありますか」という言い換えも考えられるが、よりシンプルで早い段階で学習する表現として「何をしますか」となっている。「夜って空いていますか」も、前述のとおり「～ています」という表現は難しい。また、「空く」という言葉も日本語の学習を始めたばかりの頃はまだ馴染みがないだろう。ここも「何をしますか」で行動を確認し、予定を聞く方法が取られている。

このように予定を確認した後、「いっしょにご飯を食べませんか」と勧誘している。勧誘の表現としては「～ませんか」だけでなく「～ましょう」もあるが、相手の意志を確認する（より相手の意志を尊重する）表現としては「～ませんか」があり、まずは「～ませんか」を学んでいることが多い。よって「一緒にご飯を食べませんか」となっている。また、「食べに行く」という複合動詞の使用も避け、「食べる」という動詞を使用している。後の「会いましょう」も「会いませんか」でもよいが、ここは「行く」「行かない」の勧誘ではなく、「行く」ことが決まった上での誘いとして「～ましょう」となっている。このようにしながら一文が比較的長く情報が多くなっているものを短くシンプルなものにしている。そして、「安里駅」「七時」という重要な情報を繰り返している。ここで、「しちじ」だけでなく「ななです」と言い加えてもよい。また、この会話の後でメモやメールなど、文字を使って情報を確認し合ってもいいだろう。

これは飽くまで例であって絶対の解答ではない。最も大切なことは、相手と相互の努力で意味のやり取りを成立させることだ。こうして言語調整をしたり、ジェスチャーや文字を使ったりすることで、母語話者と非母語話者が互いに共通の意味を見出していくことができる。

このような言語調整を、フォリナー・トークと言う。フォリナー・トークは、「母語話者による非母語話者に対する「言語調整」または「会話調整」を指す用語。」(『明解言語学辞典』)というのが基本的な定義だ。母語話者によるこのような言語調整を、言語学習者の自然な言葉の習得を妨げるもの、相手を馬鹿にしたり子ども扱いしたりする「差別的」なもの、とする否定的な見方もある。もちろん、十分日本語が話せる人に対して、相手そのものを見ずに言語調整をしていれば「差別的」である。母語話者と非母語話者の関係は、母語話者が権威となり非母語話者を当該言語の中での序列の中に押し込める構造に嵌ることがあることを認識しておくべきだ。しかし、フォリナー・トークは、母語話者と非母語話者が意思疎通を図る上で有効な手段でもある。「ボーダーレス・ダイバーシティ」化が進む日本社会の中で、「接触場面の会話参加者双方が使用可能な調整行動」「多文化社会における言語ストラテジー」(辛二〇〇七)と、多文化共生のための手段の一つとしてフォリナー・トークは捉えられるようになっている。本稿でも、そのように肯定的に捉えたい。

ここまで、「外国人」を西洋系の人と捉えたり、英語と結び付けたりする思い込みが根強くあるという点から議論を進めてきた。それを確かめるための質問が図1の質問であった(二五八ページ参照)。図1をもう一度見てみると、選択肢が「外国人」と英語を結び付ける発想に囚われたものであることがよく分かる。この選択肢に疑問を持たないということは、同様の「外国人イメージ」に囚われているということだ。社会のボーダーレス・ダイバーシティ化が進んでいると言われるが、このイメージを大きく崩すには至っていない。「外国」=「英語」そして「自分は英語が得意ではない」から、「外国人とコミュニケーションできない」というように考える人は少なくない。まずは、「外国」=「英語」の思い込み、そこから生まれる「外国人とコミュニケーションできない」という思い込みを捨てるべきだ。その思い込みとの相互作用で、私たちは「自分たちと異なる振る舞い方をする人との接触に慣れていない」という状況になっている。この部分での課題も依然として大きい。これらの思い込みを捨てることから「外国人」とのコミュニケーションが始まる。

日本社会の中で「外国人」とは、厳密には国籍が日本ではない人のことだ。出生地や育った場所、母語やアイデンティティーなどを指す言葉ではない。だが、一般的にはそのような厳密な使われ方はされず、様々なイメージがついている。ここではそのイメージを利用して議論を進めてきた。だから、敢えて「外国人」という言葉を使っている。よって、言語について考える際には「母語話者」「非母語話者」と用語を切り替えたり、付け足したりしていることをここで言い添えておく。

「ボーダーレス・ダイバーシティ社会に向けて」必要なことは様々ある。その一つが、「思い込み」を捨ててコミュニケーションを始めることだ。そして、そのコミュニケーションの際には、コミュニケーション能力が求められることになる。使い古された言葉だが、ここで「ボーダーレス・ダイバーシティ社会」の中で必要なコミュニケーション能力について私見を述べておきたい。

①言語能力（「外国語能力」「日本語（母語）の力」）
②自分（自文化）を理解する力とそれを伝える力
③相手（他文化）を理解する力

①の言語能力は、「外国語能力」と「日本語（母語）の能力」が含まれる。外国語が使えることはもちろん重要なことだ。それによって言語や文化的背景の異なる人とコミュニケーションを図ることができ、自分の母語や母文化を客観的に捉えるきっかけにもなる。そして、「日本語（母語）の力」は、日本語（母語）で思考する能力、そして、日本語（母語）を相手や場面に応じて使い分ける能力を指す。言語の表面的な知識ではなく、「様々な言葉や表現を知っている上で、相手や場面に応じて使い分けができる」ことこそが「日本語の力」なのである。そしてお互いに歩み寄ってやりとりができることが重要だ。こうしたコミュニケーション能力や言語能力の捉え方の中に、フォリナー・トークも含まれる。そう捉えた場合、このフォリナー・トークは「ボーダーレス・ダイバーシティ社会」の中で様々な人が共生するための

図3　やさしい日本語で情報発信

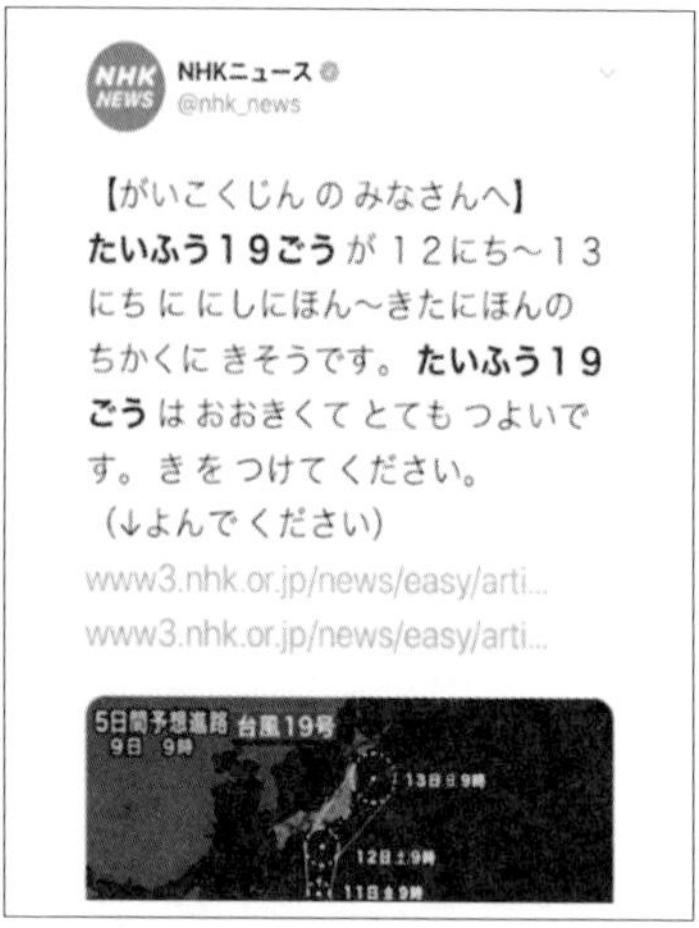

NHKニュース公式Twitterより

一つの媒介、手段となる。

②③は、紙片の都合上、本稿で多くは言及できない。自分を客観的に理解し、相手を理解しなければ、異なる者同士のコミュニケーションは難しい、という程度にとどめておく。

さて、フォリナー・トークに繋がるものとして、近年注目されるようになっている「やさしい日本語」についてもここで言及しておきたい。二〇一九年一〇月、台風一九号が日本に接近した際に、NHKがTwitterで「やさしい日本語」を用いて情報発信をし（図3を参照）、話題になった。「バカにしているのか」「英語のほうがいいのでは」「各国語で対応すべき」など否定的な反応もあったが、日本語非母語話者との共生や日本語教育などの分野に注目が集まるきっかけにもなった。

「やさしい日本語」は一九九五年の阪神淡路大震災の経験から議論されるようになったものだ。その際、災害時に外国人（日本語非母語話者）に対してどのように情報を伝えるのかが課題となった。英語への通訳や翻訳という考えもあるが、前述のとおり英語圏出身者は多数派ではなく、また「英語ができる」人も多数派ではない。よって、英語での発信では漏れる人が多く出る。また、非常時に多くの言語に翻訳・通訳をする時間はない。そこで議論されるようになったのが「やさしい日本語」である。一九九五年当時と違い、現在（二〇二〇年）は翻訳アプリなどもあるが、何のチェックもなく発信できるものではないようだ。そして、仮に使用者が多い言語に対応ができたとしても、そこから漏れてしまう言語使用者がいる。そうすると、全ての人をカバーできるわけではないが、多様な人の共通言語としての「やさしい日本語」で発信することに意味があるのだ。また「やさしい日本語」は、多言語への翻訳を容易にするものでもある。
「やさしい日本語」に言い換えるためのルールとしては次のようなものが挙げられている。

①重要度が高い情報だけに絞り込む
②あいまいな表現は避ける
③難解な語彙を言い換える
④知っていると役に立つ災害語彙には「やさしい日本語」に言い換えた表現を添える。
⑤複雑でわかりにくい表現は、
　文の構造を簡単にする。

弘前大学人文学部社会言語学研究室 減災のための「やさしい日本語」研究会（二〇一六）より

図4が具体例である。五つのルールに加えて、分かち書き、漢字の振り仮名、が加えられている。日本語母語話者とって「やさしい日本語」は「不自然な日本語」かもしれないが、見比べると必要な

図４　やさしい日本語への言い換え

テレビニュースの文章

今朝、5時46分ごろ、兵庫県の淡路島付近を中心に広い範囲で強い地震がありました。気象庁では、今後もしばらく余震が続くうえ、やや規模の大きな余震が起きるおそれもあるとして、地震の揺れで壁に亀裂が入ったりしている建物には近づかないようにするなど、余震に対して十分に注意してほしいと呼びかけています。

↓

「やさしい日本語」への言い換え

今日《きょう》　朝《あさ》　5時《じ》46分《ふん》、　兵庫《ひょうご》　大阪《おおさか》　などで、　大《おお》きい　地震《じしん》が

ありました。

余震《よしん》〈後《あと》で　来《く》る　地震《じしん》〉に　注意《ちゅうい》してください。

地震《じしん》で　こわれた建物《たてもの》に　注意《ちゅうい》して　ください。

この後《あと》も　注意《ちゅうい》して　ください。

弘前大学人文学部社会言語学研究室減災のための「やさしい日本語」研究会（2016）より

情報が端的に書かれていることがよく分かる。この災害時の情報発信としての「やさしい日本語」は、弘前大学社会言語学研究室が中心的に研究を進め、有効性などが検証されてきた。

災害時の情報発信手段として議論が始まった「やさしい日本語」は、その後、行政[2]や地方自治体による情報提供や地域日本語教室など、議論される範囲が広がっている。「やさしい日本語」は、情報発信だけでなく、相互行為の中でも捉えられるようになっている。庵（二〇一五）は次のように述べる。

外国人側にも最低限の日本語習得を求める一方で、日本人側もその日本語を理解し、自らの日本語をその日本語に合わせて調整する訓練をするということである。そして、その調整過程として成立するのが「やさしい日本語」なのである。

この「やさしい日本語」に対しては、マジョリティ（母語話者）からマイノリティ（非母語話者）への「こちらに合わせろ」との要求があり、マジョリティの寛容さによって合わせる程度が調整されているにすぎないという指摘もある（銭坪二〇一三）。この見方からすると、「母語話者」と「非母語話者」は、逃れがたい権力関係の中にいる。このような「権力関係」については、フォリナー・トークの議論の際にも少し言及した。銭坪（二〇一三）は、「母語話者である日本語教育従事者や各自治体、マスコミはマジョリティに属するものである。マイノリティの「代弁者」として語る支援者も、マジョリティである。（中略）支援の手を差し伸べる側は、この非対象な権力関係に常に自覚的でありたい。」と述べる。これは、日本語の使用の否定ではない。構造や関係性を「自覚」し、自らの姿勢や言動を常に省み、その上で「やさしい日本語」のような共生のための工夫を続けて行かなければならないということだ。無論、多言語での対応も進めなければならない。

日本語教師としての活動は、共生のための「フォリナー・トーク」や「やさしい日本語」の発想とスキルが不可欠である。日々、日本語を含め様々な方法で母語話者と非母語話者を繋いでいる。その点から考えると、「ボーダーレス・ダイバーシティ社会の中でのコミュニケーション」における日本語教師の専門性は次のように示すことができる。

①日本語教師は、「フォリナー・トーク」「やさしい日本語」などを駆使し、非母語話者とコミュニケーションを取ることができる。お互いに「日本語」を媒介に歩み寄り、共生を図っていくことができる。

②日本語教師は、日本語母語話者に共生の手段の一つとして「フォリナー・トーク」「やさしい日本語」などの考え方や使い方を伝え、母語話者と非母語話者を繋ぐことができる。

端的には、日本語教師は日常的に非母語話者と接し日本語を教えているからこのようなことができる、となる。次章ではこの「日本語を教える」ことに少し踏み込み、より具体的に「日本語を教える」ことと「フォリナー・トーク」や「やさしい日本語」を関連付けたい。

二　日本語を教える

本章では「日本語を教える」という側面から日本語教師の専門性について言及する。そして、前章で議論した「フォリナー・トーク」や「やさしい日本語」との繋がりを具体的に示したい。

まず、言語教育の大きな二分類について説明しておく。一つは学習の目標言語のみを使用して指導する「直接法」、もう一つは目標言語以外の言語（学習者の母語や第三の言語、これらを媒介語と言う）を使用する「間接法」である。日本の中学校や高校の一般的な英語の授業は、以前は間接法で行われていた。(3) 文法の意味などが日本語で説明され、指示なども日本語が用いられる。一方、日本国内の日本語学校などでは（特にクラス単位での授業は）、直接法で行われることが多い。

直接法の特徴としては次のようなものが挙げられる。

（1）学習者の母語や翻訳を介さずに、目標言語の言語形式と意味を直接結び付けようとする。
（2）授業は原則として目標言語のみで行う。
（3）具体的なものごとを表す語は身ぶり・手ぶりや対象となる事物そのもの、絵カードなどを使って教え、抽象的な概念を表す語は既習の語や概念を関連付けて導入する。
（4）文法は最初から規則を教えるのではなく、例文や練習などを通して帰納的に教える。
（5）口頭によるコミュニケーションは問答を軸として構成する

（6）音声言語の教授（話す、聞く）が文字言語の教授（読む、書く）に先行する。
（『新版日本語教育事典』）

国内の日本語学校で直接法が用いられることが多いのは、出身地や母語の異なる人が同じ教室にいる場合には媒介語を一つに絞れないことがあるからだ。そして、日本語で日本語を学ぶことは、より多く日本語に触れる機会を作り、より多く日本語の使用を促すことにもなる。もちろん、国内の日本語教育もその対象や目的によって様々で、間接法が用いられることもあれば、直接法を基盤としつつも所々で他の言語を使用することもある。直接法を採用している現場でも、多くは完全な直接法ではなく、部分的に媒介語を用いた方法を取っているのではないだろうか。

この直接法は、「外国語ができないと外国人に日本語を教えられない」というのは思い込みであることを示すものだ。教師が日本語以外の何等かの言語を習得していることは望ましいことではある。しかし、直接法を用いた日本語教育にはその専門性がある。たとえ対象者が日本語が全く話せなくても直接法で日本語を教えることは可能だ。そしてその専門性という意味では、日本語母語話者であれば日本語を教えられる、ということも同様に思い込みだ。

直接法の特徴からは、日本語教師が日々の指導の中でどのように母語話者と非母語話者を繋いでいるか、その一端を見ることができる。

ここからさらに、もう少しだけ「日本語を教える」ことに踏み込んでみたい。そのために、新たに言語教育の二つの視点を示したい。一つは言語の文法構造を体系的に学ぶという視点、もう一つはコミュニケーションのために言語を学ぶという視点である。

文法構造を体系的に学ぶとは、言語のルールつまり文法知識を段階的に学び、そのルールに言葉を当てはめて様々な表現が可能になっていくということだ。段階的に学んでいくため、学習が進むにつれてその言語が持つ文法的な構造の全体象が捉えられるようになる。

後者の考え方は、コミュニカティブ・アプローチという教授法と結びつく。コミュニカティブ・アプローチでは、「伝達の手段としての言語に注目することから、言語の形式や構造よりも、文脈のなかで果たされる言語の機能や意味を重視」し、「(前略) 学習者が言語を使って行う問題解決行動の過程で言語習得がなされると考える」。そして、「外国語を習得するには、言語が持っている機能を理解し、場面に合った適切な表現を用いて話し手の意図を聞き手に伝える能力を養う必要がある」とされる(『研究社日本語教育事典』)。

ここで例として、「これはペンです」という文について、この二つの視点から考えてみよう。まずは第一の視点である。日本語の文は、「名詞文」「動詞文」「形容詞文」と分けられる。段階的な学習という点では、まず名詞文、次に「を格」をとらない動詞文、そして形容詞文、そして「を格」をとる動詞文を学ぶ。その後、より複雑な文構造も学んでいく。この流れの中では「これはペンです」は「名詞文」であり、学習の早い段階で学ぶ表現だ。また、「これ」「それ」「あれ」「どれ」などは、指示代名詞の基本的なものであり、ここから様々な表現が可能になる。「これ」などに基づく表現は、次のようなものが挙げられる。

「この人」「その人」「あの人」「ここ」「そこ」「あそこ」「これら」「それら」「あれら」「このような」「そのような」「あのような」「このため」「そのため」「こうして」「そうして」…

「これはペンです」が日本語の文法構造の体系の段階的な学習の中で、どのように位置づけられるかは、考えてみるとそれほど難しいものではないかもしれない。しかし、どのような表現であっても、こうしたことを意識し、考えているのが日本語教師なのである。

次に、コミュニカティブ・アプローチの視点で考える。つまり、いつ、どのように「これはペンです」を使うのか、ということだ。少し考え方を広げて、「これは○○です」「これは○○ですか」「これは何ですか」の三つの場合を考えてみよう。

「これは○○です」の場合、「これはおみやげです。どうぞ。」とおみやげやプレゼントを渡す時に使える。また、「これは豚肉です。大丈夫ですか。」など、相手に注意を促す時にも使うだろう。「これは○○ですか」であれば、「これは豚肉ですか」と自分が食べられるものかどうか確認したり、「これは沖縄産ですか」と自分の予想を確かめたり、「これは本物ですか」と疑いを表明する時に使うこともできる。「これはなんですか」は、見慣れない食べ物を勧められた時、旅先などを案内されていて見たことがないものがあった時、単純に物の名前を確認したい時にも使うことができる。

具体的にいつ、どのようにこの表現を使うのか、ということを現実場面を想定しながら常に考えているのも日本語教師である。

「これはペンです」のような表現が教科書で扱われることについては、「実用的ではない」「学ぶ必要があるのか」など疑問符が付けられることがある。しかし、今回の二つの視点からは、「これはペンです。」は、勉強する必要と意味があると分かる。

もう一つの例として、「〜てください」（「食べてください」「取ってください」「出してください」など）という表現について、二つの視点から考えてみよう。

まずは第一の視点である。「取ってください」が理解・使用できるということは、「取ります」[4]と「取って」が同じものであることが認識でき、この変形ができるということだ。動詞の形は、「〜ます」「〜ません」「〜ました」「〜ませんでした」から学び、その後「〜て」の形を学ぶ。この形を日本語教育では「て形」と呼ぶ。この「て形」の作り方を習得するためにはいくつかの段階がある。

初めに、動詞の分類（図５参照）ができなければならない。国語教育の文法での五段活用動詞は、日本語教育では「グループⅠ」とされる。その見分け方は「かき（ｋｉ）ます」のように、「ます」の前の音が「ｉ」であることだ。下一段活用動詞と上一活用段動詞は変化が同じなので「グループⅡ」にまとめられる。下一段活用動詞の見分けかたは、「たべ（ｂｅ）ます」と「ます」の前の音が「ｅ」であることだ。上一段動詞（「みます」など）は「ｉます」だが、数が少ないため例外の「ｉます」として覚えるように日本語教育の中では指導される。そして、サ行変格活用動詞、カ行変格活用動詞の「します」「きます」は「グループⅢ」となり、これも覚えるように指導される。

図５　動詞の分類

グループ	特徴	動詞の例	
グループⅠ（五段動詞）	i-ます	かきます あいます かえります	いそぎます まちます のみます
グループⅡ（下一段動詞・上一段動詞）	e-ます 例外のi-ます	たべます ねます ※かります	あげます あけます みます
グループⅢ（サ変動詞・カ変動詞）		します きます	

図６　て形の作り方　　※は例外

変形のルール		動詞の変形の例
グループⅡ	-ます　→　-て	たべ**ます**　→　たべ**て** あげ**ます**　→　あげ**て** ね**ます**　→　ね**て** ※かり**ます**→　かり**て**
グループⅢ	動詞が二つだけなので、ルールを覚えるのではなくそのまま形を覚える	します　→　して きます　→　きて

グループＩ

変形のルール		動詞の変形の例
-**い**（ます） -**ち**（ます） -**り**（ます）	って	あ**い**ます　→　あ**って** ま**ち**ます　→　ま**って** かえ**り**ます　→　かえ**って**
-**み**（ます） -**び**（ます） -**に**（ます）	んで	の**み**ます　→　の**んで** あそ**び**ます　→　あそ**んで** し**に**ます　→　し**んで**
-**き**（ます） -**ぎ**（ます）	いて いで	か**き**ます　→　か**いて** いそ**ぎ**ます　→　いそ**いで** ※い**き**ます　→　い**って**
-**し**（ます）	して	はな**し**ます　→　はな**して** け**し**ます　→　け**して**

この動詞の分類ができると、グループごとに規則を学んで「て形」を作ることができるようになる（図６参照）。最も複雑なのが、グループＩの動詞で「ます」の前が何か（「い」「き」「み」など）によって変化が異なる。こうしてどのような動詞でも「て形」が作れるようになって、ようやく自

由に「~てください」という表現を作ることができるようになる。母語話者は何の意識もせずに、「~てください」を作ることができる。中には動詞の変形のルールを意識したこともないという人もいるだろう。しかし、非母語話者にとっては規則が明示され、例が示されることが必要なのだ。

さて、「~てください」にはまず、動詞の「て形」が必要だということだったが、「て形」によって日本語の様々な表現が可能になる。

「出してください」「走っています」「帰ってもいいですか」「話してはいけません」「食べてしまいました」「着てみます」「買ってあげます」「買ってもらいます」「買ってくれます」「開けておきます」「開けてあります」「閉まっています」「仕事が終わってから、飲みにいきます」…

このように、「~てください」を、文法構造を体系的に学ぶ、段階的に文法・文型を学ぶという視点からの位置づけを見て行くことができる。そして、その視点からは「て形」が日本語の学習の中で非常に重要なものであることも分かる。

では、次にコミュニカティブ・アプローチの視点から「~てください」について考えたい。つまり、「~てください」が、具体的にいつどのように使われるかという視点で考えるということだ。本稿を読んでいる人には、まずそれを考えてみた上で次に進んで欲しい。

「～てください」の意味は、日本語教育の文法書などでは「指示」「依頼」「勧める」と整理されている。ここから、具体的な場面や発話を考えてみると、次のようなものが挙げられる。

〈指示〉

・教師が学生に指示をする時。

「宿題を出してください。」「一〇ページから二五ページまで読んでください。」

・空港で入国管理のスタッフが指示をする。

「パスポートを見せてください。」「このカメラを見てください。」

〈依頼〉

・手伝いが必要な時。

「すみません。ちょっとドアを開けてください。」（荷物で手がふさがっている）

「この漢字の読み方を教えてください。」

・相手に近いところにあるものを取ってもらう時。

「ちょっとそれ、取ってください。」

〈勧める〉

・自宅に招いた人に食べ物や飲み物を勧める時。

「どうぞ、食べてください。」「どうぞ、飲んでください。」

・困っている人を助ける時。

「このかさ、使ってください。」「どうぞ、ここに座ってください。」

「これはペンです」について考えた時と同様、「～てください」も、いつ、どのように使う表現なのか、具体的な場面を想定しながら考えることができる。こうして考えることが、コミュニケーションのための言語の学習の指導に繋がるのだ。

ここまで、一部ではあるが日本語教師が「日本語を教える」という中でどのようなことを考え、どのようなことをしているのかを示してきた。ここで、「日本語を教える」という側面から見る日本語教師の専門性についてまとめておく。

①日本語教師は文法構造の体系的な学習、コミュニケーションのための言語の学習、など様々な視点から日本語の学習を捉えている。

②日本語教師は非母語話者にとって日本語がどのような言語か、どのような学習過程を辿るかを理解しており、学習者に合わせた日本語の指導ができる。

このようにまとめると、日本語教師は非母語話者の日本語の学習過程と、その日本語をよく理解しており、だから「フォリナー・トーク」や「やさしい日本語」など、共生のための言語的な工夫に堪能であり、またそれらを母語話者に伝え、母語話者と非母語話者を繋ぐことができると分かる。

三　まとめ

二〇二〇年度うまんちゅ定例講座の「ボーダーレス・ダイバーシティ社会に向けて」というテーマの中での、「日本語教師の専門性はどこにあるのか—多文化共生の推進に向けて考える—」という本稿の議論をまとめ、それを踏まえて筆者を含む日本語教師の課題を示したい。

一章と二章の内容が前後するが、本稿で議論してきた日本語教師の専門性は次のようにまとめられる。①から⑤は論理が順に繋がるものと捉えられる。

①文法構造の体系的な学習、コミュニケーションを重視した学習、など様々な日本語の学習の特性を理解しており、それに基づいた指導ができる。
②日本語非母語話者の日本語習得の過程とその日本語を理解している。
③相手の日本語に合わせて、「フォリナー・トーク」「やさしい日本語」などを用いてお互いに歩み寄り、コミュニケーションを取ることができる。

④「フォリナー・トーク」「やさしい日本語」などを日本語母語話者に理解してもらい、母語話者と非母語話者を繋ぐことができる。

⑤日本語の指導や支援の中での経験を社会に還元し、「多文化共生」に貢献することができる。

このように、日本語教師は「ボーダーレス・ダイバーシティ社会」の中で自らの専門性を活かし、社会に貢献することができるのだ。

こうして考えると、我々日本語教師は自分の専門性を自覚し、日本語教育の世界に閉じこもらず、他の世界とのコミュニケーションを続けていかなければならない（多くの先達がしてきたことではあるが）。それが、様々な人と共生についての議論をすることに繋がる。本稿もその一環である。

最後に、以上を踏まえ、自戒として課題を挙げておく。

ここまで「日本語教師には専門性がある」ことを前提に議論をしてきた。しかし、本当に専門性があるのか、あるとしてもどのようなものか、どの程度のものか、新たに習得しなければならないことはないのか、考え続けアップデートしていくことが必要だ。我々を取り巻く社会は常に変化しており、専門性が陳腐化することは珍しくなく、新たに必要な技能も生まれ続けているからだ。

また、日本語教師は自分たちだけが「外国人」や学習者を理解している、という考えに陥らないようにしなければならない。確かに、日本語教育関係者しかほとんど認識していないこともあり、それがなかなか他の人に理解されないこともある。だが、一方で日本語教師も自分の活動に応じた視野やフィルターからしか世界を見ていないこと、だから、見えない部分があることにも気を付けたい。また、個人的に見たものが全てでもないことも認識しておくべきだろう。

それから、「外国人」に対する「思い込み」の点では、日々接しているからこそ特定の国や地域の出身者に対する思い込みが形成されたり、強化されたりすることもある。あるグループが持つ文化や一定の傾向はあるにしても、日本語教師こそ一人一人を一個人として見ることを忘れてはいけない。

そしてまた、教師であるからこそ、母語話者と非母語話者が権力関係や序列の中に陥ることがあることを自覚し、自らの姿勢や言動に気を付ける必要がある。日本語は日本語母語話者の特権的な所有物でもなく、日本語母語話者であることは人としての他者への優位性の担保にはならない。

本稿の目的は、日本語教師の専門性について考えること、その専門性について筆者を含む日本語教師がより自覚的に捉えられるようになること、そしてあまり日本語教育に興味や関心がない人とも少しでもそれらの議論を共有することであった。この文章が少しでもそうした意味を持ち、日本語教育関係者が蓄積してきたものが、多文化共生の議論に活かせれば幸いである。

【注】

(1) 在留外国人数：二〇〇〇年・約一六九万人、二〇一八年・約二七三万人（法務省「在留外国人統計（旧登録外国人統計）」より）

(2) 弘前大学社会言語学研究室では、災害時以外の生活情報の発信などで用いられる「やさしい日本語」を「やさしい日本語カテゴリーⅡ」とし、一橋大学庵功雄教授研究グループでは①保障教育の対象として②地域社会における共通言語として③地域型初級の対象として、「やさしい日本語」を位置づけている。

(3) 二〇一三年から実施された高等学校の学習指導要領で、英語の「授業は英語で行うことを基本とする」という方針が示され、その後中学校と適用される範囲が広がっている。日本の中学校や高校で、「英語で英語の授業を行う」ことには様々な批判もある。

(4) 日本語教育の中で動詞は「取る」の形よりまず「取ります」の形で学習することが多い。この形を「ます形」という。「取り」＋「ます」「ません」「ました」「ませんでした」と変形が覚えやすく使用もしやすい。

【参考文献】

庵功雄（二〇一五）「『やさしい日本語』研究が日本語母語話者にとって持つ意義―『やさしい日本語』は外国人のためだけのものではない―」『一橋大学国際教育センター紀要』六、三―一五頁

岩田一成（二〇一〇）「言語サービスにおける英語志向―「生活のための日本語：全国調査」結果と広島の事例から」『社会言語科学』一三（一）、八一―九四頁

斎藤純男・田口善久・西村義樹編（二〇一五）『明解言語学辞典』三省堂
辛銀眞（二〇〇七）「日本語のフォリナー・トークに関する一考察―非母語話者日本語教師の意識調査を通して―」『早稲田日本語教育学』一、二五―三七頁
銭坪玲子（二〇一三）「現代日本社会の多文化共生と言語調整」『長崎ウエスレヤン大学地域総合研究所紀要』一一（一）、一一―二〇頁
高嶋幸太（二〇一八）『日本語で外国人と話す技術』くろしお出版
日本政府観光局（ＪＮＴＯ）「二〇一九年一月～一二月訪日外客数（ＪＮＴＯ推計値）」
弘前大学人文学部社会言語学研究室減災のための「やさしい日本語」研究会（二〇一六）『「やさしい日本語」が外国人被災者の命を救います』
文化庁文化審議会国語分科会（二〇一八）「日本語教育人材の養成・研修の在り方について（報告）」
法務省（二〇二〇）「在留外国人統計　二〇一九年一二月」
近藤安月子・小森和子編（二〇一二）『研究社日本語教育事典』
社団法人日本語教育学会（二〇〇五）『新日本語教育事典』

琉球諸語の語学教育

―ポリノミックモデルを応用して―

ハイス・ファン＝デル＝ルベ

ハイス・ファン＝デル＝ルベ
所属：沖縄国際大学・日本学術振興会 外国人特別研究員
主要学歴：琉球大学・人文社会科学研究科・比較地域文化専攻・博士課程修了（専攻：言語学）
所属学会：沖縄言語研究センター・日本言語学会・琉球継承言語会・久米島研究会
主要論文及び主要著書：
「沖縄語宜野座惣慶方言の敬語形式」『島嶼地域科学』第一号一巻　七五―九四頁、二〇二〇年
「沖縄語久米島謝名堂方言のテンス・アスペクト・エヴィデンシャリティー形式」、『琉球の方言』、42号二〇一八年度、一―二三頁　二〇一八年
Japanese-Northern Ryukyuan Language Contact and Structural Convergence: The Case of Embedded Interrogative Constructions, Japanese/Korean Linguistics 24, Kenshi Funakoshi, Shigeto Kawahara, and Christopher D. Tancredi (eds.), 2017
「日本語と北琉球諸語の言語接触と構造収束―埋め込み疑問構造を事例として」
「北琉球鳥島方言の代名詞」、『琉球の方言』、四一号二〇一六年度、二五―五七頁　二〇一六年
「琉球沖永良部語正名方言の条件文」、『国際琉球沖縄論集』、第四号、六一―七七頁、二〇一五年
-Masahide Ishihara, Katsuyuki Miyahira, Gijs van der Lubbe and Patrick Heinrich, Ryukyuan Sociolinguistics, *Routledge Handbook of Japanese Sociolinguistics*, edited by Patrick Heinrich and Yumiko Ohara, New York NY, Routledge, pp. 25-42, 2019
「琉球諸語の社会言語学」
Gijs van der Lubbe & Akiko Tokunaga, Okinoerabu grammar, *Handbook of the Ryukyuan Languages*, Patrick Heinrich, Shinsho Miyara and Michinori Shimoji (eds.), Berlin / Boston, Mouton de Gruyter, pp. 345–377, 2015
「沖永良部語の文法」

※役職肩書等は講座開催当時

はじめに

琉球諸語とは、琉球列島で伝統的に話されている複数の言語のことである。もっとも若い母語話者は、一九五〇—一九六〇年に生まれたため、すべての琉球諸語は、現代消滅の危機に瀕している(Heinrich 二〇一五年)。琉球列島では、様々な琉球諸語の継承活動がおこなわれているようである(Ishihara等 二〇一九年:三六—三九)。もっとも若い母語話者は、すでに子供を産む年齢を超えているため、継承が第二言語習得者である〝新話者〟にかかっている。しかし、琉球諸語には、教育で用いられる標準語がない上、地域差が激しい諸言語である。

琉球諸語の母語話者は、日本語も母語レベルで使いこなすが、同じ母語話者が琉球諸語を使う場合、一方言話者となる。たとえば、久米島謝名堂出身の沖縄語話者は、他地域の沖縄語諸方言を聞いて理解できても、久米島謝名堂の地域語しか積極的に話せないのがほとんどである。そのため、できるだけ多くの地域の母語話者と沖縄語でコミュニケーションを図るため、学習者も沖縄語における地域差について学習すべきである。

本稿では、ポリノミック・モデルを琉球諸語の語学教育にどのように応用できるか考察する。また、琉球諸語の中の沖縄語に焦点を当て、社会言語学的な状況と地域差に触れ、ポリノミックモデルを応用する必要性を論述する。さらに、ポリノミックモデルを沖縄語に応用する方法論を考察する。

一　ポリノミック・モデル

ポリノミック言語（仏：Langue Polynomique）は、フランス・コルシカ島出身の言語学者、ジャン＝バティスト・マルセレシ【Jean-Baptiste Marcellesi】が名付けた用語で、標準語的な言語がない、方言連続体からなっている言語のことを指す（Sallabank 二〇一〇）。日本語、フランス語、中国語などの〝メージャーな言語〟は、確固たる規範言語（＝標準語）がある。少数言語の言語復興や再活性化にあたっても語学教育のために、標準語を設定し、話し言葉と書き言葉の規範とすべきだと考えがちである。言語が消滅の危機にある原因は、教育や社会においてその言語の使用や習得が望ましくないとされた結果、習得されなくなったことである。さらに、一地域の言語や文化が政治的な中心である地域によって〝望ましくない〟とされ、除外される。そのため、すでに除外された危機言語の場合では、一つの規範言語を定め、それ以外の地域言語がさらに除外されてしまうのが、言語復興や再活性化にあたっての大きな問題の一つである。解決法としては、語学学習においてポリノミック・モデルを応用して、その言語にみられる地域差に規範性を与えないことである。各方言を存在価値が等しいものとして扱い、学習者にどの方言を習得するか、選択の可能性を与えてあげることが重要だ。つまり、ポリノミック・モデルというのは、地域差に基づいた規範性で言語内の方言差にヒエラルキーを作らず、言語内の地域的多様性を限定しようとしないのである。

琉球諸語に標準語が存在せず、地域言語(しまくとぅば)が集落ごとに異なることが琉球諸語教育法の開発に直面する問題として指摘される（Heinrich & Ishihara 二〇一七年：一七七）。ポリノミック・モデルにおいて、地域差についても学習し、教師自身の得意な地域言語を教育媒体として教えることができる。そのため、地域差に富んでいる琉球諸語にとって、ポリノミック・モデルが有効な語学教育モデルである。

二　琉球諸語

UNESCOは、奄美語、国頭語、沖縄語、宮古語、八重山語、与那国語の六つの琉球諸語を消滅の危機に瀕している言語として認定している（http://www.unesco.org/languages-atlas/index.php?hl=en&page=atlasmap&iso=ike、二〇二〇年一一月一日に参考）。ペラール（二〇一五：）は、歴史言語学の方法論を応用し、北琉球諸語は、奄美語、国頭語、沖縄語という三つより、奄美語と沖縄語という二つから形成されることを証明している。沖縄語の下位区分に関してローレンス

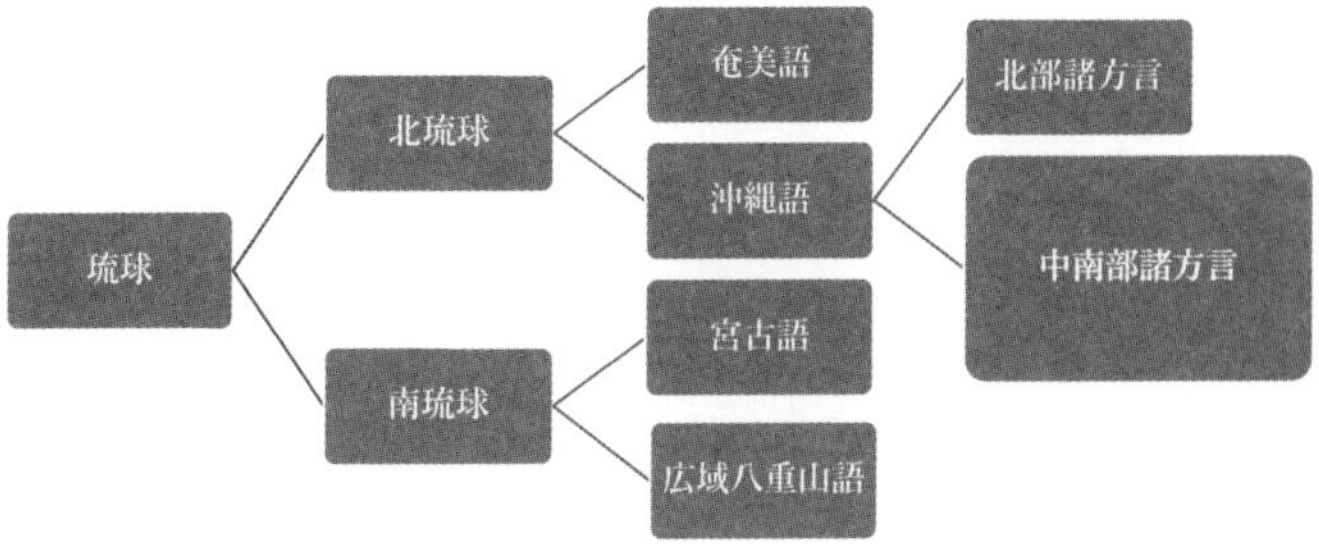

図１　琉球諸語の区画

（二〇〇六：）は、共通改新に基づき「北部方言群」と「中南部方言減」があると論じている。図1の系統樹は、ペラールとローレンスのデータに基づいて、筆者が作成した。

本稿では、沖縄語中南部諸方言のみを扱うことにする。久高島と津堅島の言葉は、沖縄本島中南部全地域で話される言葉と比べて、非常に細かい地域差を示しているため、本稿では、扱わないことにする。

三　沖縄語中南部諸方言における地域差

本稿では、沖縄語中南部諸方言における地域語を一．首里区儀保、二．久米島町謝名堂、三．糸満市糸満、四．うるま市屋慶名、五．読谷村楚辺の地域ごとに示している。五か所の地域語には、沖縄語中南部諸方言の地域差の範囲を垣間見ることができると考える。

表1は、「私は畑へ行くけど、あなたはどこに行くのか？」という文章を首里区儀保、久米島町謝名堂、糸満市糸満、うるま市屋慶名、読谷村楚辺という五つの地域語に訳している。結果、沖縄語中南部諸方言における地域差が明らかになる。

七節で地域差にさらに詳しく触れる。

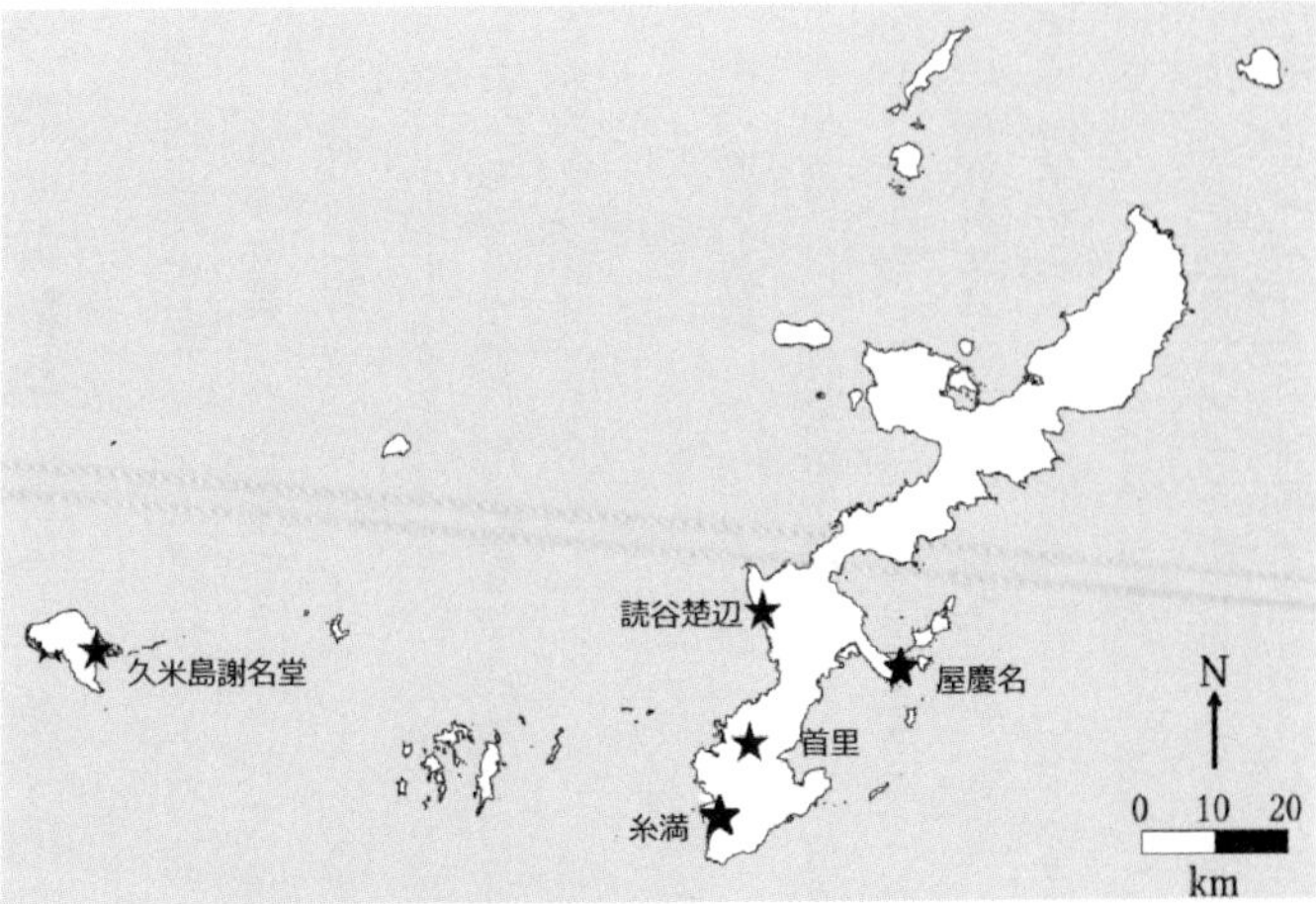

図２　首里区儀保、久米島町謝名堂、糸満市糸満、うるま市屋慶名、読谷村楚辺の位置

表１　沖縄語中南部諸方言における地域差

日本語	私は	畑に	行くけど	あなたは	どこに	いくのか
首里	わんねー	はるんかい	いちゅしが	いゃーや	まーんかい	いちゅが？
謝名堂	わのー	はるかち	いつひが	やるーや	まーかち	いつが？
糸満	わのー	はるんかい	いくしが	やーや	まーんかい	いくが？
屋慶名	わのー	はるんかい	いついが	やーめー	まーんかい	いつくとぅ？
楚辺	わんねー	はるんけー	いくしが	いゃーや	まーんけー	いくが？

四　沖縄語の社会言語学的な状況

上述したとおり、一九五〇—一九六〇年代に、親が日本語で子供を育てるようになった。そのため、子供が沖縄語を母語として習得せず、世代間の沖縄語継承がとまった。現在、二〇二〇年にもっとも若い母語話者は、五〇代である（Anderson）。もっとも若い母語話者は、沖縄語を日常生活の中で自然に習得してきたが、沖縄語が使用できる環境に置かれる機会が少なくなっていた。そのため、もっとも若い母語話者の沖縄語習得が、家庭内の会話や友人同士の会話などに限定され、敬語や語彙の習得が不完全である。

1　首里言葉

首里言葉は、沖縄語中南部諸方言の中で特別な社会的位置を占めている。首里が琉球王国の王都であったため、首里言葉が威信をもつ。ローレンス（二〇一五年）によると、首里言葉は、そのほかの地域言語にはない、宮廷文化、料理、織物、染色技術、金属加工、漆器、琉球芸能などに関連する語彙がある。その語彙には、日本語を通じて借用した漢語が多いようである。

もう一つの首里言葉の特徴は、旧階級による言語差があることが挙げられる。例えば、相手が平民、士族、または貴族であるかによって、敬語の使い分けが伝統的になされている。しかし、このような使い分けが、どの程度なされているのかは不明である。次の用例は、「あなた様は、どこへいらっしゃるのですか」をため口および三種類の敬語に訳したものである。

用例（1）

A　ため口：　いゃーや　まーんかい　いちゅが？
「お前は　どこへ　行くか」

B　平民に対して：　なーや　まーんかい　めーが？
「あなた様は　どこへ　いらっしゃるか」

C　士族に対して：　うんじょー　まーんかい　めんしぇーびーが？
「あなた様は　どこへ　いらっしゃいますか」

D　貴族に対して：　ぬんじょー　まーんかい　うちぇーんしぇーびーが？
「あなた様は　どこへ　いらっしゃいますか」

用例（1）には、語彙的な相違点が見られる。二人称敬称は、平民に対しては「なー」、士族に対しては「うんじゅ」、貴族に対しては「ぬんじゅ」である。社会的な地位が下である年長者に対しては、「なー」を用いるとのことである（国立国語研究所二〇〇一年［一九六三年］：三九九）。

2 〝共通沖縄語〟

首里言葉（と那覇言葉）の特徴的な音声的改新（/p/→/h/：ぱな→はな（花）、/i/や/j/の前/k/→/tʃ/：さばき→さばち（くし））が沖縄島の中南部地域とそこに属する島嶼地域（慶良間諸島、久米島など）へと広がった。その中でも地域差は見られるものの、上村幸雄（一九九七年：三二二）が以下のように述べている。

「今日では、この方言圏内では、首里を吸収合併した那覇市、そして、広大なアメリカ軍基地を相手に発展した沖縄市なでお、都市化の進んだ地域を中心に、共通沖縄方言とでもよぶべき、各村落方言の個性を失った、規範性のゆるい俗語的方言が形成されて通用している。一方で、標準語が高度に普及し、首里方言がかつての栄光を失った今日、ʔucina:guci⓪「沖縄口」としてもっとも有力なのは、このような共通沖縄方言である。」

上村幸雄がいう「共通沖縄方言」を本稿では〝共通沖縄語〟と呼ぶことにする。このような共通沖縄語は、どの地域のことばを指しているか言いがたいが、最大公約数的な沖縄語には、さまざまな名称がある。芸能の世界では、「しばいくとぅば」（芝居言葉）、国頭村奥では、「しまなかむにー」（島中物言い）、宜野座村惣慶では、「かいくとぅば」（借り言葉）、伊江島では、「たでぃくとぅば」（旅言葉）と呼ぶ。

共通沖縄語は、日本語普及前、沖縄語圏で地域語が異なる人同士でリングワ・フランカとして用いられたようである。現在では、その役割は、日本語によって果たされている（Ishihara等二〇一八年：三五）。

現在は、話者が使用する地域言語と共通沖縄語を使い分ける沖縄語話者が少ないようだが、共通沖縄語が沖縄語圏内の地域言語に影響を及ぼしている。さらに、共通沖縄語は、〝普通の沖縄語〟として規範言語であると考えることができる。規範言語の影響により地域言語が個性を失い、共通沖縄語化しつつある事例がある。宜野座惣慶の六〇歳以上の住民が日常的に使っている沖縄語は、惣慶言葉的な要素が薄くなっている（ファン＝デル＝ルベ二〇二〇年：七六）。

3　バイリンガリズム

幼いころから沖縄語を日常生活で覚えた沖縄語母語話者のほとんどが、学校教育で日本語を母語レベルで習得しており、沖縄語と日本語を流暢に話せるバイリンガル（二言語併用の話者）である。ほとんどの沖縄語話者は日本語と、沖縄語の中の一方言である自身の地域言語を使い分けて生活していている。沖縄語は、同じ地域出身者同士でのみ使用され、他地域出身者とは日本語の使用がほとんどだ。

4　言語差別と内在化した言語差別

いわゆる「方言撲滅・標準語励行」時に、学校教育で生徒が沖縄語を使うと罰された経験がある。そのため、沖縄語を子供に習得させることが、親にとって望ましくないものとなり、沖縄語は、不良や勉強ができない者の言語だというイメージが定着した。

二一世紀に入り沖縄語が見直され、現在では、沖縄語に対しての考え方が好意的になってきたようである（Ishihara 二〇一四年：一五六―一六〇）。しかし、現在でも話すペースが速い地域言語や、アクセントの高低差が大きい地域言語、共通沖縄語から離れている地域言語が「荒い」「汚い」「田舎臭い」などと言われ、差別的な考えが残っているようである。そのような差別的思考は、主観的で言語学的な観点から説明できない。残念なことに、そのような差別的思考は、元来、地域外からの評価に基づいており、標的となった地域の住民までも〝内在化した差別〟として深い劣等感を抱くようになっているようである。その劣等感が日本語へのシフトを速めた原因となる地域もある（Osumi 二〇〇一年：七四―七五）。

五　第二言語としての沖縄語学習

語学学習が行える環境がきちんと整備されていなければ、沖縄語の再活性化や復興は成功し得ない。

1　沖縄語学習の設定

伝統的には、沖縄語の第二言語習得は、教科書や施設のサポートなしで行われていた。自身の出身地域と異なる地域に移住する場合、意志疎通を図る必要性が大きかったため、沖縄語が話されている環境に入り浸り、習得することが当然であったようである。現在は、沖縄語の話者数が減少し、沖縄語のみが使用されている環境が失われつつあるため、沖縄語漬けの状態になるのがほとんど不可能になってしまった。

現在は、異なる設定で沖縄語学習や習得が行われている。沖縄国際大学や琉球大学、沖縄キリスト教学院大学・沖縄キリスト教短期大学などで、初心者を対象とした、沖縄語の第二言語を目標とする授業が行われているようである。県、市町村、字、民間レベルでも語学講座を提供している。しかし、何れも簡単な日常会話レベルの講座で、上級者むけの講座は、存在しないようである。

2　沖縄語教材

語学学習の教科書は主に、初級レベルから開始し、中級・上級へとレベルアップする、ステップを踏んだアプローチがある。このようなアプローチを前提とした教科書は、沖縄語に限定されている。二〇二〇年現在、わずか四冊の教科書が出版され、すべて首里言葉のみ紹介されている。

最近出版された、(1)『初級沖縄語』(花園悟二〇一九年)は、外国人を対象とした日本語教育の方法論を首里言葉に応用している。説明が分かり易く、内容が充実しているため方法論は悪くないｏｒ優れている。しかし、『初級沖縄語』で紹介されている沖縄語の文法や語彙に、間違いが多く見られ、語学学習の教科書としての深刻な欠点である。母語話者への確認が不十分であったことが窺える。

二〇一〇年には、（2）『うちなーぐち：沖縄口さびら―沖縄語を話しましょう』（船津好明二〇一〇年）が出版された。これは、一九八八年に出版された『美しい沖縄の方言(ことば)』（中松竹雄　監修、船津好明　著）の改訂版である。当該教科書は、首里言葉の習得へのアプローチが見事である。ただ、紹介している語彙数が乏しい。

二〇〇六年に出版された（3）『沖縄語の入門：たのしいウチナーグチ』（西岡敏、仲原穣）が、現在存在する沖縄語教科書の中でもっとも信用でき、有効なものである。紹介している語彙と文法項目が豊富で、良質な沖縄語教科書であると評価する。

二〇〇四年に出版された（4）『四コマ漫画で学ぶ沖縄語《うちなーぐち》』（玉城雅巳）は、沖縄語の語彙と文法を漫画を用いて紹介している。内容は、限定されているものの、沖縄語の質が高く、母語話者が用いそうなフレーズが揃っている。

前掲以外にも沖縄語教材は複数ある。

六　沖縄語教育にポリノミックモデルを応用する理由

1　実用的な理由

ポリノミック・モデルでは、沖縄語における地域差に気づかせるのみならず、沖縄語の地域差がどういったものかを学習者に理解してもらえる。語学学習の一つの目標は、目標言語の母語話者と適切かつ本質的な方法で、コミュニケーションを図る能力を習得することである。沖縄語母語話者は、日本語のほかに自身の地域言語しか話せない一方言話者であるという状況から、沖縄語教育において地域差の理解と意識が重要になってくる。沖縄語学習を首里那覇地域の地域言語（または、共通沖縄語かそのほかの沖縄語の一地域の言語）に限定することは、習得者の沖縄語におけるコミュニケーション能力の向上と沖縄語内の地域差を理解する能力の向上を損なう。さらに「〝沖縄語〟というものは存在せず、地域方言しか存在しない」という歪んだ発想を習得者に植え付けてしまう可能性がある。

筆者は、沖縄語の中の各地域言語の教材を開発することが理想であると考える。しかし、各地域言語の母語話者を探すのことが困難な上、各地域言語に教育者を探すことをさらに困難にさせる。また、地域言語ごとに教材を作成できる言語学者の数が不足しているため、各地域言語の教材を開発することが論理的に非現実的である。

ポリノミック・モデルでは、目標地域言語が異なる学習者が、統合された方法で沖縄語を習得することを容易にすることから、目標地域言語が異なる学習者が一緒に沖縄語を勉強することができる。

また、ポリノミック・モデルに基づいて作成された教材は、「マスター・アプレンティス」という言語復興の手法において、新話者にとっての大切な取っ掛かりとなりえる。

2　社会的な理由

琉球諸語の継承を促進する「琉球継承言語会」が琉球語—日本語の二か国語併用社会が奨励されるべき一二のポイントを公表している（Heinrich 二〇一四：二九八）。琉球継承言語会は，下記一二のポイントを達成するために、琉球諸語の活性化と復興に寄与することを使命とすると提唱している。

一、琉球諸語による琉球に関するより深い考察を普及・促進する。
二、琉球の民の自尊心と自信を取り戻す。
三、学校教育における言語、歴史、文化に関する琉球の視点を奨励する。
四、過去と現在の世代間の結束および連続性を回復する。
五、若い世代を先祖代々受け継がれた琉球文化に親しませる。
六、文化遺産としての琉球諸語を維持・強化し、活用する。
七、琉球諸語に現代的な性格を与え、将来と関連づける。
八、琉球の民の自己像と教育の主権を取り戻す。
九、言語，アイデンティティ、そして文化の自発的選択を確保する。
一〇、琉球の民としてアイデンティティと行動様式において，安易に本土日本に迎合しないようにする。

一一、地域共同体の幸福と福祉に寄与する。
一二、文化的多様性を認め、異文化に対する寛容性を育成する。

上記のうち、六つの項目を取り上げて、ポリノミック・モデルの有効性を考察する。

二）「琉球の民の自尊心と自信を取り戻す」。沖縄語の中の地域差を尊重しなければならない。地域差を無視し、首里・那覇地域の言葉か共通沖縄語のみ教えれば、それ以外の地域の人々とその言語をさらに疎外させかねない。

三）「学校教育における言語、歴史、文化に関する琉球の視点を奨励する」。「琉球の視点」というものは、一つではなく、地域や社会的な状況による複数の視点が存在すると考える。

四）「過去と現在の世代間の結束および連続性を回復する」。前述したように、主な沖縄語話者は、一方言話者であり、自身の沖縄語の地域言語を他地域の言語に合わせることができない。そのため、沖縄語を多様性のない言語として紹介すると、世代間の結束や連続性を回復できない。

八）「琉球の民の自己像と教育の主権を取り戻す」。自己像と教育の主権を一つの地域言語の話者に与えるのは、的外れである。

一一）「地域共同体の幸福と福祉に寄与する」。そのため、地域差があることを尊重しなけらばならないと考える。

一二）「文化的多様性を認め，異文化に対する寛容性を育成する」。琉球のみならず、沖縄においても文化的な多様性が存在するため、異文化に対する寛容性は、沖縄から始めなければならない。寛容性は、選択肢がなく絶対的なものであるため、あらゆる多様性を尊重すべきである。

さらに、沖縄語の中の地域差を尊重するポリノミック・モデルを応用する理由がもう一つある。〝田舎〟と言われている地域の沖縄語話者は、首里に対して劣等感を覚える。沖縄語の再活性化と復興を目指す際、ある地域言語に限定して復興をを促進させ、ほかの地域言語の使用や習得を妨げる活動は、劣等感を強くする。また、そのような態度が沖縄語を衰退させる要因となり続ける。

七　ポリノミックモデルを沖縄語に応用する方法

本節でポリノミック・モデルを沖縄語教育に応用すると、どういった地域差に触れればよいかを考察する。本節において紹介する方法は、「うちなーぐち習得勉強会《びんちょーくゎい》」（二〇一三年創立）で用いられてきており、松田&ファン＝デル＝ルベ（二〇二〇年）にも説明されている。

ポリノミック・モデルを沖縄語の語学学習教育に応用するにあたって学習者に沖縄語における地域差を把握してもらうことがもっとも重要であるが、沖縄語圏内に存在するすべての地域差を把握することは、不可能に等しいと言える。しかし、中南部諸方言の地域差がおこる範囲を把握し、地域差を認識する感覚を養うことは、可能である。よって、沖縄語教育者には、上記の地域差を理解し認識してもらうことが重要だと考える。

どういった地域差が分かると、沖縄語における地域差の範囲が理解できるかは、五つの地域言語（首里言葉、久米島旧中里村謝名堂言葉、糸満言葉、旧与勝町屋慶名言葉、読谷村楚辺言葉）の特徴を例として考察する。

本節で提供する「沖縄語における地域差の範囲」を把握することによって、沖縄語を教える人が地域差を尊重し、「その言葉は間違いだ」「その言葉はおかしい」「それはあまりいい言葉じゃない」と言った理不尽な判断がなくなることを期待する。また、習得者と母語話者との沖縄語による交流も容易になると思われる。

本節は、読者が言語学的な知識を前提とせずに理解できるよう、専門用語を使用せずに説明する。そのため、イントネーションやアクセントの特徴による地域差を扱わずに①語彙、②音声、③文法という三つの言語構造による地域差のみを紹介することにする。

1　語彙的な地域差

語彙的な地域差は、沖縄語語彙のあらゆる分類におこり、特に次の三つの分類には地域差が多く現れる。

①自然関係：植物名・動物名

②親族名詞：お父さん、お母さん、お兄さん、お姉さんなどのような血液関係がある人をあらわす単語

表2　沖縄語の親族名詞に見られる地域差

日本語	首里	久米島 泊・謝名堂	糸満	与勝 屋慶名	読谷 楚辺
祖父	たんめー	ふー	うすめー	うすめー	ぅんめー
祖母	ぅんめー	はー	ぱーぱー	ぱーぱー	ぱーぱー
父	たーりー	すー	すーたー	すーすー	ちゃーちゃー（古）
母	あやー	あんまー	あんまー	あんまー	あんまー
兄	やっちー	やっちー	あっぴー	やかー	あっぴー
姉	ぅんみー	んみー	あばー	あばー	あわー

③敬語
④人称代名詞

上記の①自然関係という分類は、本講座で扱わないことにする。②親族名詞は、地域差のみならず、階級差も示す。上の表で首里言葉の語彙として述べているのは、首里の士族の言葉のみである。首里言葉の平民的な親族名詞に関しては、『沖縄語辞典』を参考にされたい。

上の表で示している祖父母と父母をあらわす語彙は、呼称で、第三者として話す際には、名称が異なる。

親族名詞は、日本語の影響を多く受けている分類である。沖縄語による会話の中で、親族名詞のみ日本語（または、うちなー大和口《やまとぅぐち》）[1]を使用しているパターンが多く観察できる。親族名詞の継承を困難にさせる点としては、母語話者世代が自分の地域・階級の呼称以外で言われれば違和感や不快な感情を覚える点である。日本語やうちなー大和口《やまとぅぐち》の親族名詞を使うことで、階級差と地域差の複雑さを無くすことができると思われるが、沖縄語復興のために沖縄語の親族名詞を継承することも重要だと思

表３　「うーふー」と「おーほー」

日本語	沖縄語	
	うーふー	おーほー
はい（肯定応答詞）	うー	おー
いいえ（否定応答詞）	をぅーをぅー	をーをー
あなた様（二人称敬称）	うんじゅ	なー
いらっしゃる	めんせーん	めーん
召し上がる	うさがゆん	みせーん

われる。

敬語も豊かな地域差を示している語彙分類である。敬語には、親族名詞と同じく、地域差のみならず、階級差もある。階級差に基づいて、沖縄語における敬語表現を大きく二つに分けることができる。①「うーふー」と②「おーほー」である。この二つの体系には、基本敬語語彙が並立している。上の表は、うーふーとおーほー体系の基本敬語語彙の一覧である。

首里・那覇地域をはじめ、伝統的に両方の体系が使われてきている地域もある。そのような地域では、うーふーとおーほーの役割が異なる。うーふーは、単なる「目上」に対して使う言い方で、おーほーは、「年長の目下」に対して使う言い方である（国立国語研究所二〇〇一：四三九、五七二）。「目上」と「年長の目下」の敬語の使い分けを要求するような階級社会が衰退するにつれ、このような使い分けがなされていた首里・那覇地域には、うーふー体系しか残っていないようである。しかし、今日でも首里・那覇の人々の中では、おーほー敬語に属する言い方を「ちゃんとした敬語ではない」と評価しているようである。

表４　うーふー敬語とおーほー敬語を用いる地域

（ウール―敬語は、太文字になっている）

日本語	首里	謝名堂	糸満	屋慶名	読谷
はい（回答詞）	**うー**	**うー**	おー	おー	**うー**
いらっしゃる	**めんしぇーん（いめんしぇーん）**	**めんせーん**	めーん	ぅんめーん	ぅんめーん
召し上がる	**うさがいん**	**うさがゆん**	みせーん	みせーん	みせーん
あなた様	**うんじゅ**	**うんず・なー（古）**	なー	なーみ	なー
あなた様方	**うんじゅなー(たー)**	**うんずぬちゃー**	なったー	にったー	にったー

おーほーに属する敬語体系しか使わない地域も少なくはない。上の表では、敬語体系の一覧ができ、主に五地域で使われている敬語である。うーふー敬語に属する形式は太字で表示している。

伝統的におーほー敬語しか使わない地域の中でも、うーふー敬語が浸透しつつある地域もある。おーほー敬語が使われる地域で、他地域と交流する際には、うーふーに敬語を使用する人もいるようである。

首里言葉では、貴族や王族などに対して使われていた、さらにレベルの高い敬語があるが、このような言葉が使いこなす人がほとんどいなくなっているようである。

沖縄語中南部諸言葉で共通する一人称複数代名詞に、「わったー」（私たち）がある。首里・那覇をはじめとする地域では、「わったー」のみ使われている。

表５　貴族や王族に対する敬語

はい（回答詞）	いゅー
いらっしゃる	うちぇーんしぇーん
あなた様	ぬんじゅ・みゅんじゅ

また、「わったー」ともう一つの言葉が使い分けられている地域もある。「わったー」ともう一つの一人称複数代名詞が使われる地域では、「わったー」は、聞き手を含まない「私たち」をあらわすのに使われている。また、もう一つの代名詞は、聞き手を含む「私たち」をあらわすのに使われる。次の表で示しているように、聞き手を含む「私たち」の形式には、地域差が多く出ている。

表6　一人称複数代名詞

	聞き手をふくまない	聞き手をふくむ
日本語	私たち	
首里	わったー	
謝名堂	わったー	あぎたー・あがたー
糸満	わったー	んがたー
屋慶名	わったー	いがるー
読谷	わったー	んがたー

図2　一人称複数代名詞の区分

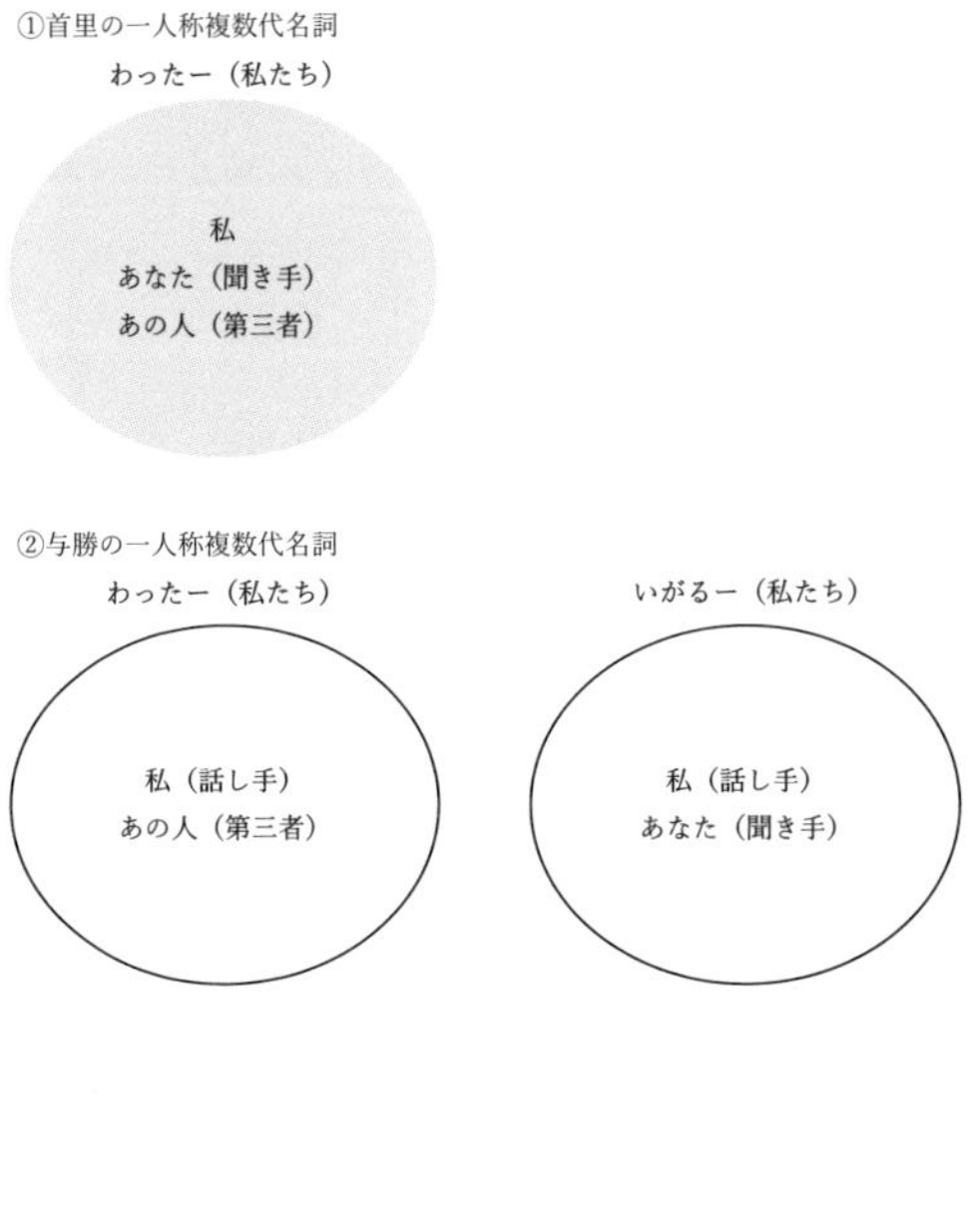

二人称代名詞としては、敬称うんじゅ系、なー系、いゃー系の三つが沖縄語圏内ひろく見られる。与勝地域では、なー系といゃー系に「み（身?）」がつき、「なーみ」（あなた様）と「いゃーみ」（おまえ・きみ）が使用される。久米島謝名堂では、なー系といゃー系の二人称代名詞に再帰代名詞「どぅー」（自分）がつき、「なるー」と「やるー」も使用される。久米島謝名堂では、なー系の「なるー」がほとんど廃れているようであるが、「やるー」は、今日もよく使用されている。

2　音声的な地域差

沖縄語に属する諸言葉における音声的な相違は、分かりやすく規則的である。音声的な相違がどのようにして起こったかは、歴史的な変化が関係する。本稿では、省略することにするため、かりまたしげひさ（一九九九）を参考にされたい。

下の表では、多くの地域で見られるチャ行が他地域では、カ行に相当する音声的な相違を示している。規則的にカ行に相当する地域とそうでない地域があることが分かる。この相違は、いわゆ

表７　ちゃ行　↔　か行

日本語	首里	謝名堂	糸満	読谷
聞く	ちちゅん	ちつん	**きくん**	**きくん**
泳ぐ	うぃーじゅん	をぃーずん	**いーぐん**	**いーぐん**
冷たい	ふぃじゅるさん	ひずるはん	**ひぐるさん**	**ひぐるはん**
肝	ちむ	ちむ	**きむ**	**きむ**
昨日	ちぬー	**きぬー**	**きぬー**	**きぬー**
今日	ちゅー	**きー**	**くー**	ちゅー

表8　さ行→は行（→や行）

日本語	首里	謝名堂	屋慶名	読谷
連れる	そーゆん	**ほーゆん**	そーいん	そーいん
おいしい	まーさん	**まーはん**	**まーはん**	**まーはん**
速い	ふぇーさん	へーさん	**へーはん**	**へーはん**
珍しい	みじらさん	**みじらはん**	**みじらーん**	**みじらはん**
持たせる	むたすん	**むたふん**	**むたゆん**	むたすん
○なんじゃない?	○るやさに	○れーさんな	**○るややに**	**○るやはに**
する	すん	すん	**ふん**	すん
だけど	やしが	**いぇーひが**	**やいが**	やしが

る口蓋化が起って「き」、「きゃ」、「きゅ」などが「ち」、「ちゃ」、「ちゅ」になった地域と、口蓋化がおこらずに「きゃ」、「きゅ」などが「か」、「く」になった地域である。表7で示しているように、不規則なふるまいを示す地域もある。

もう一つ広く見られる音声的な相違は、サ行がハ行に相当する相違である。これは、サ行の緩和化によってハ行になった結果である。さらに、与勝地域の屋慶名言葉では、ハの「h」の音がなくなったり、ヤになったりする場合もある。この緩和化が不規則的に起こった地域もある。

首里・那覇地域をはじめ、サ行が保たれている地域が過半数である。ハ行になっている地域の人々は、首里・那覇地域のサ行にあわせることもある。

3　文法的な地域差

文法的な地域差は、上級レベルで学習する文法パターンに特にあらわれる。本稿では、初級レベルで扱われている、形容詞否定形の地域差を紹介する。沖縄語の形容詞は、～サン、

表9　形容詞否定形に見られる地域差

日本語	首里	久米島謝名堂	屋慶名	読谷楚辺
美味しい	まーさん	まーはん	**まーはん**	**まーはん**
美味しくない	まーこー ねーん	まーく ねーん	**まーはー ねーん**	**まーはー ねーん**

または、~ハン（地域差）で終わる。~サンは、歴史的には、形容詞につく接辞である~サとアン「ある」が融合した形式である。沖縄語の形容詞の否定形は、日本語と同様、連用形の~クにアン「ある」の否定形である、ネーン・ネーラン「ない」が付く。連用形には、助詞ヤ「は」がつき、~ク+ヤが~コーになる地域もある。しかし、ネーン・ネーラン「ない」が~ク+ヤより~サ+ヤに付く地域語も少なくある。

　動詞「する」の活用は、様々な地域で地域差が現れており、多くの地域で、具格助詞が動詞「する」の中止形に由来する。

　屋慶名の「する」の活用には、サ行がハ行に変化するといった緩和化が見られる。

　久米島謝名堂、屋慶名、楚辺では、過去形が「さん」より「ひちゃん」や「ちゃん」に

表10　動詞「する」の活用形式に見られる地域差

日本語	する	しない	した	している	して	で
首里	すん	さん	さん	そーん	っし	っし
久米島	すん	さん	**ちゃん**	**ちょーん**	**ち**	**ち**
糸満	すん	さん	さん	そーん	**し**	**し**
与勝	**ふん**	**はん**	**ひちゃん**	**ほーん**	**ひ**	**ひ**(2)
読谷	すん	さん	**ひちゃん**	**ひちょーん**	**ひち**	し

なる。「している」や「して」に相当する形式にもそれと似たような形式が見られる。

首里・那覇地域では、動作の結果、動作の進行、動作の反復や習慣をすべて**そーん**「している」という形式で現わされている。この形式は、**っし**「して」と**をぅん**「いる」が融合した形である。しかし、多くの地域では、「して」と「あるく」に相当とする形式も見られ、融合する言葉と融合しない言葉がある。さらに、「してあるく」に相当する形式では、進行と反復・習慣を両方あらわす地域もあり、反復・習慣のみあらわす地域もある。

名詞につく助詞にも地域差が多く見られる。飾られる名詞がありかをあらわすか、方向をあらわすかによって、異なる助詞が使われる地域がある。また、前述したような区別がない地域もある。

表11　結果、進行、反復・習慣に見られる地域差

	結果	進行	反復・習慣
首里	そーん	そーん	そーん
西原	そーん	そーん	そーん・っしあっちゅん
謝名堂	ちょーん	ちぇーつん	ちょーん・ちぇーつん
糸満	そーん	さっくん	そーん・さっくん
与勝	ほーん	ほーん	ほーん・へーつん
読谷	ひちょーん	ひちょーん（さぎーん）	ひちょーん・ひちぇーくん(古)[(3)] (さぎーん)

ある地域では、ありかと方向を絶対的に助詞で区別する傾向があり、ある地域では、そうでない（絶対的に助詞で区別しない）傾向がある。後者では、助詞を置き換えても違和感がない場合がある。

まとめ

本稿では、沖縄語の語学教育へのポリノミック・モデルの応用の理由と方法を考察した。

（1）市場で出回っている教科書は、首里のことばのみを扱う。学習者に一地域言語のみを紹介すると、学習者が自分のコミュニティー言語とつながる機会を限定させ、多様性を持つ沖縄語の地域差に、対応できる能力を養うことができない。

（2）母語話者（伝統話者）は、一般的に自分の地域言語しか話せない。よって、母語話者と沖縄語でコミュニケーションを図るため、沖縄語の地域差に関する意識は、学習者にとって不可欠である。

表12　助詞の使用に見られる地域差

	ありか	方向
日本語	家にいる	島に行く
首里	やーんかい　をぅん	しまんかい　いちゅん
謝名堂	やーに　うん	しまかち　いつん
糸満	やーなかい　うん	しまんかい　いくん
屋慶名	やーなかい　ふん	しまんかい　いつん
読谷	やーんけー　をぅん	しまんけー　いくん

（3）学習者に、物理的・感情的・文化的に、一番近い地域言語の習得を可能にしてあげることが沖縄語の言語復興に重要であると思われる。物理的・感情的・文化的に近い人々と、コミュニケーションを沖縄語で図ることを実現してあげる。さらに、沖縄語に興味を持たせることが、鍵となる。

（4）教師も学習者も、全地域の地域言語を覚えることは不可能であるが、沖縄語における地域差の範囲を把握することは、十分可能である。

本稿では、主に沖縄語に触れた。沖縄語以外の琉球諸語も状況が似ているが、奄美群島で話されている諸言語、宮古語、八重山語の状況の考察は、今後の課題としたい。

注

(1) 沖縄的な日本語。沖縄語の影響が語彙、文法、イントネーションに見られる

(2) 屋慶名では、「自分で」は「どぅーひ」になるが、道具をあらわす「で」は、「なかい」になる。「ペンで文字を書く」→「ペンなかい字《じー》書《か》つん」

(3) 読谷楚辺では、**ひちぇーくん**が反復や習慣をあらわすが、この言い方は、廃れつつあり、ほとんど使用されなくなっている。

教材

花園悟（二〇一二）『初級沖縄語』研究者：東京
玉城雅巳（二〇〇四）『四コマ漫画で学ぶ沖縄語(うちなーぐち)』南風社：沖縄
西岡敏、仲原譲（二〇〇六）『沖縄語の入門：たのしいウチナーグチ』白水社：東京
船津好明（二〇一〇）『うちなーぐち：沖縄口さびら—沖縄語を話しましょう』琉球新報社：沖縄

参考文献

Heinrich, Patrick (2014) Don't leave Ryukyuan languages alone. A roadmap for language revitalization. In: *Language Crisis in the Ryukyus*. Mark Anderson and Patrick Heinrich (eds.). pp. 295-321. Newcastle upon Tyne: Cambridge Scholars Publishing

Heinrich, Patrick (2015) Language Shift. In: *Handbook of the Ryukyuan Languages*. Patrick Heinrich, Shinsho Miyara, Michinori Shimoji (eds.), pp. 613-630. Boston: De Gruyter Mouton.

Heinrich, Patrick and Masahide Ishihara (2017) Ryukyuan Languages in Japan. In: *Heritage Language Policies around the World*. Corinne A. Seals and Sheena Shah (eds), 165-184. London: Routledge.

Ishihara, Masahide (2014) Language Vitality and Endangerment in the Ryukyus. In: *Language Crisis in the Ryukyus*. Mark Anderson and Patrick Heinrich (eds.). pp. 140-168. Newcastle upon

Tyne: Cambridge Scholars Publishing

Ishihara, Masahide, Katsuyuki Miyahira, Gijs van der Lubbe and Patrick Heinrich (2019) Ryukyuan sociolinguistics. In: *Routledge Handbook of Japanese Sociolinguistics*. Patrick Heinrich and Yumiko Ohara (eds.), pp. 25-42. Oxon: Routledge

Lawrence, Wayne (2015) Lexicon. In: *Handbook of the Ryukyuan Languages*. Patrick Heinrich, Shinsho Miyara, Michinori Shimoji (eds.), pp. 157-173. Boston: De Gruyter Mouton

Osumi, Midori (2001) Language and Identitiy in Okinawa Today. In: Studies in Japanese Bilingualism. Mary Goebel Noguchi and Sandra Fotos (eds), 68-97. Clevedon: Multilingual Matters

Pellard, Thomas (2015) The Linguistic Archaeology of the Ryukyu Islands. In: *Handbook of the Ryukyuan Languages*. Patrick Heinrich, Shinsho Miyara, Michinori Shimoji (eds.), pp. 13-37. Boston: De Gruyter Mouton

Sallabank, J. (2010) Standardisation, Prescription and Polynomie: Can Guernsey Follow the Corsican Model? Current Issues in Language Planning 11 (4): 311–330

かりまたしげひさ（一九九九年）「音声の面から見た琉球諸方言」『ことばの科学』九号　むぎ書店：東京

ファン＝デル＝ルベ・ハイス（二〇二〇年）「沖縄語宜野座村惣慶方言の代名詞・指示詞・疑問詞」『琉球の方言』四四号二〇一九年度　法政大学沖縄文化研究所：東京

ローレンス　ウェイン（二〇〇六）「沖縄方言群の下位区分について」『沖縄文化』四〇、一〇一―一一八頁
国立国語研究所（二〇〇一）［一九六三］「沖縄語辞典」財務印刷局：東京
松田美怜、ハイス・ファン＝デル＝ルベ（二〇二〇年）「沖縄語の複数の島言葉での教育／うちなー口《ぐち》の複数の
島言葉習《しまくとぅばならー》し」『ことばと社会』二二号　株式会社三元社：東京
上村幸雄（一九九七）「総説」亀井考、河野六郎、千野栄一　編『言語学大辞典セレクション　日本列島の言語』
三一一―三二二頁　三省堂：東京

刊行のことば

沖縄国際大学学長　前津榮健

二〇二〇年度の沖縄国際大学うまんちゅ定例講座の開講につきましては、新型コロナウィルス感染拡大防止に伴い例年通りの開講が困難となり、初の試みとして動画配信（You Tube）にて開講する事になりました。今回の公開講座のテーマは、『ボーダレス・ダイバーシティ社会に向けて』と題して刊行いたしました。

大学は高等教育機関として社会に有用な人材の育成を目指すことを第一の使命としています。本学は、「沖縄の伝統文化と自然を大切にし、人類の平和と共生を支える学術文化を創造する。そして豊かな心で個性に富む人間を育み、地域の自立と国際社会の発展に寄与する」ことを教育理念として、人材育成に努めております。

また、人材育成を目指す教育機関としてだけではなく、教育活動の成果を地域社会に還元し、地域社会の発展に寄与することも使命の一つであります。本学では地域社会で暮らす皆様に向けて、うまんちゅ定例講座、学外講座、大学入門講座、大学正規科目の公開、そして講演会の五種類の公開講座を提供しております。

その中で、「うまんちゅ定例講座」の刊行は、第一巻の『琉球大国の時代』から始まり、今回で三十巻目にあたります。

この度、総合文化学部の教員を中心に九名が講座を開講いたしました。インターネットの普及により物流や人的交流のグローバル化が急速に進む中、世界は国や人種、民族などの境のないボーダレス社会となっています。島国である日本も例外ではなく、さまざまな国から人が集い、多種多様な人々が共存する国となり、多様性・ダイバーシティへの対応が求められています。今回は世界と繋がる重要なツールである言語、異文化理解、コミュニケーション力、自文化への理解や継承を視野に入れた各テーマを通し、ボーダレス・ダイバーシティ社会への対応について、皆様と一緒に考えていきたいと思います。

沖縄国際大学は、日本復帰直前の一九七二年二月に創立して以来、建学の精神に則り、前述の教育理念に基づき、地域に根ざし、世界に開かれた大学を目指して参りました。これからさらに力強く発展するために、地域と連携・協力し、地域を世界につなげる人材育成に邁進してまいります。

万国津梁の沖縄を運営することのできる人材育成を目指し、未来を展望するためにも、「うまんちゅ定例講座」シリーズの刊行がその役割の一つを担っているものと考えております。老若男女を問わず、多くの県民の皆さんが「うまんちゅ定例講座」に参加し、活発な議論を交わして頂くことができれば、本講座の大きな目的がかなえられたといえるでしょう。

皆様の人生を豊かなものにして頂く一助となりますよう、今後も「うまんちゅ定例講座」をよろしくお願い致します。

沖縄国際大学公開講座30

ボーダレス・ダイバーシティ社会に向けて

発　行――二〇二一年三月三一日
編　集――沖縄国際大学公開講座委員会
発行者――西原　幹子
発行所――沖縄国際大学公開講座委員会
〒九〇一―二七〇一
沖縄県宜野湾市宜野湾二丁目六番一号
電話　〇九八―八九二―一一一一（代表）
印刷所――株式会社　東洋企画印刷
発売元――編集工房　東洋企画
〒九〇一―〇三〇六
沖縄県糸満市西崎町四丁目二一―五
電話　〇九八―九九五―四四四四
ISBN978-4-909647-26-9 C0060 ¥1500E
乱丁・落丁はお取り替えいたします。
この印刷物は個人情報保護マネジメントシステム（プライバシーマーク）を認証された事業者が印刷しています。

地域を映す
沖縄国際大学公開講座

沖縄国際大学公開講座シリーズ　四六版

1 琉球王国の時代
琉球王国以前の沖縄　高宮廣衞／琉球の歴史と民衆　仲地哲夫／琉球王国の英雄群像　遠藤庄治／琉球王国と言語　高橋俊三／琉球王国の通訳者　伊波和正／琉球王国と武芸　新里勝彦
一九九六年発行　発売元・ボーダーインク　本体価格　一四五六円

2 環境問題と地域社会―沖縄学探訪―
地形図をとおしてみた沖縄―沖縄の自然と文化　小川護／沖縄の土壌―ジャーガル・島尻マージ・国頭マージの特性　名城敏／沖縄の自然とその保全―やんばるの森はいま！　宮城邦治／沖縄の信仰と祈り―民間信仰の担い手たち　稲福みき子／沖縄の地域共同体の諸相―ユイ・郷友会・高齢者など　玉城隆雄／沖縄から見た世界のスポーツ　宮城勇
一九九七年発行　発売元・ボーダーインク　本体価格　一四五六円

3 女性研究の展望と期待
ノーベル文学賞と女性　喜久川宏／英米文学史の中の女性像　伊波和正／アメリカ南部の女性像　ウィリアム・ランドール／近代女性作家の戦略と戦術　黒澤亜里子／沖縄県における女子労働の実態と展望　比嘉輝幸／教科書に見られる女性労働と女性像　カレン・ルパーダス
一九九七年発行　発売元・那覇出版社　本体価格　一四五六円

4 沖縄の基地問題
沖縄の基地問題の現在　阿波連正一／米軍の犯罪と人権　福地曠昭／反戦地主、「おもい」を語る　新崎盛暉・真栄城玄徳／米軍基地と平和的生存権　井端正幸／地方分権と機関委任事務　前津榮健／沖縄社会と軍用地料　来間泰男／国内政治の変遷と沖縄基地　高嶺朝一／日米安保体制と沖縄　長元朝浩／国際都市形成構想の意義　府本禮司／基地転用と国際都市形成構想の課題　野崎四郎
一九九七発行　発売元・ボーダーインク　本体価格　一四五六円

5 アジアのダイナミズムと沖縄
アジアの経済的ダイナミズム　富川盛武／華南経済圏と沖縄　富川盛武／中国本土における経営管理　天野敦央／台湾の政治と経済の発展　湧上敦夫／沖縄・福建圏域の構想と実現化―中国との共生を目指して　吉川博也／岐路に立つ韓国経済　呉錫畢／タイの経済発展新垣勝弘／シンガポールの社会経済の発展と課題　大城保／国境地域の経済　野崎四郎／華僑のネットワーク　小熊誠／外来語にみる日本語と中国語　兼本敏／タイに学ぶ共生の社会　鈴木規之／韓国の文化と社会　稲福みき子
一九九七年発行　発売元・ボーダーインク　本体価格　一五〇〇円

沖縄国際大学公開講座委員会刊

地域を映す
沖縄国際大学公開講座

6 沖縄経済の課題と展望

一九九八年発行　発売元・那覇出版社　本体価格　一五〇〇円

沖縄経済の現状と課題　湧上敦夫／国際都市形成構想　宮城正治／規制緩和と沖縄の経済発展―フリー・トレード・ゾーン（FTZ）を中心に　富川盛武／米軍基地と沖縄経済　眞栄城守定／地方財政の動向と地域振興　前村昌健／軍事基地と自治体財政　仲地博／沖縄の経済開発政策　野崎四郎／沖縄の政策金融　譜久山當則／内発的発展による沖縄の経済発展と自立化―沖縄と済州島の比較　呉錫畢／沖縄のアグリビジネス―主として薬草産業（健康食品産業）を中心に　比嘉堅／沖縄の雇用問題―次世代の主役たちのための社会的資源の適正配置を考える　喜屋武臣市／マルチメディア・アイランドの形成に向けて　金森邦雄／返還跡地と業態立地―北谷町の事例を中心に　金城宏／国際都市と自由貿易構想の検討―主として流通論を中心に　新城俊雄／沖縄の産業と規制緩和　宮城弘岩

7 南島文化への誘い

一九九八年発行　発売元・那覇出版社　本体価格　一五〇〇円

南島文化への誘い―南島文化とは何か・模合から見た沖縄とアジア―　波平勇夫／南島現代社会論への誘い―現代沖縄の郷友会社会―　石原昌家／南島考古学への誘い―沖縄のルーツ―　當眞嗣一／南島近世史への誘い―日本の中の異国―　仲地哲夫／南島民俗宗教への誘い―南島の祖先祭祀―　平敷令治／南島文化人類学への誘い―中国から来た風水思想―　小熊誠／民俗社会における「正当性」を巡る考察　李鎭榮／琉球方言への誘い―琉球方言の地域性―　加治工真市／琉球・社会方言学への誘い―沖縄の若者言葉考―　野原三義／沖縄民話への誘い―キジムナーとカッパ―　遠藤庄治／琉球文学への誘い―『おもろさうし』の魅力　嘉手苅千鶴子／沖縄民俗音楽への誘い―神歌からオキナワン・ポップスまで―　比嘉悦子／南島民俗芸能への誘い―祭りや村遊びに出現する踊り神・来訪神　宜保榮治郎

8 異文化接触と変容

一九九九年発行　発売元・編集工房東洋企画　本体価格　一五〇〇円

源氏物語と異文化―「辺境」からの創造―　葛綿正一／中世神話と異文化―養蚕をめぐる貴女の物語―　濱中修／大城立裕―内包される異文化―　大野隆之／イスラムとユダヤの出会い　須永和之／ことばと異文化接触　兼本敏／沖縄の異文化家族―エスニシティーへの理解と言語習得・教育の諸問題―　ダグラス・ドライスタット／アフリカ系アメリカ人の文学と沖縄文学―二重意識の問題を中心に―　追立祐嗣／大学における国際化と文化的交流　西平功／バルザックの世界と異文化―アジアの国々をめぐる想像の産物―　大下祥枝／日本とドイツ―人の交流―　漆谷克秀／文学における異文化接触　米須興文

9 転換期の法と政治

二〇〇〇年発行　発売元・編集工房東洋企画　本体価格　一五〇〇円

転換期における国際政治と外交　松永大介／転換期における医療保険の現状と未来　伊達隆英／生命保険契約法の改正について―その社会的背景と展望―　脇阪明紀／人権の国際的保護　緑間榮／日本の外交政策―転換期の環境問題―　赤阪清隆／安楽死是非論　高良阮二／転換期における東欧と民族紛争―コソボ危機を中心に―　伊藤知義／転換期の国家法一元論　徳永賢治／消費者法の展開―製造物責任法と消費者契約法―　阿波連正一／企業再編時代の到来―会社法の現在、そして未来―　山城将美／二一世紀に向けた国際政治の潮流と沖縄　江上能義／変わりゆく家族―国際的な状況の変化と家族法のゆくえ―　熊谷久世／変貌する少年法制　小西由浩／地方分権と行政課題―情報公開を中心として―　前津榮健／遺伝子鑑定の現実と社会的環境　新屋敷文春

沖縄国際大学公開講座委員会刊

地域を映す
沖縄国際大学公開講座

10 情報革命の時代と地域　二〇〇一年発行　発売元・ボーダーインク　本体価格一五〇〇円

マルチメディア社会とは何か　稲垣純一／沖縄県にソフトウェア産業は根付くか　又吉光邦／産業ネットワークと沖縄経済の振興　富川盛武／情報技術革新下の課題と方途―情報管理の視点から情報化の本質を考える―　砂川徹夫／情報技術の商業的な利用法について　安里肇／情報通信による地域振興　古閑純一／デジタルコンテンツビジネス産業の可能性について　稲泉誠／情報化と行政の対応　前村昌健／ＩＴ（情報技術）とマーケティング　宮森正樹／沖縄県におけるコールセンターの展望　玉城昇

11 沖縄における教育の課題　二〇〇二年発行　発売元・編集工房東洋企画　本体価格　一五〇〇円

教育崩壊の克服のために―教育による人間化を―　遠藤庄治／日本語教育から見たパラダイム・シフト―より豊かな「つながり」を目ざして―　大城朋子／学校教育とカウンセリング　逸見敏郎／教育課程改革の動向と教育の課題―「総合的な学習の時間」導入の背景と意義―　三村和則／現代沖縄と教育基本法の精神―人権・平和・教育の課題への問い―　森田満夫／教師に求められる新たな人間観・教育観　玉城康雄／「生きる力」を培う開かれた教育　津留健二／総合学習と地理教育の役割―環境論的視点から―　小川護／沖縄の国語教育―作文教育の成果と課題―　渡辺春美／教育情報化への対応　吉田肇吾／情報教育の課題―有害情報問題をめぐって―　山口真也／平和教育の課題　安仁屋政昭／大学の現状と課題―大学の危機とポスト学歴主義―　阿波連正一／憲法・教育基本法の根本理念　垣花豊順／八重山の民話と教育　遠藤庄治／学校教育と地域社会教育の連携と教育の再興　大城保

12 自治の挑戦　これからの地域と行政　二〇〇三年発行　発売元・編集工房東洋企画　本体価格　一五〇〇円

地方分権と自治体の行政課題　前津榮健／国際政治のなかの沖縄　吉次公介／地方議会の現状と課題　照屋寛之／沖縄の基地問題　屋良朝博／市民によるまちづくり・ＮＰＯの挑戦　横山芳春／アメリカの自治に学ぶ　佐藤学／地方財政の現状と課題　前村昌健／沖縄の地方性と政治　西原森茂／政策評価とこれからの地方自治　佐藤学／八重山の自然環境と行政　西原森茂／今なぜ市町村合併か　照屋寛之／政治の中の自治と分権　井端正幸

13 様々な視点から学ぶ経済・経営・環境・情報
―新しい時代を生きるために―　二〇〇四年発行　発売元・編集工房東洋企画　本体価格　一五〇〇円

テーゲー経済学序説―環境・経済・豊かさを語る―　呉錫畢／キャッシュ・フロー情報の利用　鵜池幸雄／ＩＴ時代の情報管理モデル　砂川徹夫／食糧生産と地理学―米と小麦生産を中心に―　小川護／日本社会経済の再生―地域分権化・地域活性化・全国ネットワーク化―　大城保／長期不況と日本経済のゆくえ―構造改革路線を考える―　鎌田隆／タイの観光産業の現状とマーケティング活動　モンコンノラキット・モンコン／久米島の環境　名城敏／ヨーロッパ公企業論―タバコ産業の場合―　村上了太／マーケティングの心とビジネス　宮森正樹／自動車システムから学ぶ人間の生き方　比嘉堅

沖縄国際大学公開講座委員会刊

地域を映す
沖縄国際大学公開講座

14 沖縄芸能の可能性

二〇〇五年発行　発売元・編集工房東洋企画　本体価格　一五〇〇円

国立劇場と沖縄芸能の可能性　大城學／琉球舞踊と玉城盛義　玉城節子／沖縄の民話と芸能　遠藤庄治／琉球芸能の可能性　狩俣恵一／沖縄芝居と沖縄方言　八木政男／琉歌を語る、歌う　島袋正雄／祭祀芸能の地理的基盤―本部町村落の景観変化―　崎浜靖／本土芸能と琉球芸能――覚書　葛綿正一／琉球舞踊と初代宮城能造　宮城能造／創作組踊の可能性―大城立裕の「新五番」　大野隆之／組踊、いまむかし　島袋光晴

15 基地をめぐる法と政治

二〇〇六年発行　発売元・編集工房東洋企画　本体価格　一五〇〇円

なぜ米軍は沖縄にとどまるのか　我部政明／米軍基地と日米地位協定　新垣勉／戦後沖縄の「保守」に関する基礎的考察　吉次公介／米軍再編と沖縄基地、普天間の行方は？　伊波洋一／米国の保守支配を考える　佐藤学／普天間飛行場跡地利用を考える　上江洲純子／軍事基地と環境問題　砂川かおり／基地と情報公開　前津榮健／米軍再編と沖縄　問われる発信力　松元剛／基地問題と報道　三上智恵／刑事法から見る「日米地位協定」　小西由浩／基地所在市町村における公共投資支出　平剛

16 グローバル時代における地域経済

二〇〇七年発行　発売元・編集工房東洋企画　本体価格　一五〇〇円

ベトナムに進出したウチナーンチュ企業　鎌田隆／二一世紀沖縄の社会経済の自立に向けて―道州制を展望する―　大城保／変革の時代における働き方―希望格差の拡大と働く意欲―　名嘉座元一／エジプトの観光経済―沖縄から考える―　村上了太／成長する中国の開発戦略　新垣勝弘／消費社会と政策―大量消費社会を展望する―　名城敏／フラワービジネスと企業戦略―わが国と中国を事例として―　小川護／ケルトの虎、アイルランド―アイルランドの経済・文化より沖縄の夢を語る―　呉錫畢／グローバル時代における地域経済―フラット化する世界とローカルな世界―　野崎四郎

17 生活目線のネットワーク社会「ゆんたく」de ＩＴとくらし

二〇〇八年発行　発売元・編集工房東洋企画　本体価格　一五〇〇円

ユビキタス社会における地域資源を活用した産業づくり　上地哲／情報化・ＩＴ化とディスクロージャー　清村英之／情報関連産業の集積と人的資源開発　兪炳強／建設業における原価企画の展開　木下和久／メディアとしてのブログ　大井肇／ウチナー社会にも押し寄せる情報化の波　伊波貢／ＩＴによる意思決定支援　平良直之／沖縄産マンゴーのブランド力強化と栽培履歴情報システムの普及要件　廣瀬牧人

沖縄国際大学公開講座委員会刊

地域を映す
沖縄国際大学公開講座

18 なかゆくい講座　元気が出るワークショップ

二〇〇九年発行　発売元・編集工房東洋企画　本体価格　一五〇〇円

逆ギレを防ぐ―相手を挑発をしないコツ―　山入端津由／フライングディスクで新たな感動と興奮のスポーツ発見！　宮城勇／落ち着かない子ども達への対応ワークショップ～発達障害児をもつ保護者への心理教育アプローチから～　知名孝／沖縄県におけるスクールソーシャルワーカー活用事業の実態―〝スクールソーシャルワーク元年〟にアンケート調査から見えてくるもの―　比嘉昌哉／子どもの社会性を育む遊びワークショップ―子どもＳＳＴへの招待―　栄孝之／感覚であそぼ―知覚と錯覚の不思議体験―　前堂志乃／解決志向のセルフケア―不幸の渦に巻き込まれないコツ―　牛田洋一／心とからだとストレス―生活習慣病の予防としてのストレス管理―　上田幸彦／ユニバーサルスポーツ体験講座―車いすサッカーの魅力―　下地隆之／こころとからだのリラックス～動作法入門～　平山篤史

19 うまんちゅ法律講座

二〇一〇年発行　発売元・編集工房東洋企画　本体価格　一五〇〇円

日本国憲法の原点を考える　井端正幸／裁判員制度について　吉井広幸・渡邉康年／刑事裁判の変貌　小西由浩／不況と派遣労働者　大山盛義／個人情報保護法制定の意義と概要　前津榮健／グレーゾーン金利廃止と多重債務問題　田中　稔／会社法の課題　―企業グループの運営における支配会社の責任　坂本達也／歴代那覇地裁・那覇家裁所長から裁判所行政を考える　西川伸一／日本の立法過程：政治学の観点から　芝田秀幹／郷土の法学者　佐喜眞興英の生涯　稲福日出夫

20 地域と環境ありりんくりん

二〇一一年発行　発売元・編集工房東洋企画　本体価格　一五〇〇円

新エネルギーとして導入が進む太陽光発電　新垣武／持続可能な観光と環境保全　上江洲薫／沖縄県における「基地外基地」問題について　友知政樹／沖縄ジュゴン訴訟　砂川かおり／地域の環境保全に活かされる金融　永田伊津子／島嶼型低炭素社会を探る　野崎四郎／沖縄本島と沖永良部島におけるキク類生産の現状と課題　小川護／観光を楽しむための情報技術　根路銘もえ子／沖縄の自然環境と環境問題　名城　敏／コモンズ（入会）と持続可能な地域発展　呉錫畢

21 産業を取り巻く情報

二〇一二年発行　発売元・編集工房東洋企画　本体価格　一五〇〇円

銀行ＡＴＭの「こちら」と「むこう」　池宮城尚也／情報化と行政について　前村昌健／観光調査の情報分析と政策への提言　宮森正樹／パソコンや家電が身振り手振りで操作できる！　小渡悟／情報を知識に変えるマネジメント　岩橋建治／海外市場における日本製娯楽ソフトの不正利用状況と消費メカニズム　原田優也／オリオンビールの新製品開発と原価企画　木下和久／県内企業と決算情報　河田賢一

沖縄国際大学公開講座委員会刊

地域を映す
沖縄国際大学公開講座

22 世変わりの後で復帰40年を考える　二〇一三年発行　発売元・編集工房東洋企画　本体価格　一五〇〇円
島津侵入～近世琉球への模索～　田名真之／琉球処分　赤嶺守／沖縄戦　―　壊滅から復興へ　吉浜忍／占領という「世変わり」と自治の模索　鳥山淳／沖縄の開発と環境保護　宮城邦治／文化財行政、世界遺産　上原靜／沖縄の生殖・家族とジェンダー　澤田佳世／民俗宗教と地域社会　信仰世界の変容　稲福みき子／記憶と継承　記憶・保存・活用　藤波潔／先住民族運動と琉球・沖縄　石垣直

23 自治体改革の今　沖縄の事例を中心にして　二〇一四年発行　発売元・編集工房東洋企画　本体価格　一五〇〇円
沖縄の発展可能性と戦略　富川盛武／琉球政府と沖縄県―権力移行期における「議会」の比較―　黒柳保則／市町村合併と自治体改革　古謝景春／那覇市繁多川公民館の試みから　大城喜江子・南信乃介／中核市・那覇の未来を拓く　翁長雄志／地方制度改革の現状　佐藤学／議会改革の現状と課題―アンケート調査結果を中心に―　前津榮健／行政評価と自治体財政　平剛／国と地方のあり方～地方分権改革の視点から～　照屋寛之

24 沖縄を取り巻く経済状況　二〇一五年発行　発売元・編集工房東洋企画　本体価格　一五〇〇円
横断的問題解決手法　浦本寛史／沖縄経済論―二つの陥穽について―　宮城和宏／沖縄の雇用労働問題―中小企業イコールブラック企業か―　名嘉座元一／沖縄経済と観光　湧上敦夫／沖縄の基地経済～課題と展望～　前泊博盛／大学の社会的責任―経済性と社会性に関する非営利組織論的アプローチ―　村上了太／アブダクションを用いた製品設計のための方法論の検討―沖縄における創造性―　金城敬太／地域資産としての沖縄の文化的景観　崎浜靖／沖縄における金融状況　安藤由美／沖縄における交通産業の生成と発展　梅井道生

25 産業情報学への招待　二〇一六年発行　発売元・編集工房東洋企画　本体価格　一五〇〇円
観光資源未開発地域の活性化に関する一考察　宮森正樹／沖縄県財政の特徴―類似県との比較を通じて―　仲地健／沖縄県におけるスポーツの果たす可能性を探る　慶田花英太／沖縄県におけるIT人材育成の課題と方途　砂川徹夫／クルーズ客船の経済学　田口順等／アジア新中間層における日本エンターテインメントの消費行動　原田優也／沖縄県における六次産業化の現状について　高嶺直／地域経済からみる中国国際貿易市場　佐久本朝一／人工知能見聞録　曹真

沖縄国際大学公開講座委員会刊

地域を映す
沖縄国際大学公開講座

29 産業と情報の科学

二〇二〇年発行　発売元・編集工房東洋企画　本体価格　一五〇〇円

ゲームを活用した観光振興―eスポーツ・位置情報ゲーム―　小渡悟／沖縄県における中心市街地活性化の現状と課題―商業と観光の両面から―　髭白晃宜／タイの近代的小売業の発展におけるセブンイレブンのビジネス展開　原田優也／初等教育におけるプログラミング教育の動向　平良直之／観光産業における観光ブランド構築の意味　李相典／沖縄県におけるスポーツツーリズム再考　慶田花英太／ウェブテクノロジーとビッグデータが未来を変える　安里肇／ハワイの観光促進戦略「HTA戦略プラン二〇一六―二〇二〇」から学ぶ沖縄観光の進む道　宮森正樹／沖縄県内主要企業の盛衰　岩橋建治／コンピュータ技術の発展と可能性　大山健治

30 ボーダレス・ダイバーシティ社会に向けて

二〇二一年発行　発売元・編集工房東洋企画　本体価格　一五〇〇円

多言語景観から見るマルチリンガリズムの包括性と排他性　李イニッド／多文化共生社会における持続可能なコミュニティ通訳翻訳に向けて―沖縄の現状と課題―　井上泉／「世界は舞台」―シェイクスピア作品に描かれる流動化社会の様態―　西原幹子／しまくとぅばがオンラインで学べるために　西岡敏／西欧と日本における〈日本〉のイメージ―〈とざされた世界〉をめぐる近代から現代の議論―　岡野薫／多文化化する沖縄社会　崎濱佳代／ダイバーシティ社会に向けて～ろう者の手話言語獲得の歩から考える～　岩田直子／日本語教師の専門性はどこにあるのか―多文化共生の推進に向けて考える―　奥山貴之／琉球諸語の語学教育―ポリノミックモデルを応用して―　ハイス・ファン＝デル＝ルベ

沖縄国際大学公開講座委員会刊

地域を映す
沖縄国際大学公開講座

沖国大ブックレット　A5版

1 アメリカの大学と少数民族そして沖縄
ハワイ国際大学学長　崎原貢　著
一九九六年発行　発売元・那覇出版社　本体価格四八五円

2 21世紀への私立大学の課題
早稲田大学総長　奥島孝康　著
一九九六年発行　発売元・ボーダーインク　本体価格四八五円

3 琉球王国と蝦夷地
札幌学院大学法学部教授　山畠正男　著
一九九八年発行　発売元・編集工房東洋企画　本体価格四八五円

4 多数派と少数派、民主主義の意味
インド・政策研究センター教授　桜美林大学客員教授　ラジモハン・ガンディー　著
一九九八年発行　発売元・編集工房東洋企画　本体価格五〇〇円

5 思考方法としての写真
写真家／プランナー　勇崎哲史　著
一九九九年発行　発売元・編集工房東洋企画　本体価格五〇〇円

6 東アジアにおける沖縄民俗の地位
創価大学文学部特任教授　竹田旦　著
二〇〇〇年発行　発売元・ボーダーインク　本体価格五〇〇円

7 21世紀・社会福祉の展望
日本社会事業大学教授・日本社会福祉学会会長　大橋謙策　著
二〇〇一年発行　発売元・ボーダーインク　本体価格五〇〇円

8 タクラマカン砂漠と住民生活
立正大学副学長・立正大学地球環境科学部教授・文学博士　澤田裕之　著
二〇〇一年発行　発売元・編集工房東洋企画　本体価格五〇〇円

沖縄国際大学公開講座委員会刊

地域を映す
沖縄国際大学公開講座

9 沖縄と世界の海の神話／西洋の海の神話
学習院大学教授・同大学文学部長　吉田敦彦　著／フランス・グルノーブル第三大学教授・同大学想像性研究所所長　フィリップ・ワルテル　著
二〇〇二年発行　発売元・編集工房東洋企画　本体価格五〇〇円

10 21世紀における大学教育
札幌学院大学教務部長 廣川和市、名城大学学長 網中政機、京都学園大学人間文化学部長（次期学長）海原　徹
桜美林大学学長 佐藤東洋士、熊本学園大学理事・事務局長 目黒純一、沖縄国際大学理事長・学長 波平勇夫　著
二〇〇三年発行　発売元・編集工房東洋企画　本体価格五〇〇円

11 個人のライフスタイルとコミュニティーの自立
心理学者　ジル・ジョーダン　著
二〇〇三年発行　発売元・編集工房東洋企画　本体価格五〇〇円

12 グローバリゼーションの中の沖縄
沖縄国際大学理事長・学長 波平勇夫、イリノイ大学名誉教授 コージ・タイラ、静岡県立大学教授 伊豆見 元、宜野湾市長 伊波洋一、フランス国立科学研究センター研究主任・社会科学高等研究院日本研究所所長 パトリック・ベイヴェール、翰林大学校教授・日本学研究所所長 池 明観
二〇〇四年発行　発売元・編集工房東洋企画　本体価格五〇〇円

13 元米海兵隊員の語る戦争と平和
アレン・ネルソン　著
二〇〇六年発行　発売元・編集工房東洋企画　本体価格五〇〇円

14 インドの生命科学　アーユルヴェーダに学ぶ、真の沖縄の健康づくり
クリシュナ・ウパディヤヤ・カリンジェ　著
二〇〇九年発行　発売元・編集工房東洋企画　本体価格五〇〇円

沖縄国際大学公開講座委員会刊